#시험대비
#핵심정복

7일 끝 시험 대비 문법 기초

Chunjae Makes Chunjae

편집개발 구은경, 구보선, 김희윤
제작 황성진, 조규영

발행일 2021년 4월 15일 초판 2021년 4월 15일 1쇄
발행인 (주)천재교육
주소 서울시 금천구 가산로9길 54
신고번호 제2001-000018호
고객센터 1577-0902
교재 내용문의 (02)3282-1711 / 8884

※ 정답 분실 시에는 천재교육 홈페이지에서 내려받으세요.

7일 끝으로 끝내자!

중학 **영문법 2**

BOOK 1

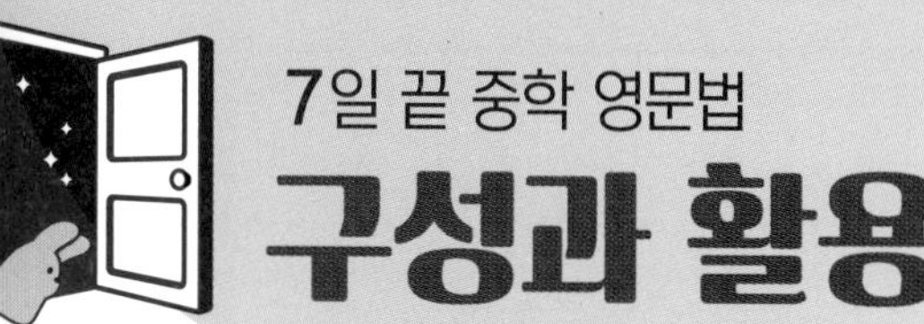

7일 끝 중학 영문법

구성과 활용

공부 시작

생각 열기

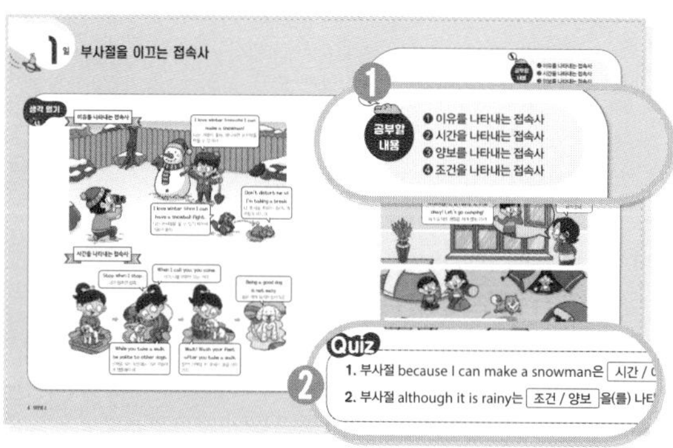

공부할 내용을 만화로 가볍게 살펴보며 학습 준비를 해 보세요.

❶ 공부할 내용을 살피며 핵심 학습 요소를 확인해 보세요.

❷ 학습 요소를 떠올리며 Quiz를 풀어 보세요.

본격 공부 중

교과서 핵심 문법 + 기초 확인 문제

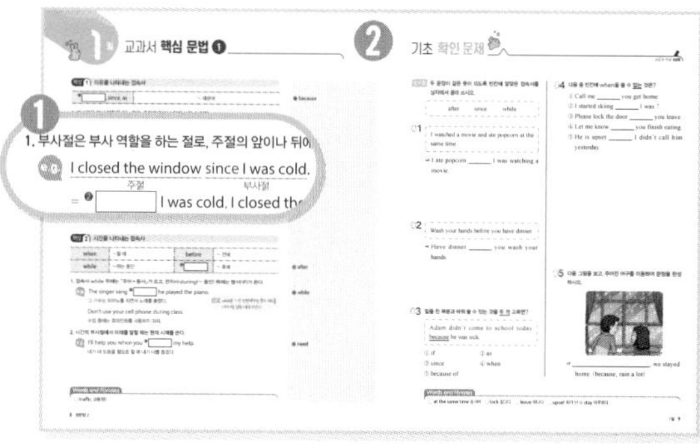

꼭 알아야 할 교과서 핵심 문법을 익히고 기초 확인 문제를 풀며 제대로 이해했는지 확인해 보세요.

❶ 빈칸을 채우며 핵심 내용을 다시 한 번 체크해 보세요.

❷ 기초 확인 문제를 풀며 앞서 공부한 문법 내용을 확인해 보세요.

내신 기출 베스트

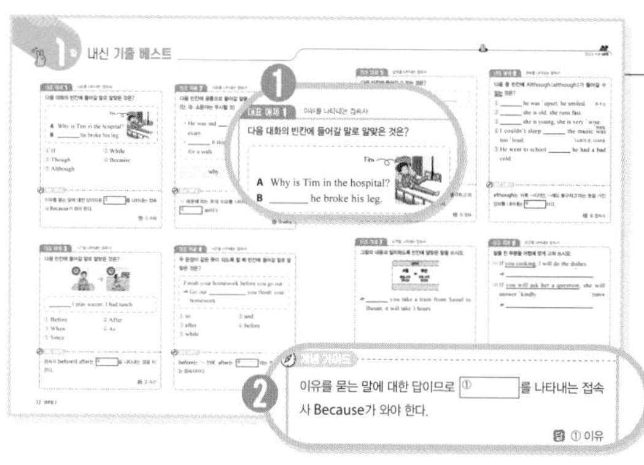

학교 시험 유형의 문제를 풀어 보며 공부한 내용을 점검해 보세요.

❶ 8개의 대표 예제를 풀며 학교 시험 유형의 기본 문제를 익혀 보세요.

❷ 개념 가이드의 빈칸을 채우며 각 문제의 핵심 문법 내용을 다시 한 번 확인해 보세요.

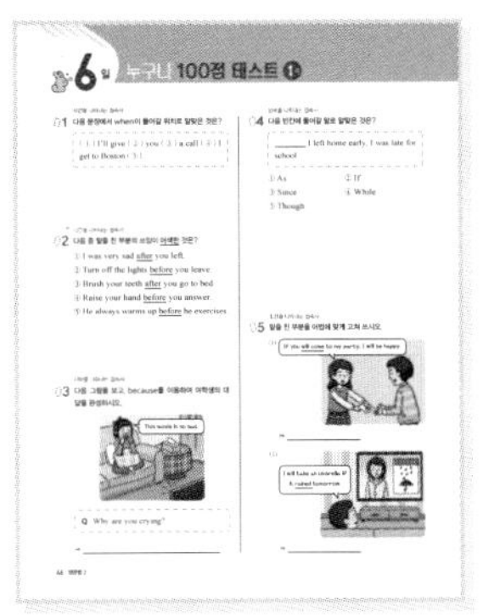

누구나 100점 테스트

앞서 공부한 내용에 대한 기초 이해력을 점검해 보세요.

창의·융합·서술·코딩 테스트

문장 완성하기 유형의 다양한 서술형 문제를 풀어 보세요.

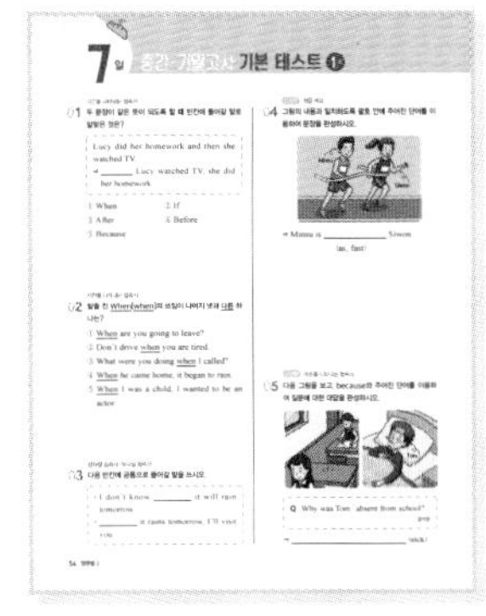

중간·기말고사 기본 테스트

학교 시험 유형의 예상 문제를 풀며 실전에 대비해 보세요.

튼튼이 공부하기

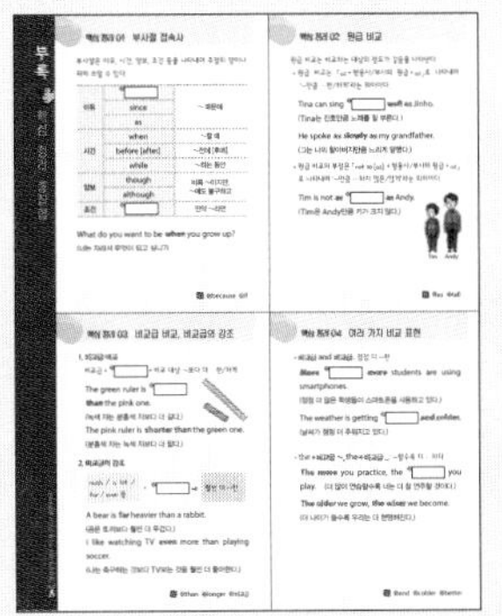

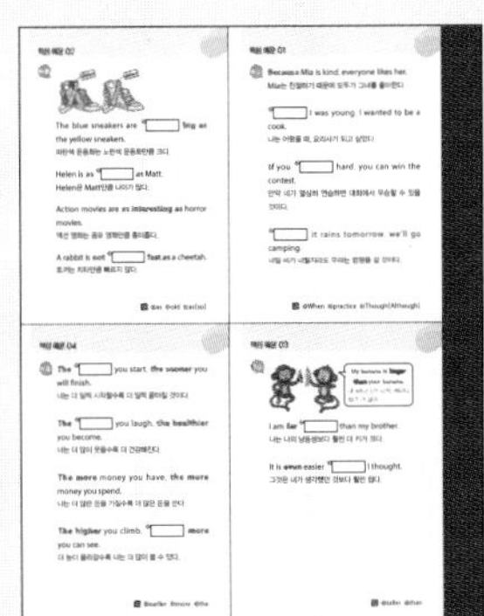

앞서 공부한 내용을 요약한 16장의 핵심 정리 총집합 학습 카드를 들고 다니며 공부해 보세요.

7일 끝 중학 영문법

차례

6일

7일

1일 부사절을 이끄는 접속사

생각 열기

공부할 내용

❶ 이유를 나타내는 접속사
❷ 시간을 나타내는 접속사
❸ 양보를 나타내는 접속사
❹ 조건을 나타내는 접속사

양보와 조건을 나타내는 접속사

I wonder if it will rain tomorrow. If the weather is good, I can go camping.
나는 내일 비가 올지 궁금해. 날씨가 좋다면 캠핑을 갈 수 있어.

It is raining.
비가 오네.

Although it is rainy, it'll be okay! Let's go camping!
비가 오지만, 괜찮을 거야! 캠핑 가자!

Though it rained a little, we enjoyed the camping.
비가 조금 내렸지만, 우리는 캠핑을 즐겼다.

Quiz

1. 부사절 because I can make a snowman은 [시간 / 이유] 을(를) 나타냅니다.
2. 부사절 although it is rainy는 [조건 / 양보] 을(를) 나타냅니다.

Answers

1. 이유
2. 양보

교과서 핵심 문법 ❶

핵심 1 이유를 나타내는 접속사

❶ [　　], since, as	~ 때문에

1. 부사절은 부사 역할을 하는 절로, 주절의 앞이나 뒤에 쓰일 수 있다.

e.g. I closed the window (주절) since I was cold (부사절). 나는 추웠기 때문에 창문을 닫았다.

= ❷ [　　] I was cold, I closed the window.

TIP 부사절이 주절 앞에 있으면 부사절 끝에 콤마(,)를 쓴다.

2. because 뒤에는 「주어+동사」가 오고, because of 뒤에는 명사(구)가 온다.

e.g. We were late because the traffic was bad. 우리는 교통체증 때문에 늦었다.

We were late because of the traffic.

3. as는 '~하면서', '~할 때'라는 뜻의 시간을 나타내는 접속사로도 쓰인다.

e.g. I can't go out ❸ [　　] I have a lot of homework.

나는 숙제가 많기 때문에 외출할 수 없다.

Lina cried as she read the letter. Lina는 편지를 읽으면서 울었다.

핵심 2 시간을 나타내는 접속사

when	~할 때	before	~ 전에
while	~하는 동안	❹ [　　]	~ 후에

1. 접속사 while 뒤에는 「주어+동사」가 오고, 전치사 during(~ 동안) 뒤에는 명사(구)가 온다.

e.g. The singer sang ❺ [　　] he played the piano.

그 가수는 피아노를 치면서 노래를 불렀다.

TIP while은 '~인 반면에'라는 뜻의 대조를 나타내는 접속사로도 쓰인다.

Don't use your cell phone during class.

수업 중에는 휴대전화를 사용하지 마라.

2. 시간의 부사절에서 미래를 말할 때는 현재 시제를 쓴다.

e.g. I'll help you when you ❻ [　　] my help.

네가 내 도움을 필요로 할 때 내가 너를 돕겠다.

❶ because
❷ Since
❸ as
❹ after
❺ while
❻ need

Words and Phrases

☐ traffic 교통(량)

기초 확인 문제

정답과 해설 66쪽

1~2 두 문장이 같은 뜻이 되도록 빈칸에 알맞은 접속사를 상자에서 골라 쓰시오.

after	since	while

01

I watched a movie and ate popcorn at the same time.

➡ I ate popcorn ________ I was watching a movie.

02

Wash your hands before you have dinner.

➡ Have dinner ________ you wash your hands.

03 밑줄 친 부분과 바꿔 쓸 수 있는 것을 두 개 고르면?

Adam didn't come to school today <u>because</u> he was sick.

① if
② as
③ since
④ when
⑤ because of

04 다음 중 빈칸에 when을 쓸 수 없는 것은?

① Call me ________ you get home.
② I started skiing ________ I was 7.
③ Please lock the door ________ you leave.
④ Let me know ________ you finish eating.
⑤ He is upset ________ I didn't call him yesterday.

05 다음 그림을 보고, 주어진 어구를 이용하여 문장을 완성하시오.

➡ ________________________, we stayed home. (because, rain a lot)

Words and Phrases

□ at the same time 동시에 □ lock 잠그다 □ leave 떠나다 □ upset 화가 난 □ stay 머무르다

1일 교과서 핵심 문법 ❷

핵심 3 양보를 나타내는 접속사

though, ❶ [ ]	비록 ~이지만, ~에도 불구하고

e.g. ❷ [ ] the man may be clever, he is not wise.
그 남자는 똑똑하지만 현명하지는 않다.

Emma is lonely ❸ [ ] she has many friends.
Emma는 친구가 많음에도 불구하고 외롭다.

❶ although

❷ Though(Although)

❸ though(although)

핵심 4 조건을 나타내는 접속사

if	만약 ~라면

e.g. You can stay more if you want.
네가 원한다면 더 머물러도 된다.

❹ [ ] there is any problem, call me.
만약 문제가 있으면 저에게 전화하세요.

1. 조건의 부사절에서 미래를 말할 때는 ❺ [ ] 시제를 쓴다.

e.g. If the weather ❻ [ ] fine, I'll go hiking this weekend.
만약 날씨가 좋다면 나는 이번 주말에 등산을 갈 것이다.

2. 부사절 접속사 if vs. 명사절 접속사 if

부사절 접속사 if	명사절 접속사 if
• 의미: 만약 ~라면 • if가 이끄는 부사절이 주절의 일에 대한 조건을 나타낸다. ❼ [ ] Grace is at home, let me know. 만약 Grace가 집에 있다면 나에게 알려 줘. • 미래의 일을 현재 시제로 나타낸다. If he call me, I will be happy. 만약 그가 나에게 전화를 한다면 나는 행복할 것이다.	• 의미: ~인지 아닌지 • if가 이끄는 명사절이 문장의 목적어 역할을 한다. Do you know if Grace is at home? Grace가 집에 있는지 아니? • 미래의 일을 미래 시제로 나타낸다. I don't know if he will call me. 나는 그가 나에게 전화를 할지 모르겠다.

❹ If

❺ 현재

❻ is

❼ If

Words and Phrases

☐ clever 영리한, 똑똑한 ☐ wise 현명한 ☐ weather 날씨 ☐ go hiking 등산을 가다

06 다음 빈칸에 알맞은 말이 순서대로 짝 지어진 것은?

- I don't walk to school ________ it is very cold.
- ________ I'm Korean, I don't like *kimchi*.

① if – If
② though – If
③ if – Though
④ though – Although
⑤ although – Though

07 두 문장이 같은 뜻이 되도록 할 때 빈칸에 알맞은 말은?

Walk faster, and you will catch the train.
➡ ________ you walk faster, you will catch the train.

① If
② Before
③ Though
④ While
⑤ Although

08 if 또는 although를 이용하여 두 문장을 한 문장으로 연결하시오.

(1) I didn't cry. / I was very sad.

____

(2) He kept working. / It was late.

____

(3) It rains. / She won't come.

____

09 다음 중 어법상 어색한 것은?

① If I get up late, I miss the 8 o'clock bus.
② Although he is rich, he drives an old car.
③ If I don't wear my glasses, I can't read a book.
④ Though they practiced a lot, they lost the match.
⑤ If the weather will be bad, we will exercise indoors.

10 다음 그림을 보고, 주어진 어구를 이용하여 대화를 완성하시오.

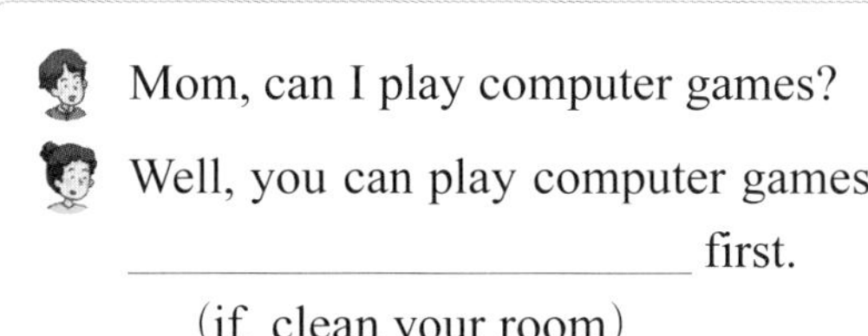
Mom, can I play computer games?
Well, you can play computer games ________________ first.
(if, clean your room)

Words and Phrases

□ miss 놓치다 □ rich 부유한 □ practice 연습하다 □ lose 지다 □ indoors 실내에서

1일 내신 기출 베스트

대표 예제 1 이유를 나타내는 접속사

다음 대화의 빈칸에 들어갈 말로 알맞은 것은?

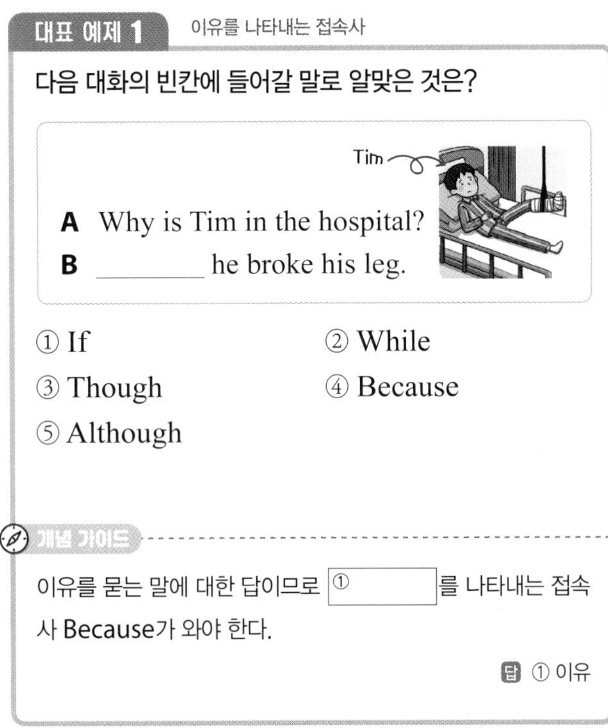

A Why is Tim in the hospital?
B ________ he broke his leg.

① If ② While
③ Though ④ Because
⑤ Although

개념 가이드

이유를 묻는 말에 대한 답이므로 ① ________ 를 나타내는 접속사 Because가 와야 한다.

답 ① 이유

대표 예제 2 이유를 나타내는 접속사

다음 빈칸에 공통으로 들어갈 말을 상자에서 골라 쓰시오. (단, 대·소문자는 무시할 것)

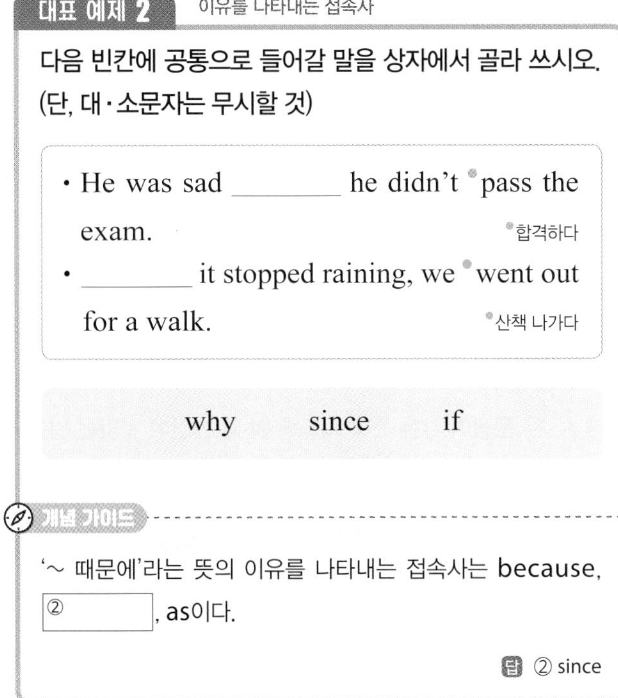

- He was sad ________ he didn't pass* the exam. *합격하다
- ________ it stopped raining, we went out* for a walk. *산책 나가다

why	since	if

개념 가이드

'~ 때문에'라는 뜻의 이유를 나타내는 접속사는 because, ② ________, as이다.

답 ② since

대표 예제 3 시간을 나타내는 접속사

다음 빈칸에 들어갈 말로 알맞은 것은?

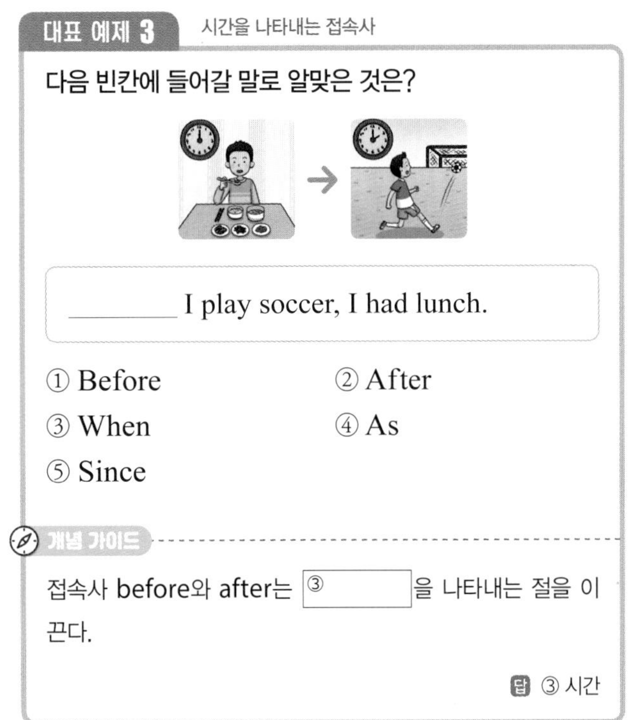

________ I play soccer, I had lunch.

① Before ② After
③ When ④ As
⑤ Since

개념 가이드

접속사 before와 after는 ③ ________ 을 나타내는 절을 이끈다.

답 ③ 시간

대표 예제 4 시간을 나타내는 접속사

두 문장이 같은 뜻이 되도록 할 때 빈칸에 들어갈 말로 알맞은 것은?

Finish your homework before you go out.
➡ Go out ________ you finish your homework.

① so ② and
③ after ④ before
⑤ while

개념 가이드

before는 '~ 전에', after는 '④ ________'라는 뜻을 나타내는 접속사이다.

답 ④ ~ 후에

대표 예제 5 양보를 나타내는 접속사

다음 빈칸에 들어갈 수 없는 것은?

Though it was cold, ______________.

① we had a lot of fun
② he didn't wear a coat
③ I stayed home all day
④ she went out for a walk
⑤ people looked very happy

개념 가이드

though와 although는 '비록 ~이지만, ~에도 불구하고'라는 뜻으로 ⑤ ______ 를 나타내는 절을 이끈다.

답 ⑤ 양보

대표 예제 6 양보를 나타내는 접속사

다음 중 빈칸에 Although(although)가 들어갈 수 없는 것은?

① ______ he was upset, he smiled. *화가 난
② ______ she is old, she runs fast.
③ ______ she is young, she is very wise. *현명한
④ I couldn't sleep ______ the music was too loud. *(소리가) 큰, 시끄러운
⑤ He went to school ______ he had a bad cold.

개념 가이드

although는 '비록 ~이지만, ~에도 불구하고'라는 뜻을 가진 양보를 나타내는 ⑥ ______ 이다.

답 ⑥ 접속사

대표 예제 7 조건을 나타내는 접속사

그림의 내용과 일치하도록 빈칸에 알맞은 말을 쓰시오.

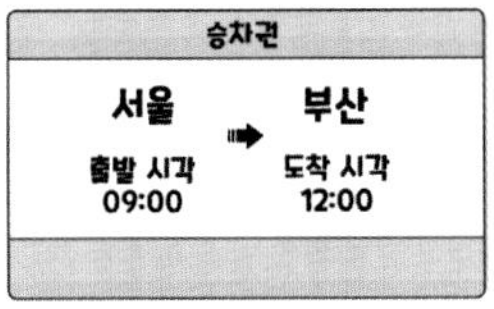

승차권	
서울	부산
출발 시각 09:00	도착 시각 12:00

➡ ______ you take a train from Seoul to Busan, it will take 3 hours.

개념 가이드

if는 ⑦ ______ 을 나타내는 접속사로, 「if+주어+동사」의 순서로 쓰며, '만약 ~한다면'이라는 의미이다.

답 ⑦ 조건

대표 예제 8 조건을 나타내는 접속사

밑줄 친 부분을 어법에 맞게 고쳐 쓰시오.

(1) If you cooking, I will do the dishes.

➡ ______________________

(2) If you will ask her a question, she will answer kindly. *친절하게

➡ ______________________

개념 가이드

if 조건절에서는 미래의 일을 나타내더라도 ⑧ ______ 시제를 사용한다.

답 ⑧ 현재

2일 비교 구문

생각 열기

원급 비교

The red chair is as expensive as the green one.
빨간 의자는 녹색 의자만큼 비싸네.

₩ 60,000

₩ 60,000

The red chair looks comfortable.
빨간 의자가 편안해 보인다.

This watermelon tastes as sweet as sugar.
이 수박은 설탕만큼 달구나.

This chair is not as comfortable as I thought. I miss the old chair!
이 의자는 내가 생각했던 것만큼 편하지 않네. 예전 의자가 그리워!

비교급 비교와 비교급 강조

공부할 내용

❶ 원급 비교
❷ 비교급 비교와 비교급 강조
❸ 여러 가지 비교 · 최상급 표현

여러 가지 비교 · 최상급 표현

Quiz

1. Jack is as tall as Sue.는 두 대상의 정도가 [같음 / 다름] 을 나타냅니다.

2. '가장 ~한'이라는 뜻의 최상급 앞에는 보통 [a / the] 를 씁니다.

Answers

1. 같음
2. the

2일 교과서 핵심 문법 ❶

핵심 1 원급 비교

1. 원급 비교는 비교하는 대상의 정도가 같음을 나타낸다.

원급은 형용사나 부사의 원래 형태를 말해요.

as+❶ ______ / 부사의 원급+as ~ (~만큼 …한/하게)

e.g. Jisu is ❷ ______ tall as Mina. 지수는 미나만큼 키가 크다.

2. 원급 비교의 부정

not ... so(as)+형용사 / 부사의 원급+as ~ (~만큼 …하지 않은/않게)

e.g. My car is not as (so) old as your car. 내 자동차는 너의 자동차만큼 오래되지 않았다.
= Your car is older ❸ ______ my car. 너의 자동차가 내 자동차보다 더 오래되었다.
= My car is less old than your car. 내 자동차가 너의 자동차보다 덜 오래되었다.
= My car is newer than your car. 내 자동차가 너의 자동차보다 더 새것이다.

핵심 2 비교급 비교와 비교급 강조

1. 비교급 비교

비교급+❹ ______ +비교 대상 (~보다 더 …한/하게)

e.g. A car is ❺ ______ than a bike. 자동차는 자전거보다 더 빠르다.
Bill has more books than Mina. Bill은 미나보다 더 많은 책을 가지고 있다.

2. 비교급 강조

much / a lot / far / even 등 + 비교급 ➡ 훨씬 더 ~한

e.g. A giraffe is much ❻ ______ than a deer. 기린은 사슴보다 훨씬 더 키가 크다.
A cheetah runs a lot faster than a rabbit.
치타는 토끼보다 훨씬 더 빠르게 달린다.

❶ 형용사
❷ as
❸ than
❹ than
❺ faster
❻ taller

Words and Phrases

☐ giraffe 기린 ☐ deer 사슴

기초 확인 문제

정답과 해설 69쪽

01 밑줄 친 단어의 알맞은 형태끼리 짝 지어진 것은?

- Peter speaks French good than Sam.
- Anna comes to school early than me.

① best - earlier
② best - more early
③ better - earlier
④ better - very early
⑤ more good - more earlier

2~3 다음 빈칸에 들어갈 수 없는 것을 고르시오.

02

Helen is as __________ as Brian.

① tall ② strong
③ smart ④ lovely
⑤ lighter

03

Monica is __________ wiser than me.

① even ② much
③ far ④ very
⑤ a lot

04 다음 그림을 보고, 주어진 단어와 'as~as'를 이용하여 빈칸에 알맞은 말을 쓰시오.

➡ The red sweater is __________________ the green one. (expensive)

05 다음 표의 내용과 일치하지 않는 것은?

	나이	키	몸무게
Gina	15세	160cm	50kg
Ted	16세	155cm	50kg
Amy	16세	160cm	50kg

① Gina is as tall as Amy.
② Gina is not as old as Amy.
③ Gina is as heavy as Amy.
④ Ted is as old as Amy.
⑤ Ted is not as heavy as Amy.

Words and Phrases

☐ lovely 사랑스러운 ☐ wise 현명한 ☐ expensive 비싼

2일 교과서 핵심 문법 ❷

핵심 3 여러 가지 비교 표현

비교급+and+비교급	점점 더 ~한

e.g. Today more and ❶ [ ] people are using smartphones.
오늘날 점점 더 많은 사람들이 스마트폰을 사용하고 있다.

the+비교급 ~, the+비교급 ...	~할수록 더 …하다

e.g. The ❷ [ ] you drive, the more dangerous it is.
네가 더 빠르게 운전할수록 더 위험하다.

핵심 4 여러 가지 최상급 표현

1. 비교급 표현을 활용한 최상급 비교

비교급+than+any ❸ [ ] +단수 명사	다른 어떤 …보다 ~한
비교급+than+all other+복수 명사	다른 모든 …보다 ~한
No (other)+명사~+비교급+than	어떤 ~도 …보다 ~하지 않다
No (other)+명사~+as(so)+원급+as	어떤 ~도 …만큼 ~하지 않다

e.g. Russia is larger than any other country. 러시아는 다른 어떤 나라보다 더 크다.
= Russia is larger than all other countries. 러시아는 다른 모든 나라들보다 더 크다.
= No other country is larger ❹ [ ] Russia. 다른 어떤 나라도 러시아보다 크지 않다.
= No other country is as(so) large as Russia. 다른 어떤 나라도 러시아만큼 크지 않다.

2. 여러 가지 최상급 표현

the+최상급 ~+in+장소, 범위	…에서 가장 ~한
the+최상급 ~+of+복수 명사	…에서 가장 ~한
one of the+최상급+복수 명사	가장 ~한 … 중 하나

e.g. Ann is the ❺ [ ] student in the class. Ann은 반에서 가장 키가 작은 학생이다.
Emily is one of the most popular ❻ [ ] in class.
Emily는 반에서 가장 인기 있는 학생들 중 하나이다.

❶ more
❷ faster
❸ other
❹ than
❺ shortest
❻ students

Words and Phrases

□drive 운전하다 □dangerous 위험한 □polpular 인기 있는

06 다음 빈칸에 들어갈 말로 알맞은 것은?

> ________ I see her, the more I like her.

① More ② Much
③ The more ④ Most
⑤ The most

07 우리말과 같은 뜻이 되도록 할 때 빈칸에 들어갈 말로 알맞은 것은?

> The room is getting ________.
> (방이 점점 더 더워지고 있다.)

① hot and hot ② hot and hotter
③ hotter and hotter ④ hot and hottest
⑤ hotter and hottest

08 어법상 어색한 부분을 바르게 고쳐 문장을 다시 쓰시오.

> It is one of the most beautiful beach in Korea.

➡ ________________

09 다음 그림의 내용과 일치하지 않는 것은?

① No other student is as tall as Ted.
② No other student is taller than Ted.
③ Ted is taller than all other students.
④ Ted is not as tall as other students.
⑤ Ted is taller than any other student.

여러 가지 비교 표현

10 다음 우리말을 영어로 바르게 옮긴 것은?

> 그녀는 나이가 들면 들수록 더 현명해졌다.

① The oldest she grew, the wisest she became.
② She grew old, she became wise.
③ The older she grew, the wiser she became.
④ The old she grew, the wise she became.
⑤ Older she grew, wiser she became.

Words and Phrases

□ beach 해변 □ wise 현명한 □ grow old 나이가 들다

2일 내신 기출 베스트

대표 예제 1 원급 비교

다음 빈칸에 들어갈 말이 순서대로 짝지어진 것은?

- Andy is not ________ brave as Pam. (brave: 용감한)
- The blue sneakers are ________ light as the yellow ones. (light: 가벼운)

① as - as　② so - as
③ as - so　④ so - such
⑤ such - so

개념 가이드

비교하는 대상의 정도가 같을 때 '① ______ +원급+ ② ______' 형태로 나타낸다.

답 ① as　② as

대표 예제 2 비교급 비교

다음 그림을 보고, 주어진 단어를 이용하여 문장을 완성하시오.

➡ The elephant is ________ ________ the pig. (heavy)

개념 가이드

비교급을 사용해 두 대상을 비교할 때는 「비교급+ ③ ______ +비교 대상」으로 나타낸다.

답 ③ than

대표 예제 3 비교급 비교

다음 설명에서 키가 큰 순서대로 이름을 바르게 나열한 것은?

Sophia is taller than Mike. Mike is shorter than Sue. Sue is taller than Sophia.

① Sophia → Mike → Sue
② Sophia → Sue → Mike
③ Mike → Sue → Sophia
④ Mike → Sophia → Sue
⑤ Sue → Sophia → Mike

개념 가이드

비교급을 사용해 두 대상을 비교할 때는 「비교급+ ④ ______ +비교 대상」으로 나타낸다.

답 ④ than

대표 예제 4 비교급의 강조

우리말과 같은 뜻이 되도록 할 때 빈칸에 들어갈 말로 알맞은 것은?

그 시계는 내가 생각했던 것보다 훨씬 더 비쌌다.
➡ The watch was ____________ more expensive than I thought.

① very　② so
③ most　④ much
⑤ such

개념 가이드

비교급을 강조할 때는 비교급 앞에 ⑤ ______, even, a lot, far 등을 써서 '⑥ ______'이라는 뜻을 나타낸다.

답 ⑤ much　⑥ 훨씬

대표 예제 5 여러 가지 비교 표현

밑줄 친 단어를 알맞은 형태로 바꿔 쓰시오.

The (1) high you climb, the (2) little trees you can see. (climb: 오르다)

(1) ________ (2) ________

개념 가이드

「the+⑦ ____ ~, the+⑧ ____ …」은 '~할수록 더욱 더 …하다'라는 의미이다.

답 ⑦ 비교급 ⑧ 비교급

대표 예제 6 여러 가지 비교 표현

다음 우리말을 영어로 바르게 옮긴 것은?

낮이 점점 더 길어지고 있다.

① The day is getting long.
② The day is getting long and long.
③ The day is getting long and longer.
④ The day is getting longer and longer.
⑤ The day is getting longer and longest.

개념 가이드

「비교급 ⑨ ____ 비교급」은 '점점 더 ~한'이라는 의미를 나타낸다.

답 ⑨ and

대표 예제 7 최상급 표현

다음 빈칸에 들어갈 말로 알맞은 것은?

This is the ________ bridge in the world.

① long ② longer
③ longest ④ more long
⑤ most longest

개념 가이드

「the+⑩ ____ ~+in+장소, 범위」는 '…에서 가장 ~한'이라는 의미를 나타낸다.

답 ⑩ 최상급

대표 예제 8 비교급을 활용한 최상급 표현

다음 대화의 빈칸에 알맞은 말을 쓰시오.

A What is the largest country in the world? (country: 나라, 국가)
B It is Russia. It is ______ than ______ ______ country.

개념 가이드

「비교급+than+any ⑪ ____ +단수 명사」는 '다른 어떤 ~보다 더 …한'이라는 의미이다.

답 ⑪ other

3일 관계대명사

생각 열기
주격 관계대명사
Where are the books that were on this table?
탁자 위에 있던 책들 어디 갔지?
The girl who visited us yesterday borrowed them from you.
어제 우리를 방문했던 여학생이 너에게 그것들을 빌려갔잖아.
Oh, I remember!
아, 기억났어!
목적격 관계대명사
Happy birthday! This is a present which we got for you.
생일 축하해! 이것은 우리가 너를 위해 준비한 선물이야.
HAPPY BIRTHDAY!
Thank you. This is the cap that I wanted to have.
고마워. 이것은 내가 갖고 싶었던 모자야.
Happy birthday! I bought a toy for you.
생일 축하해! 내가 너를 위해 장난감을 샀어.
Great! You're the person whom I love most.
멋지다! 너는 내가 가장 사랑하는 사람이야.

공부할 내용

❶ 주격 관계대명사
❷ 목적격 관계대명사
❸ 관계대명사 that vs. 접속사 that

관계대명사 that의 용법

Quiz

1. '우리를 방문한 여학생'은 the girl [who / which] visited us로 씁니다.

2. '내가 찍은 사진'은 the picture [that / whom] I took으로 씁니다.

Answers

1. who
2. that

3일 교과서 핵심 문법 ❶

핵심 1 주격 관계대명사

1. 관계대명사는 「접속사+대명사」의 역할을 하며 관계대명사가 이끄는 형용사절이 앞의 ❶ ______ (선행사)를 수식한다.

I have a brother. He is good at singing. 나는 남동생이 한 명 있다. 그는 노래를 잘 한다.
(a brother = He: 주어)

➡ I have a brother who(that) is good at singing. 나는 노래를 잘 하는 남동생이 한 명 있다.
(a brother: 선행사, who(that): 주격 관계대명사, who(that) is good at singing: 형용사절)

I have a book. It is very interesting. 나는 책이 한 권 있다. 그것은 매우 흥미롭다.
(a book = It: 주어)

➡ I have a book ❷ ______ is very interesting. 나는 매우 흥미로운 책이 한 권 있다.
(a book: 선행사, ❷: 주격 관계대명사)

2. 주격 관계대명사는 관계대명사절에서 주어 역할을 하며 종류에는 who, which, that이 있다.

선행사	주격 관계대명사	
사람	❸ ______	that
사물, 동물	which	

e.g. The boy ❹ ______ is carrying a box is my son.
상자를 나르고 있는 소년은 내 아들이다.

Did you read the book ❺ ______ is on the table?
너는 탁자 위에 있는 책을 읽었니?

3. 주격 관계대명사 뒤에는 동사가 오며, 동사는 선행사에 인칭과 수에 일치시킨다.

e.g. The girl who(that) likes you is over there.
(likes: 단수 동사)
너를 좋아하는 소녀가 저기 있다.

I like books which(that) ❻ ______ many pictures in it.
(❻: 복수 동사)
나는 그림이 많은 책을 좋아한다.

TIP 「주격 관계대명사+be동사+분사」 구문에서 「주격 관계대명사+be동사」는 생략할 수 있다.
Look at the boy (who(that) is) holding a dog.

❶ 명사
❷ which(that)
❸ who
❹ who(that)
❺ which(that)
❻ have

Words and Phrases

☐ be good at ~을 잘하다 ☐ carry 나르다, 운반하다

기초 확인 문제

정답과 해설 72쪽

01 다음 빈칸에 공통으로 들어갈 말로 알맞은 것은?

- Somi has a sister ________ is a teacher.
- Look at the tree ________ stands in the middle of the garden.

① who ② that
③ whose ④ which
⑤ what

02 다음 두 문장을 한 문장으로 바꿔 쓸 때 빈칸에 알맞은 말을 쓰시오.

- A man is playing the piano.
- The man is Mr. White.

➡ The man ________ ________ ________ the piano is Mr. White.

03 밑줄 친 부분 중 어법상 어색한 것은?

① I have a cousin who is very tall.
② She is holding a cat which have blue eyes.
③ He lost his watch which was his birthday gift.
④ The boy who is walking a dog is my little brother.
⑤ Let's go to the restaurant which is on the corner.

04 밑줄 친 who의 쓰임이 나머지 넷과 다른 하나는?

① Who is that man sitting over there?
② Look at the man who is wearing a hat.
③ She is the teacher who teaches us math.
④ Do you know the girl who is talking on the phone?
⑤ I know a man who can speak both Korean and English.

05 다음 그림을 보고, 관계대명사와 주어진 어구를 이용하여 문장을 완성하시오.

A firefighter is a person ________________.
(put out fire)

Words and Phrases

☐ in the middle of ~의 중앙에 ☐ cousin 조카 ☐ corner 모퉁이 ☐ put out (불을) 끄다

3일 교과서 **핵심 문법 ❷**

핵심 2 목적격 관계대명사

선행사	목적격 관계대명사	
사람	who(m)	❶
사물, 동물	which	

1. 목적격 관계대명사는 관계대명사가 이끄는 절 안에서 ❷ 역할을 하며 종류에는 who(m), which, that이 있다. 목적격 관계대명사 뒤에는 「주어+동사 ~」가 온다.

   I lost my hat. I bought it yesterday. 나는 내 모자를 잃어 버렸다. 나는 그것을 어제 샀다.
   (my hat = it: 목적어)

   ➡ I lost a hat which(that) I bought yesterday. 나는 어제 산 모자를 잃어버렸다.
   (a hat: 선행사, which(that): 목적격 관계대명사)

   e.g. The city which I visited last month ❸ Busan.
   내가 지난달에 방문한 도시는 부산이다.

   Vincent van Gogh is the painter ❹ I like most.
   Vincent van Gogh는 내가 가장 좋아하는 화가이다.

2. 목적격 관계대명사는 생략할 수 있다. 단, 「❺ +목적격 관계대명사」일 경우에는 생략할 수 없다.

   e.g. I lost the watch (which(that)) my grandfather gave to me.
   나는 나의 할아버지께서 주신 시계를 잃어버렸다.

   The chair on which you are sitting is very old. 네가 앉아 있는 의자는 매우 낡았다.
   (on which: 생략할 수 없음)

핵심 3 관계대명사 that vs. 접속사 that

관계대명사 that	접속사 that
• 형용사절을 이끎 • 선행사가 있음(who나 which를 대신할 수 있음) • 뒤에 불완전한 문장이 옴	• 명사절을 이끎 • 선행사가 없음 • 뒤에 완전한 문장이 옴

e.g. I know a girl that ❻ in Paris. 나는 파리에 사는 한 소녀를 안다.
(a girl: 선행사, that: 주격 관계대명사)

I know that you want to visit Paris. 나는 네가 파리를 방문하고 싶어 한다는 것을 안다.
(that: 접속사, you want to visit Paris: 「주어+동사 ~」인 절)

❶ that
❷ 목적어
❸ is
❹ who(m)
❺ 전치사
❻ lives

06 밑줄 친 that과 바꿔 쓸 수 있는 것은?

> I bought the camera that I wanted to have.

① what ② who
③ whom ④ whose
⑤ which

07 다음 빈칸에 들어갈 말로 알맞은 것을 두 개 고르면?

> The movie ________ I saw last night was boring.

① which ② who
③ whom ④ whose
⑤ that

08 다음 문장의 빈칸에 들어갈 수 없는 것은?

> This is ________ whom I love so much.

① the girl ② the child
③ my mom ④ the song
⑤ the woman

09 다음 중 어법상 어색한 것은?

① It's the machine which makes coffee.
② I saw the girl whom you are looking for.
③ Did you like the cookies that I gave you?
④ This is the man who always makes me smile.
⑤ I picked up a wallet whom I found on the street.

10 밑줄 친 관계대명사 중 생략할 수 없는 것은?

① This is Ms. Kim who everyone likes.
② This is the park that I talked about.
③ The book that you gave me was helpful.
④ The guy that is playing with the kids is Dan.
⑤ We are going to the restaurant which Sam picked.

Words and Phrases

□ boring 지루한 □ child 아이 □ machine 기계 □ look for ~을 찾다 □ pick up 줍다 □ wallet 지갑 □ helpful 도움이 되는
□ pick 고르다

내신 기출 베스트

대표 예제 1 주격 관계대명사

다음 문장에서 which가 들어갈 위치로 알맞은 것은?

City Hall　　　train station

> 시청에서 출발하는 그 버스는 기차역으로 간다.

➡ The bus (①) leaves (②) from (③) City Hall (④) goes (⑤) to the train station.

개념 가이드

주격 관계대명사는 앞의 ① [　　] 를 수식하며 뒤에는 ② [　　] 가 온다.

답 ① 명사 ② 동사

대표 예제 2 주격 관계대명사

밑줄 친 that의 쓰임이 나머지 넷과 다른 하나는?

① I need a bag <u>that</u> has a big *pocket. *주머니
② I saw a cat <u>that</u> is sleeping on the bench.
③ I didn't know <u>that</u> Eric came from Canada.
④ A *giraffe is an animal <u>that</u> has a long neck. *기린
⑤ I know the boy <u>that</u> was dancing on the *stage. *무대

개념 가이드

주격 관계대명사 that 뒤에는 ③ [　　] 가 오고, ④ [　　] that 뒤에는 「주어+동사」가 온다.

답 ③ 동사 ④ 접속사

대표 예제 3 주격 관계대명사

다음 빈칸에 들어갈 수 <u>없는</u> 것은?

> Look at the ________ that is sitting on the bench.

① cat　　② boy
③ man　　④ girl
⑤ people

개념 가이드

주격 관계대명사 뒤의 동사는 ⑤ [　　] 의 인칭과 ⑥ [　　] 에 일치시킨다.

답 ⑤ 선행사 ⑥ 수

대표 예제 4 주격 관계대명사

빈칸에 관계대명사 who 또는 which를 쓰시오.

(1) Do you know the boy ________ is playing tennis?
(2) I can read the letter ________ was written in English.
(3) I bought sneakers ________ are very popular with teens.

개념 가이드

주격 관계대명사 who는 선행사가 ⑦ [　　] 일 때, ⑧ [　　] 는 선행사가 동물이나 사물일 때 쓴다.

답 ⑦ 사람 ⑧ which

대표 예제 5 목적격 관계대명사

다음 빈칸에 들어갈 말로 알맞은 것을 두 개 고르면?

This is the ________ which I really like.

① hat ② boy
③ singer ④ book
⑤ people

개념 가이드

목적격 관계대명사 which는 선행사가 동물이나 ⑨ [ ] 일 때 쓴다. 선행사가 사람일 때는 ⑩ [ ] 을 쓸 수 있다.

답 ⑨ 사물 ⑩ who(m)

대표 예제 6 목적격 관계대명사

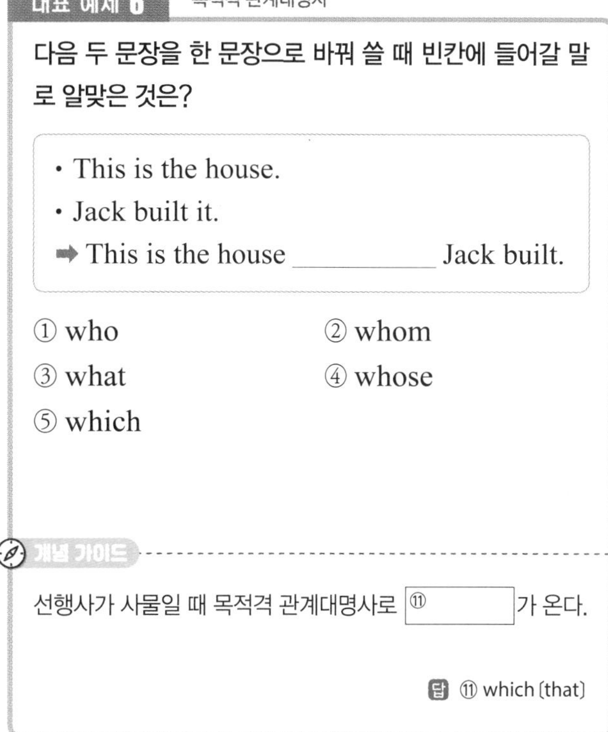

다음 두 문장을 한 문장으로 바꿔 쓸 때 빈칸에 들어갈 말로 알맞은 것은?

- This is the house.
- Jack built it.

➡ This is the house ________ Jack built.

① who ② whom
③ what ④ whose
⑤ which

개념 가이드

선행사가 사물일 때 목적격 관계대명사로 ⑪ [ ] 가 온다.

답 ⑪ which (that)

대표 예제 7 목적격 관계대명사

다음 그림을 보고, 우리말을 참고하여 빈칸에 알맞은 말을 쓰시오.

➡ The bag ________ Suho was carrying is red. (수호가 들고 다니던 그 가방은 빨간색이다.)

개념 가이드

선행사가 동물이나 ⑫ [ ] 일 때 목적격 관계대명사로 that이나 which가 온다.

답 ⑫ 사물

대표 예제 8 목적격 관계대명사 that의 생략

다음 밑줄 친 that 중 생략할 수 있는 것은?

① A vet is a doctor that treats animals. (vet 수의사, treat 치료하다)
② This is the man that owns a bakery. (bakery 빵집)
③ Look at the dog that has brown fur. (fur 털)
④ We're looking for the man that can speak Chinese well.
⑤ The person that I respect most is my mother. (respect 존경하다)

개념 가이드

목적격 관계대명사 뒤에는 「주어+동사」가 오며 생략이 ⑬ [ ] 하다.

답 ⑬ 가능

4일 5형식 문장

생각 열기

공부할 내용

❶ 5형식 문장의 목적격 보어
❷ 목적격 보어: to 부정사 / 형용사
❸ 지각동사의 목적격 보어
❹ 사역동사의 목적격 보어

지각동사와 사역동사의 목적격 보어

I hear Jason play the piano every day.
나는 Jason이 피아노 치는 것을 매일 듣지.

I love to watch Simba play with a ball.
나는 심바가 공을 가지고 노는 것을 보는 것이 너무 좋아.

Jason, it's 8 o'clock.
Jason, 8시야.

Ms. Brown made her son stop playing the piano.
Brown 씨가 그녀의 아들이 피아노 치는 것을 멈추게 하셨어.

My mom never let me play the piano late at night.
우리 엄마는 절대로 내가 밤늦게 피아노를 치도록 허락하지 않으시지.

Quiz

1. Ask you partner [wake / to wake] you up.은 '짝에게 너를 깨워 달라고 부탁해.'라는 뜻입니다.

2. She made her son [stop / stopping] playing the piano.는 '그녀는 그녀의 아들이 피아노 치는 것을 멈추게 했다.'라는 뜻입니다.

Answers

1. to wake
2. stop

4일 교과서 **핵심 문법 ❶**

핵심 1 5형식 문장의 목적격 보어

5형식 문장은 「주어+동사+목적어+목적격 보어」로 이루어져 있고, 목적격 보어로 to부정사, 형용사, 동사원형, 현재분사 등이 올 수 있다.

5형식	주어+동사+목적어+to부정사 / 형용사
	주어+지각동사+목적어+동사원형 / 현재분사
	주어+사역동사+목적어+❶ ( )

❶ 동사원형

핵심 2 목적격 보어: to부정사 / 형용사

1. 동사가 want, ask, tell, expect, allow, advise 등일 때 목적격 보어로 ❷ ( )가 온다.

형태		의미
want	목적어+❸ ( )	~가 …하기를 원하다
ask		~에게 …하기를 요청하다
tell		~에게 …하라고 말하다
expect		~에게 …할 것을 기대하다
allow		~가 …하는 것을 허락하다

e.g. I asked my mom ❹ ( ) me up early. 나는 엄마께 일찍 깨워달라고 부탁했다.
Dad told me ❺ ( ) my room. 아빠는 나에게 내 방을 청소하라고 말씀하셨다.

2. 동사가 keep, find, think, leave 등일 때 목적격 보어로 ❻ ( )가 온다.

형태		의미
keep	목적어+형용사	~을 …한 상태로 유지하다
find		~가 …하다는 것을 알다
think		~가 …하다고 생각하다
leave		~를 …한 상태로 두다

e.g. Please keep your room ❼ ( ). 너의 방을 깨끗하게 유지해라.
Leave the door unlocked. 문을 잠그지 않은 채로 두어라.

❷ to부정사
❸ to부정사
❹ to wake
❺ to clean
❻ 형용사
❼ clean

Words and Phrases

☐ expect 기대하다 ☐ allow 허락하다 ☐ advise 충고하다 ☐ unlocked 잠겨 있지 않은

기초 확인 문제

정답과 해설 75쪽

01 다음 빈칸에 들어갈 수 없는 것은?

Ms. Kim ________ me to close the door.

① told ② wanted
③ asked ④ kept
⑤ expected

02 밑줄 친 부분 중 어법상 어색한 것은?

① Mom wants me to wake up early.
② Hojun asked me to show the picture.
③ He allowed me to go to the pizza party.
④ The police officer told him not park here.
⑤ My teacher advised me to read many books.

03 다음 대화의 내용과 일치하도록 빈칸에 알맞은 말을 쓰시오.

A Dad, can you fix my bike?
B Sure, Ann.

➡ Ann asked her dad ________________.

04 어법상 옳은 문장의 개수로 알맞은 것은?

ⓐ She asked me help her.
ⓑ I want her to tell the truth.
ⓒ Don't expect me to call him.
ⓓ Dad told me to being quiet.
ⓔ Ms. Miller allowed us to leave.

① 1개 ② 2개
③ 3개 ④ 4개
⑤ 5개

05 다음 그림을 보고, 밑줄 친 부분을 바르게 고쳐 쓰시오.

To fall asleep easily, you need to keep your room darkly.

➡ ____________

Words and Phrases

□ advise 충고하다 □ park 주차하다 □ fix 수리하다 □ truth 진실 □ call 전화하다 □ quiet 조용한 □ darkly 어둡게

4일 교과서 핵심 문법 ❷

핵심 3 지각동사의 목적격 보어

감각 기관을 통해 인식하는 것을 나타내는 동사를 지각동사라고 하며 see, watch, hear, smell, feel, notice, listen to 등이 있다. 5형식 문장에서 목적어와 목적격 보어의 관계가 능동일 때 목적격 보어로 ❶ [ ] 이나 현재분사(진행 중인 동작을 강조)를 쓸 수 있다.

❶ 동사원형

형태		의미
see	목적어+❷ [ ]	~가 …하는 것을 보다
watch		
hear		~가 …하는 것을 듣다
smell		~가 …하는 냄새가 나다
feel		~가 …하는 것을 느끼다

❷ 동사원형 / 현재분사

e.g. I saw a child ❸ [ ] the street. 나는 한 아이가 길을 건너는 것을 봤다.
She heard her sister ❹ [ ] in the shower.
그녀는 그녀의 여동생이 샤워를 하면서 노래 부르는 것을 들었다.

❸ cross (crossing)
❹ sing (singing)

핵심 4 사역동사의 목적격 보어

사역동사는 주어가 목적어에게 어떤 일을 하게 하는 것을 나타내는 동사이며 let, make, have 등이 있다. 5형식 문장에서 사역동사는 목적격 보어로 동사원형을 쓴다.

형태		의미
let	목적어+❺ [ ]	~가 …하게 두다, ~가 …을 하도록 허락하다
make		~에게 (강제적으로) …를 시키다, (~로 하여금) …을 하게 만들다
have		~에게 …하게 하다

❺ 동사원형

e.g. I had my brother ❻ [ ] my digital camera.
나는 내 남동생에게 내 디지털 카메라를 고치게 했다.
My parents don't let ❼ [ ] go out late at night.
나의 부모님은 내가 밤늦게 외출하는 것을 허락하지 않으신다.

❻ fix
❼ me

Words and Phrases

☐ notice 알아채다 ☐ cross 가로지르다, 횡단하다 ☐ fix 수리하다 ☐ go out 외출하다

정답과 해설 76쪽

06 다음 빈칸에 들어갈 말로 알맞은 것은?

He saw his mother ________ a birthday cake.

① make ② makes
③ made ④ to make
⑤ being made

07 다음 빈칸에 들어갈 수 없는 것은?

I ________ Eric talking with his friends.

① saw ② heard
③ watched ④ wanted
⑤ listened to

08 밑줄 친 부분을 어법에 맞게 고쳐 쓰시오.

(1) The heavy rain made I stay home.
➡ ________________

(2) Justin let use his sister his computer.
➡ ________________

(3) She had David cooked dinner.
➡ ________________

09 다음 문장 중 어법상 옳은 것은?

① Let me saying it again.
② She let her son go camping.
③ He had his son watering the flowers.
④ The alarm sounds made the baby cried.
⑤ Dad makes me to wash the dog every Sunday.

10 다음 우리말을 영어로 바르게 옮긴 것은?

나는 한 소년이 버스 정류장으로 뛰어가는 것을 보았다.

① I saw a boy ran to the bus stop.
② I saw ran a boy to the bus stop.
③ I saw a boy to run to the bus stop.
④ I saw run a boy to the bus stop.
⑤ I saw a boy running to the bus stop.

Words and Phrases

☐ go camping 캠핑을 가다 ☐ water (식물에) 물을 주다

4일 내신 기출 베스트

대표 예제 1 5형식 문장의 목적격 보어

다음 그림을 보고, 빈칸에 알맞은 말을 쓰시오.

Dad, let's play badminton.

Jahee asked her dad _______ badminton together.

개념 가이드

5형식 문장은 「주어+동사+목적어+ ① [ ] 」 구조이다.

답 ① 목적격 보어

대표 예제 2 사역동사의 목적격 보어

다음 중 어법상 어색한 것은?

Mr. Nelson had(①) the students(②) to read(③) the •poem(④) in a loud voice(⑤). •시

(Nelson 선생님은 학생들이 큰 목소리로 시를 읽게 하셨다.)

개념 가이드

「have+목적어+목적격 보어」의 5형식 문장에서 목적격 보어 자리에 ② [ ] 이 와야 한다.

답 ② 동사원형

대표 예제 3 5형식 문장의 형태

다음 그림을 보고, 주어진 어구를 바르게 배열하시오.

➡ ________________________________

(this •muffler / warm / keep / will / you) •목도리

개념 가이드

「keep+목적어+목적격 보어」의 5형식 문장에서 목적격 보어 자리에 ③ [ ] 가 와야 한다.

답 ③ 형용사

대표 예제 4 to부정사를 목적격 보어로 쓰는 동사

다음 빈칸에 들어갈 수 없는 것은?

Did you _______ him to go there?

① want ② tell
③ allow ④ see
⑤ •expect •기대하다

개념 가이드

5형식 문장의 동사가 want, tell, allow, expect 등일 때 ④ [ ] 로 ⑤ [ ] 가 온다.

답 ④ 목적격 보어 ⑤ to부정사

대표 예제 5 사역동사의 목적격 보어

다음 그림을 보고, 밑줄 친 부분을 어법에 맞게 고쳐 쓰시오.

Ms. Smith made her son <u>to wash</u> the dishes.

➡ ____________

개념 가이드

'시키다, ~을 하게 하다'라는 뜻의 사역동사 make는 목적격 보어로 ⑥ ______ 을 쓴다.

답 ⑥ 동사원형

대표 예제 6 사역동사의 목적격 보어

다음 두 문장을 한 문장으로 바꿔 쓰시오.

- I saw your sister.
- She was taking a walk.

➡ I saw ____________.

개념 가이드

⑦ ______ 인 see는 목적격 보어로 동사원형이나 ⑧ ______ 를 쓴다.

답 ⑦ 지각동사 ⑧ 현재분사

대표 예제 7 지각동사·사역동사의 목적격 보어

다음 빈칸에 공통으로 들어갈 말로 알맞은 것은?

- I saw him ________ the wall.
- My dad had me ________ the wall.

① paint ② painted
③ to paint ④ painting
⑤ be painted

개념 가이드

5형식 문장에서 동사 tell은 목적격 보어로 ⑨ ______ 를 쓴다.

답 ⑨ to부정사

대표 예제 8 지각동사의 목적격 보어

다음 빈칸에 들어갈 말로 알맞은 것은?

Kevin!

Kevin heard someone ________ his name.

① call ② called
③ to call ④ being called
⑤ to be called

개념 가이드

5형식 문장에서 ⑩ ______ 를 쓸 경우 목적격 보어로 동사원형 또는 현재분사가 온다.

답 ⑩ 지각동사

5일 형용사 역할을 하는 to부정사

생각 열기

명사를 수식하는 to부정사

Oh, I have so much homework to do.
아, 나는 할 숙제가 너무 많아.

I need a friend to play with.
나는 함께 놀 친구가 필요해.

No, Simba. I have no time to play.
안 돼, 심바. 나는 놀 시간이 없단다.

대명사를 수식하는 to부정사

I'm hungry. Is there anything to eat?
나는 배가 고파. 먹을 것이 있어?

We have nothing to eat.
우리는 먹을 것이 하나도 없어.

Wait. There is nothing to worry about. We can have free pizza.
잠깐만. 걱정할 것 없어. 우리는 공짜 피자를 먹을 수 있거든.

FREE PIZZA

공부할 내용
❶ (대)명사를 수식하는 to부정사
❷ 보어가 되는 to부정사

보어가 되는 to부정사

Quiz

1. to부정사는 동사 / 형용사 처럼 (대)명사를 뒤에서 꾸밀 수 있습니다.
2. 「 조동사 / be동사 +to부정사」는 의무, 예정, 의도, 가능, 운명 등을 나타냅니다.

Answers

1. 형용사
2. be동사

5일 교과서 핵심 문법 ❶

핵심 1 (대)명사를 수식하는 to부정사

1. to부정사는 형용사처럼 명사 또는 대명사를 수식한다. 단, 형용사와는 달리 to부정사는 항상 명사나 대명사의 뒤에서 수식한다.

형태	(대)명사+❶ ______
의미	~하는, ~(해야) 할

e.g. We have no time ❷ ______ change our plans.
우리는 우리의 계획을 바꿀 시간이 없다.

I need some water to drink.
나는 마실 물이 좀 필요하다.

There is something to tell you.
너에게 이야기할 것이 있다.

2. to부정사가 수식하는 명사가 전치사의 목적어인 경우, to부정사 다음에 전치사를 쓴다.

e.g. He wants a friend to play ❸ ______.
그는 함께 놀 친구를 원한다.

I'm waiting for someone to talk ❹ ______.
나는 이야기를 할 누군가를 기다리고 있다.

We need chairs to sit ❺ ______. 우리는 앉을 의자가 필요하다.

She has a baby to look after. 그녀는 돌볼 아기가 있다.

3. to부정사가 -thing, -one, -body로 끝나는 대명사를 수식할 때 「대명사(+❻ ______)+to부정사」로 쓴다.

e.g. I found ❼ ______ interesting to read. 나는 읽을 흥미로운 무언가를 찾았다.

Is there anything fun to watch on TV? 재미있는 TV 프로그램이 있니?

❶ to부정사
❷ to
❸ with
❹ to
❺ on
❻ 형용사
❼ something

Words and Phrases

□ plan 계획 □ look after 돌보다

기초 확인 문제

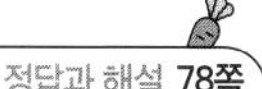

정답과 해설 78쪽

01 밑줄 친 부분의 쓰임이 나머지 넷과 다른 하나는?

① I need a sofa to sit on.
② Let's buy some food to eat.
③ I have some books to read.
④ We need fresh water to drink.
⑤ He learned a new language to survive.

02 다음 빈칸에 들어갈 말로 알맞은 것은?

I have many friends ___________.

① play ② playing
③ to play ④ play with
⑤ to play with

03 다음 밑줄 친 단어의 알맞은 형태는?

Is there anything drink?

① drink ② to drink
③ for drink ④ of drink
⑤ drinking

04 다음 그림을 보고, 밑줄 친 부분을 어법에 맞게 고쳐 쓰시오.

Can you give me something write with?
Sure.

➡ ___________

05 다음 문장의 밑줄 친 부분과 쓰임이 같은 것은?

I have a lot of work to do.

① I hope to lose weight.
② I'm glad to see you again.
③ Do you want to visit the farm?
④ I have to go to the library to study.
⑤ We don't have enough time to think.

Words and Phrases

□ fresh 신선한 □ survive 생존하다 □ lose weight 체중을 감량하다 □ library 도서관 □ enough 충분한

5일 교과서 핵심 문법 ❷

핵심 2 보어가 되는 to부정사

to부정사는 be 동사 뒤에 쓰여 ❶ ______ 역할을 할 수 있다.

형태	쓰임	의미
be+to부정사	의무	~해야 한다
	예정	~할 예정이다, ~하기로 되어 있다
	의도	~할 작정이다
	가능	~할 수 있다
	운명	~할 운명이다

1. 의무: ~해야 한다 (must, should, have to)

You must wear a seatbelt when you drive.

➡ You are ❷ ______ wear a seatbelt when you drive.

너는 운전할 때 안전벨트를 매야 한다.

2. 예정: ~할 예정이다 (be going to)

The train is going to depart in 30 minutes.

➡ The train ❸ ______ to depart in 30 minutes.

기차는 30분 후에 떠날 예정이다.

3. 의도: ~할 작정이다 (intend to)

If you intend to catch the bus, leave now.

➡ If you ❹ ______ to catch the bus, leave now.

버스를 타려면, 지금 떠나라.

4. 가능: ~할 수 있다 (can, be able to)

He could find a solution easily.

➡ He ❺ ______ to find a solution easily.

그는 쉽게 해결책을 찾을 수 있었다.

5. 운명: ~할 운명이다 (be destined to)

She was destined to be a movie star.

➡ She was to ❻ ______ a movie star.

그녀는 영화배우가 될 운명이었다.

❶ 보어
❷ to
❸ is
❹ are
❺ was
❻ be

Words and Phrases

☐ seatbelt 안전벨트 ☐ depart 떠나다 (출발하다) ☐ intend 의도하다 ☐ solution 해결책
☐ destined ~할 운명인

06 다음 그림을 보고, 우리말과 같은 뜻이 되도록 빈칸에 알맞은 말을 쓰시오.

➡ She ________ ________ cancel her flight for tomorrow because she is sick.
(그녀는 아프기 때문에 내일 항공편 예약을 취소할 것이다.)

07 우리말과 일치하도록 할 때 빈칸에 들어갈 말로 알맞은 것은?

No one was ________ seen in the room.
(방 안에는 아무도 없었다.)

① be　② to
③ to be　④ being
⑤ to being

08 밑줄 친 부분의 쓰임이 나머지 넷과 다른 하나는?

① My dream is to be a photographer.
② All students are to take a written exam.
③ Junsu is to appear in the office tomorrow.
④ If you are to succeed, you must work hard.
⑤ We are to travel by car from Seoul to Sokcho.

9~10 다음 밑줄 친 부분과 바꿔 쓸 수 있는 것을 고르시오.

09

We are to meet here at six.

① want to　② seem to
③ are going to　④ had better
⑤ are willing to

10

She is to finish the work by tomorrow.

① must　② wants to
③ agrees to　④ used to
⑤ decided to

Words and Phrases

□cancel 취소하다 □flight 항공편 □photographer 사진가 □appear 나타나다, 모습을 드러내다 □succeed 성공하다

내신 기출 베스트

대표 예제 1 명사를 수식하는 to부정사

다음 빈칸에 들어갈 말로 알맞은 것은?

① drink ② drank
③ to drink ④ drinking
⑤ to be drunk

개념 가이드

to부정사는 ① [ ] 처럼 명사 또는 대명사를 뒤에서 꾸미는 역할을 한다.

답 ① 형용사

대표 예제 2 to부정사의 형용사적 용법

밑줄 친 부분 중 어법상 어색한 것은?

① She needs somebody to talk.
② There are some rules to learn.
③ He borrowed some books to read.
④ We have no money to buy a car.
⑤ I have some pictures to show you.

개념 가이드

to부정사의 수식을 받는 명사가 to부정사에 이어지는 ② [ ] 의 목적어일 때 ③ [ ] 를 반드시 써야 한다.

답 ②, ③ 전치사

대표 예제 3 대명사를 수식하는 to부정사

다음 빈칸에 알맞은 말을 주어진 단어를 이용하여 쓰시오.

A What's wrong, Emma?
B I'm so bored. I have nothing ________. (do)

개념 가이드

-thing, -one, -body로 끝나는 ④ [ ] 도 to부정사의 수식을 받으며 이때 to부정사는 '~할'이라는 의미이다.

답 ④ 대명사

대표 예제 4 to부정사의 형용사적 용법

다음 중 빈칸에 to가 들어갈 수 없는 것은?

① I'm not agree ________ your plan.
② It's time ________ have dinner.
③ We need someone ________ help us.
④ I have something ________ tell you.
⑤ I have some reports ________ read.

개념 가이드

to부정사는 ⑤ [ ] 나 ⑥ [ ] 를 뒤에서 꾸미는 역할을 하며 '~하는' 또는 '~할'이라고 해석한다.

답 ⑤ 명사 ⑥ 대명사

대표 예제 5 보어가 되는 to부정사

다음 그림을 보고, be동사를 이용하여 빈칸에 알맞은 말을 쓰시오.

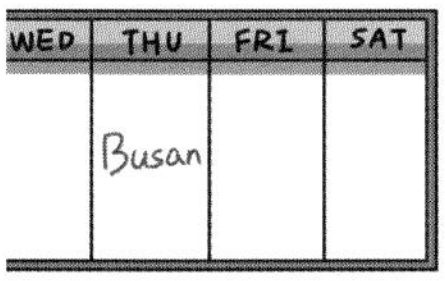

WED	THU	FRI	SAT
	Busan		

➡ I ________ ________ visit Busan this Thursday.

개념 가이드

「⑦ ________ +to부정사」는 ⑧ ________, 의무, 가능, 의도, 운명 등을 나타낸다.

답 ⑦ be ⑧ 예정

대표 예제 6 보어가 되는 to부정사

밑줄 친 부분의 쓰임이 나머지 넷과 다른 하나는?

① You are to keep the rules.
② My hobby is to collect stamps.
③ He is to arrive here this evening.
④ We are to go to the restaurant for lunch.
⑤ If you are to be rich, try to save money.

개념 가이드

「be+⑨ ________」는 예정, 의무, 가능, 의도, 운명 등을 나타낸다.

답 ⑨ to부정사

대표 예제 7 보어가 되는 to부정사

다음 밑줄 친 부분과 바꿔 쓸 수 있는 것은?

> If you are to win the game, you should practice hard.

① If you can win the game
② If you used to win the game
③ If you intend to win the game
④ If you are able to win the game
⑤ If you are destined to win the game

개념 가이드

「be+to부정사」가 '⑩ ________'의 의미를 나타낼 때 intend to와 바꿔 쓸 수 있다.

답 ⑩ 의도

대표 예제 8 보어가 되는 to부정사

두 문장의 뜻이 같도록 할 때 빈칸에 들어갈 말로 알맞은 것은?

> You are to be back by 9 tonight.
> = You ____________ back by 9 tonight.

① can be ② must be
③ seem to be ④ intend to be
⑤ are able to be

개념 가이드

「be+to부정사」가 '의무'의 의미를 나타낼 때 ⑪ ________ 또는 should와 바꿔 쓸 수 있다.

답 ⑪ must

6일 누구나 100점 테스트 1회

시간을 나타내는 접속사

01 다음 문장에서 when이 들어갈 위치로 알맞은 것은?

(①) I'll give (②) you (③) a call (④) I get to Boston (⑤).

시간을 나타내는 접속사

02 다음 중 밑줄 친 부분의 쓰임이 어색한 것은?

① I was very sad after you left.
② Turn off the lights before you leave.
③ Brush your teeth after you go to bed.
④ Raise your hand before you answer.
⑤ He always warms up before he exercises.

이유를 나타내는 접속사

03 다음 그림을 보고, because를 이용하여 여학생의 대답을 완성하시오..

Q Why are you crying?

➡ ______________________________

양보를 나타내는 접속사

04 다음 빈칸에 들어갈 말로 알맞은 것은?

_______ I left home early, I was late for school.

① As　　② If
③ Since　　④ While
⑤ Though

조건을 나타내는 접속사

05 밑줄 친 부분을 어법에 맞게 고쳐 쓰시오.

(1)

➡ ______________________________

(2)

➡ ______________________________

the 비교급 ~, the 비교급 ...

06 다음 문장과 의미가 같은 것은?

As I got older, I became wiser.

① Older I got, wiser I became.
② Got older, and became wiser.
③ I got the older, I became the wiser.
④ The older I get, the wiser I become.
⑤ The older I got, the wiser I became.

비교급의 강조

07 다음 빈칸에 들어갈 수 없는 것은?

Cheetah is ________ faster than turtle.

① far ② even
③ much ④ too
⑤ a lot

비교급 비교와 최상급

08 다음 그림을 보고, 빈칸에 알맞은 말을 쓰시오.

Jack is ________ ________ Jim. Nick is ________ ________ Jim. Jack is ________ ________ of the three.

주격 관계대명사

09 다음 중 어법상 어색한 것은?

Look(①) at the dog(②) who(③) is(④) running(⑤) in the park. (공원에서 뛰고 있는 저 개를 보아라.)

주격 관계대명사

10 우리말과 일치하도록 할 때 빈칸에 들어갈 말로 알맞은 것은?

Emma is the girl ________________.
(Emma는 선글라스를 낀 소녀이다.)

① is wearing sunglasses
② which is wearing glasses
③ which wearing sunglasses
④ who is wearing sunglasses
⑤ who are wearing sunglasses

6일 누구나 100점 테스트 2회

목적격 관계대명사

1~2 다음 빈칸에 들어갈 수 없는 것을 고르시오.

01

This is the ________ which I really want to have.

① cap ② book
③ watch ④ sweater
⑤ teacher

목적격 보어: to부정사

02

He ________ me to tell the truth.

① wanted ② told
③ made ④ asked
⑤ advised

목적격 관계대명사

03 다음 빈칸에 들어갈 말로 알맞은 것을 두 개 고르면?

I know the man ________ she is talking to.

① what ② whom
③ which ④ that
⑤ where

목적격 보어: 형용사

04 다음 표지판의 빈칸에 들어갈 말로 알맞은 것은?

① Help ② Set
③ Take ④ Keep
⑤ Bring

사역동사의 목적격 보어

05 다음 그림을 보고, 밑줄 친 부분을 어법상 바르게 고쳐 쓰시오.

Mom made us to plant the flowers.

➡ ________________

지각동사의 목적격 보어

6~7 다음 그림을 보고, 두 문장을 한 문장으로 바꿔 쓰시오.

06

I saw a cat.
The cat jumped onto the table.

➡ ______________________________

07

The birds sang.
My grandmother heard this.

➡ ______________________________

목적격 관계대명사의 생략

08 다음 밑줄 친 부분 중 생략할 수 있는 것은?

The book① that② I③ bought④ last week is⑤ easy to read.

to부정사의 용법

09 밑줄 친 부분의 쓰임이 나머지 넷과 다른 하나는?

① Is there anything fun to watch?
② He went to London to learn English.
③ I saved money to buy a new computer.
④ We bought some bread to make a sandwich.
⑤ Tina came to my house to borrow the book.

to부정사의 용법

10 두 문장의 뜻이 같도록 할 때 빈칸에 들어갈 말로 알맞은 것은?

We are going to meet at the station at six.
= We __________ at the station at six.

① met
② to meet
③ are to meet
④ are to be met
⑤ are being met

조건을 나타내는 접속사 if

01 어울리는 내용끼리 연결하고 문장을 완성하시오.

(1) 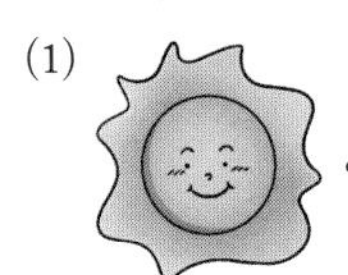 · · I will go camping.

(2)  · · I will take it to the police.

(3)  · · I will become healthy.

(1) If it's sunny on Sunday, I ______________
______________________________.

(2) If I jump rope every day, I ______________
______________________________.

(3) If I find a wallet on the street, I __________
______________________________.

양보를 나타내는 접속사

02 〈보기〉와 같이 주어진 문장을 접속사 although를 이용하여 바꿔 쓰시오.

보기
It was Sunday, but he went to work.
➡ Although it was Sunday, he went to work.

She is young, but she is smart.

➡ Although ______________________________.

이유를 나타내는 접속사

03 다음 그림을 보고, because와 주어진 어구를 이용하여 여학생의 대답을 완성하시오.

Q Why are you happy?

➡ ______________________________
(get a puppy)

관계대명사

04 다음 대화의 빈칸에 알맞은 관계대명사를 쓰시오.

Which food do you make most often?

Sandwich is the food ________ I make most often.

This is the sandwich ________ I made.

Cool!

원급, 비교급 비교

05 메뉴판의 내용과 일치하도록 가격을 비교하는 문장을 완성하시오.

(1) *Gimbap* is _______ _______ a hamburger.

(2) *Tteokbokki* is _______ _______ _______ a sandwich.

(3) A hamburger is ______ expensive ______ *Ramyeon*.

원급, 비교급, 최상급

06 다음 표의 내용과 일치하지 않는 것은?

좋아하는 과목	English	math	music	P.E.	art
명수	7	3	7	5	8

① English is as popular as music.
② Math is less popular than P.E.
③ Music is more popular than math.
④ P.E. is the least popular subject of five.
⑤ Art is more popular than any other subject.

5형식 문장의 목적격 보어

7~8 다음 그림을 보고, 빈칸에 알맞은 말을 쓰시오.

07

➡ Mom told ________ ________ ________ her umbrella.

08

➡ Sam ________ the baby next door ________ at night.

to부정사의 형용사적 용법

09 다음 그림을 보고, 주어진 어구를 이용하여 남학생의 말을 완성하시오.

➡ I bought a new T-shirt ________________ ___________. (wear, on a school field trip)

6일 창의·융합·서술·코딩 테스트 2

시간을 내타내는 접속사

01 호민이의 오전 일과표를 보고, before 또는 after를 이용하여 문장을 완성하시오.

(1) I clean my room ______________ ______________. (before)

(2) I have breakfast ______________. (after)

(3) ______________, I ride a bike. (before)

창의 융합 비교 구문

02 다음 그림을 보고, 알맞은 단어를 상자에서 골라 가방의 무게와 가격을 비교하는 대화를 완성하시오.

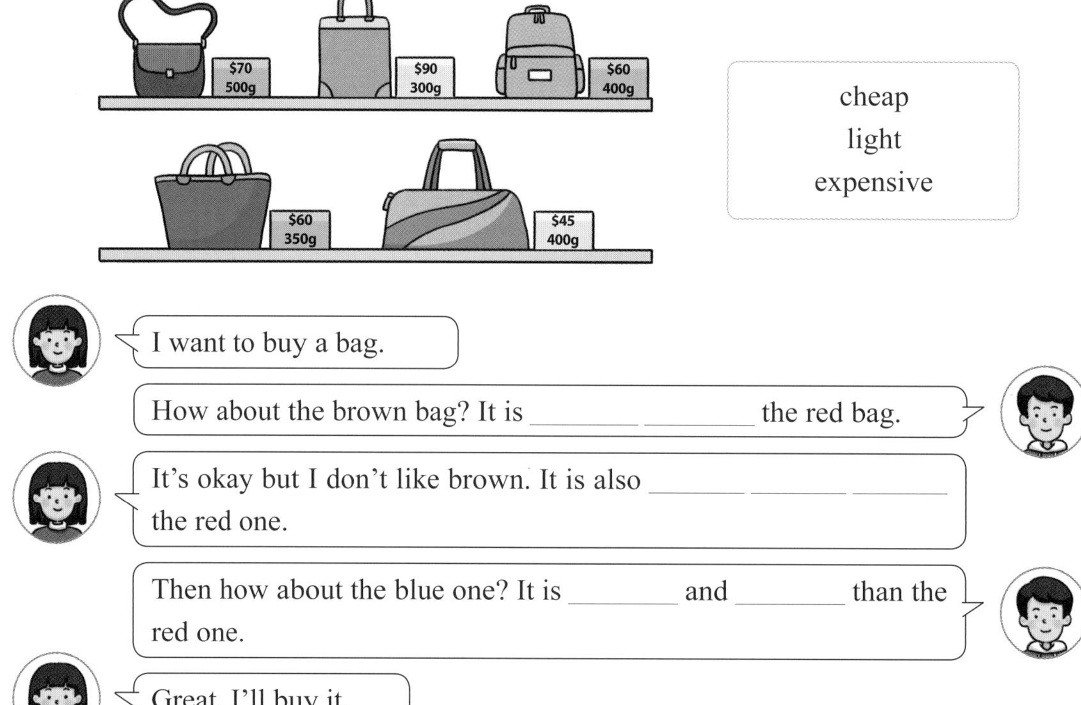

cheap light expensive

I want to buy a bag.

How about the brown bag? It is ________ ________ the red bag.

It's okay but I don't like brown. It is also ________ ________ ________ the red one.

Then how about the blue one? It is ________ and ________ than the red one.

Great. I'll buy it.

주격 관계대명사

03 주희의 자기소개 글을 완성해 봅시다.

Step 1 알맞은 관계대명사를 써 넣어 자신에 관해 메모한 내용을 완성한다.

이름	Kim Juhee
좋아하는 음식	strawberries ______ have a lot of vitamin C
장래 희망	a writer ______ writes fantasy novels
취미	listening to music ______ makes me happy
애완동물	a cat ______ has blue eyes

Step 2 Step 1 의 내용을 바탕으로 소개 글을 완성한다.

Hello, My name is Juhee. I like strawberries ____________________. I want to be a writer ____________________. My hobby is listening to music ____________________. I have a cat ____________________.

창의 융합 지각동사의 목적격 보어

04 다음 그림을 보고, A와 B에서 알맞은 표현을 골라 각각 한 번씩만 사용하여 문장을 완성하시오.

A	B
heard	play the guitar
smelled	touch his shoulder
saw	read a book
felt	something burning

Alice ____________________. Jacob ____________________. Coco ____________________ in the pot. Jason ____________________.

7일 중간·기말고사 기본 테스트 1회

시간을 나타내는 접속사

01 두 문장이 같은 뜻이 되도록 할 때 빈칸에 들어갈 말로 알맞은 것은?

> Lucy did her homework and then she watched TV.
> ➡ ________ Lucy watched TV, she did her homework.

① When ② If
③ After ④ Before
⑤ Because

시간을 나타내는 접속사

02 밑줄 친 When[when]의 쓰임이 나머지 넷과 다른 하나는?

① When are you going to leave?
② Don't drive when you are tired.
③ What were you doing when I called?
④ When he came home, it began to rain.
⑤ When I was a child, I wanted to be an actor.

명사절 접속사·부사절 접속사

03 다음 빈칸에 공통으로 들어갈 말을 쓰시오.

> • I don't know ________ it will rain tomorrow.
> • ________ it rains tomorrow, I'll visit you.

신경향 원급 비교

04 그림의 내용과 일치하도록 괄호 안에 주어진 단어를 이용하여 문장을 완성하시오.

➡ Minsu is ________________ Siwon.
(as, fast)

신경향 이유를 나타내는 접속사

05 다음 그림을 보고, because와 주어진 단어를 이용하여 질문에 대한 대답을 완성하시오.

> **Q** Why was Tom* absent from school?
> *결석한

➡ ________________________________ (sick)

비교급의 형태

06 다음 중 어법상 어색한 것은?

① He is heavier than his father.
② This bag looks better than mine.
③ He has three more books than I.
④ A snail is not as smart as a parrot.
⑤ Health is most important thing in life.

조건을 나타내는 접속사

07 다음 밑줄 친 부분을 어법에 맞게 고친 것은?

You'll be able to go hiking <u>if the weather will be fine tomorrow</u>.

① if the weather be fine tomorrow
② if the weather was fine tomorrow
③ if the weather were fine tomorrow
④ if the weather is fine tomorrow
⑤ if the weather will fine tomorrow

비교급 비교

08 다음 표의 내용과 일치하도록 주어진 단어를 이용하여 빈칸에 알맞은 말을 쓰시오.

	Jisu	Tina
나이	15	16
키	163	170

(1) Jisu is ________ ________ Tina. (young)
(2) Tina is ________ ________ Jisu. (tall)

신경향 시간을 나타내는 접속사

09 다음은 민수의 일요일 오전 일과표이다. 표의 내용과 일치하는 것은?

7:00	get up
7:30	have breakfast
8:00	play soccer
9:00	read a book
10:30	do homework
12:00	have lunch

① Minsu has breakfast after he reads a book.
② Minsu reads a book after he has lunch.
③ After Minsu plays soccer, he reads a book.
④ After Minsu does his homework, he plays soccer.
⑤ Minsu has lunch before he does his homework.

신경향 the 비교급 ~, the 비교급...

10 그림의 내용과 일치하도록 주어진 단어를 이용하여 빈칸에 알맞은 말을 쓰시오.

$5

$7

$10

➡ ________ ________ (big) the pizza is, the ________ ________ (expensive) it is.

주격 관계대명사

11 다음 두 문장을 which를 이용하여 한 문장으로 바꿔 쓰시오.

• I have a dog.
• It likes dancing.

➡ I have a dog ________________.

주격 관계대명사

12 다음 문장에서 that이 들어갈 위치로 알맞은 것은?

The notebook (①) is (②) on (③) the desk (④) is (⑤) mine.

양보를 나타내는 접속사

13 다음 중 밑줄 친 부분의 쓰임이 어색한 것은?

① She smiled though she lost the match.
② He arrived *in time although the traffic is bad.
③ Although the vase is small, it is very expensive.
④ Though it was very cold, he wasn't wearing a jacket.
⑤ Though you finish your homework, you can go out and play.

*제시간에

시간을 나타내는 접속사

14 우리말과 일치하도록 주어진 두 문장을 when을 이용하여 한 문장으로 바꿔 쓰시오.

(1) I'm happy. + I listen to music.
(나는 음악을 들을 때 행복하다.)

➡ ________________

(2) I'm excited. + I read comic books.
(나는 만화책을 볼 때 신이 난다.)

➡ ________________

신경향 비교급의 강조

15 그림의 내용과 일치하도록 할 때 빈칸에 들어갈 말이 바르게 짝 지어진 것은?

Chris
35 years old

David
25 years old

David looks ______ older but he is ______ younger than Chris.

① far – much
② more – more
③ far – more
④ more – far
⑤ very – much

시간을 나타내는 접속사

16~17 그림을 보고, 빈칸에 알맞은 말을 고르시오.

16

I read a book ________ I was waiting for the bus.

① if ② while
③ since ④ though
⑤ although

17

I was washing my hair ________ the phone rang.

① when ② after
③ since ④ though
⑤ because

최상급 표현

18 다음 문장과 같은 뜻이 되도록 빈칸에 알맞은 말을 쓰시오.

This is the cheapest bag in the shop.

➡ This is ________ ________ ________ ________ bag in the shop.

➡ ________ ________ bag in the shop is ________ ________ this bag.

➡ No other bag in the shop is ________ ________ ________ this bag.

신경향 비교급 비교, 최상급

19 다음 그림의 내용과 일치하도록 키를 비교하는 대화를 완성하시오.

A The girl in the middle is Emily. She is ________ ________ Kate.
B Then who is the ________ ________ girl?
A Tina. She is a lot ________ ________ Kate.

최상급 표현

20 다음 표의 내용과 일치하지 않는 것은?

	Korean	Math	Music
Kira	A	C	B
Hana	B	A	C
Tony	B	B	A

① Kira got the worst grade in math of the three students.
② Kira got the best grade in Korean of the three students.
③ Hana got the best grade in math of all the students.
④ Hana got the worst grade in Korean of all the subjects.
⑤ Tony got the best grade in music of all the subjects.

7일 중간·기말고사 기본 테스트 2회

신경향 목적격 관계대명사

01 다음 두 문장을 한 문장으로 바꿔 쓸 때, 빈칸에 들어갈 말로 알맞은 것은?

Mom is talking to a woman.
She is Ms. Johnson.
➡ The woman __________________ is Ms. Johnson.

① who Mom talking to
② which Mom is talking to
③ whom Mom is talking
④ whom is Mom talking to
⑤ whom Mom is talking to

5형식 문장의 목적격 보어

02 다음 빈칸에 들어갈 말이 바르게 짝 지어진 것은?

• I watched Olivia __________ in the pool.
• The man told us not __________ the paintings.

① swim - touch ② swim - to touch
③ swam - touched ④ to swim - touch
⑤ swimming - touching

5형식 문장의 목적격 보어

03 다음 빈칸에 들어갈 말로 알맞은 것을 두 개 고르면?

Please ________ the window open.

① ask ② keep
③ allow ④ leave
⑤ want

신경향 관계대명사

04 다음 그림의 내용과 일치하도록 빈칸에 알맞은 관계대명사를 쓰시오.

The boy __________ is walking a dog is Sunwoo. The T-shirt __________ he is wearing looks good on him.

사역동사의 쓰임

05 밑줄 친 make의 쓰임이 나머지 넷과 다른 하나는?

① I'll make the man fix my car.
② Let me make breakfast for you.
③ This music makes me feel happy.
④ Please make the kids not to jump.
⑤ My parents make me go to bed at ten.

주격 관계대명사

6~7 다음 그림을 보고, 관계대명사 who와 주어진 어구를 이용하여 문장을 완성하시오.

06

A vet is a doctor ______________________.
(take care of animals)

07

Mr. Kim is a teacher ______________________.
(teach science)

to부정사의 형용사적 용법

08 다음 문장에서 어법상 어색한 부분을 찾아 바르게 고쳐 쓰시오.

Sera is looking for a house to live.

______________ ➡ ______________

관계대명사 that의 쓰임

09 다음 밑줄 친 that의 쓰임이 나머지 넷과 다른 하나는?

① Bella thinks that she is lucky.
② The girl that has red hair is my sister.
③ Mike is the boy that is wearing jeans.
④ The man that lives next door is an actor.
⑤ This is the book that I borrowed from Oscar.

to부정사의 형용사적 용법

10 밑줄 친 am to와 바꿔 쓸 수 있는 것은?

I am to learn Chinese during the vacation.

① seem to
② decided to
③ pretend to
④ am going to
⑤ am willing to

신경향 지각동사의 목적격 보어

11~12 그림의 내용과 일치하도록 주어진 어구를 이용하여 문장을 완성하시오.

11

A Did you see Ann and Henry today?
B Yes. I ______________________.
(see, play tennis)

12

A Did you see a thief last night?
B No, but I __________ somebody __________.
(hear, walk outside)

사역동사의 목적격 보어

13 다음 빈칸에 들어갈 말로 알맞은 것을 두 개 고르면?

Mr. Davis __________ me keep a diary.

① made ② told
③ wanted ④ had
⑤ advised

to부정사의 형용사적 용법

14 다음 밑줄 친 부분과 쓰임이 같은 것은?

Do you want something to drink?

① I'm glad to see you again.
② I hope to take a trip to Africa.
③ Do you want to join the club?
④ We don't have enough time to think.
⑤ I have to go to the library to borrow a book.

신경향 to부정사의 형용사적 용법

15 다음 그림을 보고, 주어진 어구를 바르게 배열하시오.

➡ ______________________________

(to / is / get up / it / time)

to부정사의 형용사적 용법

16 밑줄 친 부분을 어법에 맞게 고쳐 쓰시오.

(1) I'm busy. I have a lot of homework do.

➡ ____________

(2) I'm looking for a bench to sit.

➡ ____________

to부정사의 형용사적 용법

17 다음 밑줄 친 부분과 바꿔 쓸 수 있는 것은?

> You should not take pictures here.

① are to ② are not
③ are not to ④ not are to
⑤ are to not

지각동사·사역동사의 목적격 보어

18 다음 빈칸에 공통으로 들어갈 말로 알맞은 것은?

> • I saw Mina ________ her hands.
> • My mom made me ________ the dishes.

① wash ② washes
③ washed ④ washing
⑤ to wash

신경향 사역동사의 목적격 보어

19 다음 그림의 내용과 일치하도록 동사 let을 이용하여 빈칸에 알맞은 말을 쓰시오. (단, 과거 시제로 쓸 것)

➡ Bomi ________ Ian ____________.

지각동사·사역동사의 목적격 보어

20 다음 밑줄 친 부분 중 어법상 어색한 것은?

① I heard him call my name.
② He told me sing on the stage.
③ They saw the kite flying in the sky.
④ She watched the boy dancing in the street.
⑤ She felt someone touch her head.

RECESS TIME

Grammar Exercise

Talk for two minutes about the topic.

각 칸에 적힌 주제에 관해 2분 동안 말해 보세요.

something **THAT** makes you angry
(너를 화나게 만드는 어떤 것)

something **THAT** is scary
(무서운 어떤 것)

the food **WHICH** you like the most
(네가 가장 좋아하는 음식)

something **WHICH** you want to have
(내가 갖고 싶은 어떤 것)

a person **THAT** you want to meet
(네가 만나고 싶은 사람)

a person **WHO** makes you laugh
(너를 웃게 만드는 사람) 

something **THAT** you don't want to do
(네가 하고 싶지 않은 어떤 것) 

a person **WHOM** you can depend on
(네가 의지할 수 있는 사람)

memo

memo

정답과 해설

정답과 해설

01 while은 시간을 나타내는 부사절을 이끄는 접속사로, 동시에 일어나는 일을 나타내며 뒤에 「주어 + 동사」가 온다.

☐ **at the same time** 동시에

해석

나는 영화를 보는 동시에 팝콘을 먹었다.
→ 나는 영화를 보면서 팝콘을 먹었다.

02 before와 after는 시간을 나타내는 부사절을 이끄는 접속사이다. 손을 씻는 것이 먼저 일어나는 일이고, 저녁을 먹는 것이 나중에 일어나는 일이다. 시간 순서를 파악하고 알맞은 접속사를 찾는다.

해석

저녁 식사를 하기 전에 손을 씻어라.
→ 손을 씻은 후에 저녁 식사를 해라.

03 부사절이 주절의 이유인 문장이다. 이유를 나타내는 접속사 because는 since, as와 바꿔 쓸 수 있다. because, since, as 뒤에는 모두 「주어 + 동사」가 온다. because of 뒤에는 명사(구)가 온다.

해석

Adam은 아팠기 때문에 오늘 학교에 오지 않았다.

04 when은 '~할 때'라는 뜻의 시간을 나타내는 접속사이다. ⑤는 부사절의 내용이 주절의 이유이므로 빈칸에 이유를 나타내는 접속사 because, since, as 등이 알맞다.

☐ **lock** 동 잠그다
☐ **leave** 동 떠나다
☐ **upset** 형 화가 난

해석

① 네가 집에 도착하면 나에게 전화해라.
② 나는 7살 때 스키를 타기 시작했다.
③ 네가 떠날 때 문을 잠가라.

기초 확인 문제

정답과 해설 66쪽

[1~2] 두 문장이 같은 뜻이 되도록 빈칸에 알맞은 접속사를 상자에서 골라 쓰시오.

after	since	while

01 I watched a movie and ate popcorn at the same time.

→ I ate popcorn __while__ I was watching a movie.

02 Wash your hands before you have dinner.

→ Have dinner __after__ you wash your hands.

03 밑줄 친 부분과 바꿔 쓸 수 있는 것을 두 개 고르면?

Adam didn't come to school today because he was sick.

① if ⓶ as
⓷ since ④ when
⑤ because of

04 다음 중 빈칸에 when을 쓸 수 없는 것은?

① Call me ______ you get home.
② I started skiing ______ I was 7.
③ Please lock the door ______ you leav
④ Let me know ______ you finish eatin
⓹ He is upset ______ I didn't call hi yesterday.

05 다음 그림을 보고, 주어진 어구를 이용하여 문장을 완성하시오.

→ __Because it rained a lot__, we staye home. (because, rain a lot)

9

④ 네가 먹는 것을 끝내면 나에게 알려 줘.
⑤ 내가 어제 그에게 전화를 하지 않았기 때문에 그는 화가 났다.

05 because가 이끄는 절에 주절의 이유에 해당하는 내용이 온다. 접속사 because 뒤에 주어와 동사가 오도록 문장을 완성한다.

☐ **stay** 동 머무르다

해석

비가 많이 내렸기 때문에 우리는 집에 머물렀다.

기초 확인 문제

정답과 해설 67쪽

06 다음 빈칸에 알맞은 말이 순서대로 짝 지어진 것은?

- I don't walk to school ______ it is very cold.
- ______ I'm Korean, I don't like *kimchi*.

① if - If ② though - If ③if - Though (정답) ④ though - Although ⑤ although - Though

07 두 문장이 같은 뜻이 되도록 할 때 빈칸에 알맞은 말은?

Walk faster, and you will catch the train.
➡ ______ you walk faster, you will catch the train.

①If (정답) ② Before ③ Though ④ While ⑤ Although

08 if 또는 although를 이용하여 두 문장을 한 문장으로 연결하시오.

(1) I didn't cry. / I was very sad.
I didn't cry although I was very sad. [Although I was very sad, I didn't cry.]

(2) He kept working. / It was late.
He kept working although it was late. [Although it was late, he kept working.]

(3) It rains. / She won't come.
If it rains, she won't come. [She won't come if it rains.]

09 다음 중 어법상 어색한 것은?

① If I get up late, I miss the 8 o'clock bus.
② Although he is rich, he drives an old car.
③ If I don't wear my glasses, I can't read a book.
④ Though they practiced a lot, they lost the match.
⑤If the weather will be bad, we will exercise indoors. (정답)

10 다음 그림을 보고, 주어진 어구를 이용하여 대화를 완성하시오.

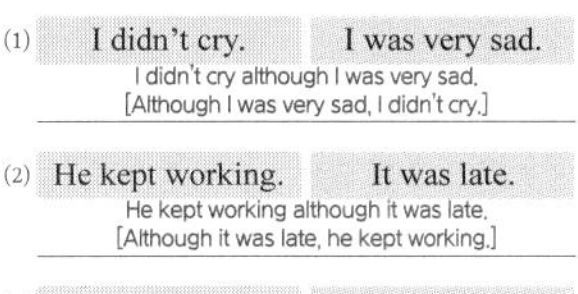

Mom, can I play computer games?
Well, you can play computer games if you clean your room first.
(if, clean your room)

11

06 • '만약 ~라면'이라는 뜻의 조건을 나타내는 접속사 if가 알맞다.
• '~에도 불구하고'라는 뜻의 양보를 나타내는 접속사 Though가 알맞다.

해석
• 만약 매우 춥다면 나는 학교에 걸어가지 않는다.
• 나는 한국인이지만 김치를 좋아하지 않는다.

07 명령문을 조건을 나타내는 접속사를 이용하여 바꿔 쓸 수 있다. 빈칸에는 '만약 ~라면'이라는 뜻의 접속사 if가 알맞다.

해석
더 빨리 걸어라, 그러면 너는 기차를 탈 수 있을 것이다.
→ 만약 네가 더 빨리 걷는다면 너는 기차를 탈 수 있을 것이다.

08 주절과 부사절의 내용을 살펴 주절과 부사절의 내용이 양보 관계이면 접속사 although를, 부사절의 내용이 주절의 사건이 발생하는 조건이라면 접속사 if를 쓴다.

해석
(1) 나는 울지 않았다. 나는 매우 슬펐다.
→ 나는 매우 슬펐지만 울지 않았다.
(2) 그는 계속 일했다. 시간이 늦었다.
→ 시간이 늦었음에도 불구하고 그는 계속 일했다.
(3) 비가 내린다. 그녀는 오지 않을 것이다.
→ 만약 비가 내리면 그녀는 오지 않을 것이다.

1일

09 조건을 나타내는 부사절에서는 현재 시제로 미래를 나타낸다. (⑤ will be bad → is bad)

- ☐ **miss** 동 놓치다
- ☐ **rich** 형 부유한
- ☐ **practice** 동 연습하다
- ☐ **lose** 동 지다
- ☐ **indoors** 부 실내에서

해석
① 만약 내가 늦게 일어난다면 나는 8시 버스를 놓친다.
② 그는 부유하지만 오래된 자동차를 몬다.
③ 만약 내가 안경을 쓰지 않으면 나는 책을 읽을 수 없다.
④ 그들은 연습을 많이 했지만 경기에 졌다.
⑤ 만약 날씨가 나쁘면 우리는 실내에서 운동할 것이다.

10 조건을 나타내는 부사절을 완성한다. 조건을 나타내는 접속사 if 뒤에는 주어와 동사가 오며 조건의 부사절에서는 현재 시제로 미래를 나타낸다.

해석
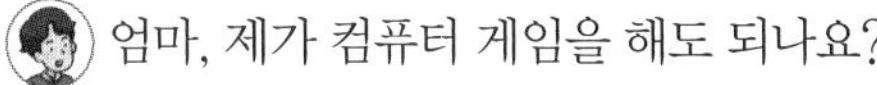
엄마, 제가 컴퓨터 게임을 해도 되나요?
글쎄, 네가 방 청소를 먼저 한다면 컴퓨터 게임을 할 수 있어.

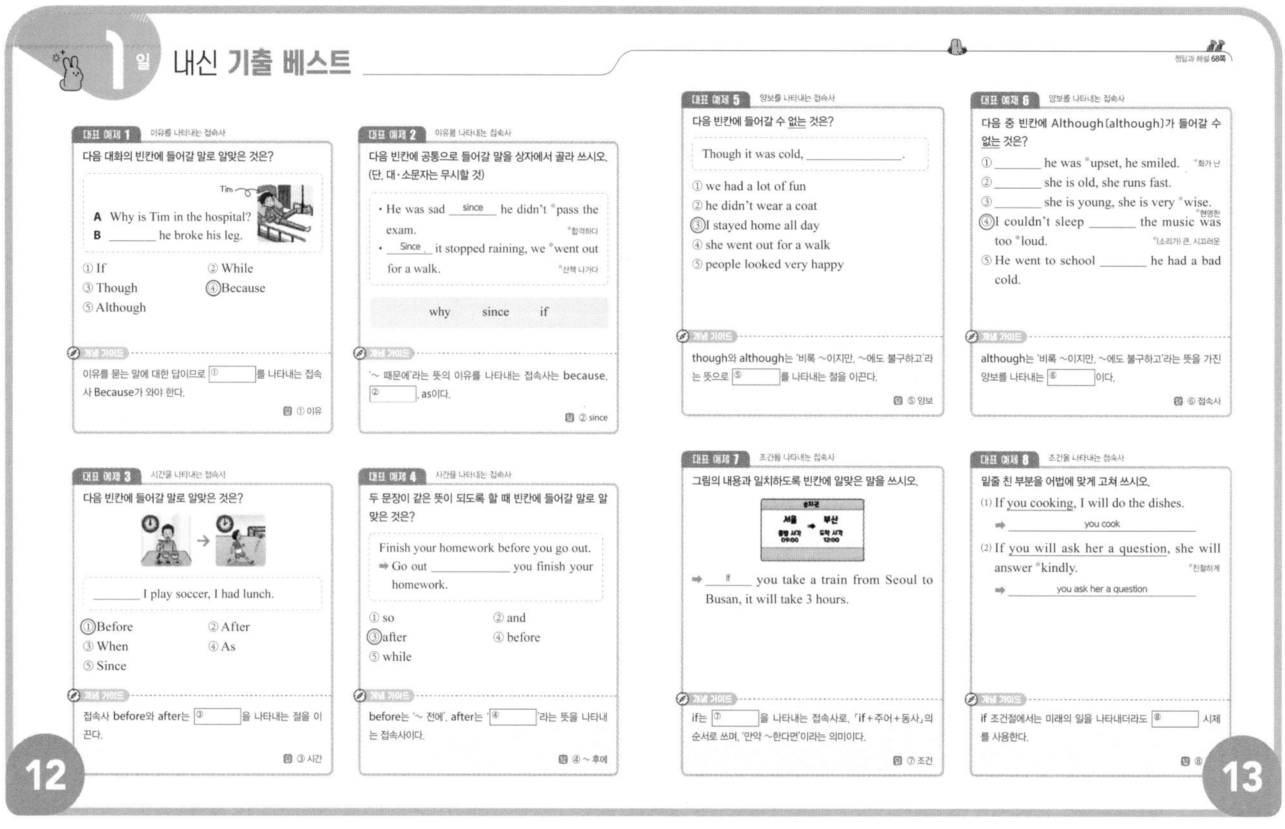

1일 내신 기출 베스트

정답과 해설 68쪽

대표 예제 1 이유를 나타내는 접속사

다음 대화의 빈칸에 들어갈 말로 알맞은 것은?

A Why is Tim in the hospital?
B ________ he broke his leg.

① If ② While
③ Though ④Because
⑤ Although

개념 가이드
이유를 묻는 말에 대한 답이므로 ① [ ] 를 나타내는 접속사 Because가 와야 한다.

답 ① 이유

대표 예제 2 이유를 나타내는 접속사

다음 빈칸에 공통으로 들어갈 말을 상자에서 골라 쓰시오. (단, 대·소문자는 무시할 것)

• He was sad __since__ he didn't *pass the exam. *합격하다
• __Since__ it stopped raining, we *went out for a walk. *산책 나가다

why since if

개념 가이드
'~ 때문에'라는 뜻의 이유를 나타내는 접속사는 because, ② [ ], as이다.

답 ② since

대표 예제 3 시간을 나타내는 접속사

다음 빈칸에 들어갈 말로 알맞은 것은?

________ I play soccer, I had lunch.

①Before ② After
③ When ④ As
⑤ Since

개념 가이드
접속사 before와 after는 ③ [ ] 을 나타내는 절을 이끈다.

답 ③ 시간

대표 예제 4 시간을 나타내는 접속사

두 문장이 같은 뜻이 되도록 할 때 빈칸에 들어갈 말로 알맞은 것은?

Finish your homework before you go out.
➡ Go out ____________ you finish your homework.

① so ② and
③after ④ before
⑤ while

개념 가이드
before는 '~ 전에', after는 '④ [ ]'라는 뜻을 나타내는 접속사이다.

답 ④ ~ 후에

대표 예제 5 양보를 나타내는 접속사

다음 빈칸에 들어갈 수 없는 것은?

Though it was cold, ______________.

① we had a lot of fun
② he didn't wear a coat
③I stayed home all day
④ she went out for a walk
⑤ people looked very happy

개념 가이드
though와 although는 '비록 ~이지만, ~에도 불구하고'라는 뜻으로 ⑤ [ ] 를 나타내는 절을 이끈다.

답 ⑤ 양보

대표 예제 6 양보를 나타내는 접속사

다음 중 빈칸에 Although(although)가 들어갈 수 없는 것은?

① _______ he was *upset, he smiled. *화가 난
② _______ she is old, she runs fast.
③ _______ she is young, she is very *wise. *현명한
④I couldn't sleep _______ the music was too *loud. *(소리가) 큰, 시끄러운
⑤ He went to school _______ he had a bad cold.

개념 가이드
although는 '비록 ~이지만, ~에도 불구하고'라는 뜻을 가진 양보를 나타내는 ⑥ [ ] 이다.

답 ⑥ 접속사

대표 예제 7 조건을 나타내는 접속사

그림의 내용과 일치하도록 빈칸에 알맞은 말을 쓰시오.

➡ __If__ you take a train from Seoul to Busan, it will take 3 hours.

개념 가이드
if는 ⑦ [ ] 을 나타내는 접속사로, 「if+주어+동사」의 순서로 쓰며, '만약 ~한다면'이라는 의미이다.

답 ⑦ 조건

대표 예제 8 조건을 나타내는 접속사

밑줄 친 부분을 어법에 맞게 고쳐 쓰시오.

(1) If you cooking, I will do the dishes.
➡ you cook

(2) If you will ask her a question, she will answer *kindly. *친절하게
➡ you ask her a question

개념 가이드
if 조건절에서는 미래의 일을 나타내더라도 ⑧ [ ] 시제를 사용한다.

답 ⑧

12 13

1 A Tim은 왜 병원에 있니?
B 왜냐하면 그는 다리가 부러졌거든.

2 • 그는 시험에 합격하지 못했기 때문에 슬펐다.
• 비가 그쳤기 때문에 우리는 산책하러 나갔다.
☐ **pass** 동 합격하다
☐ **go out for a walk** 산책 나가다

3 나는 축구를 하기 전에 점심을 먹었다.

4 외출하기 전에 숙제를 마쳐라.
→ 숙제를 마친 후에 외출해라.

5 날씨가 추웠지만 ① 우리는 즐거운 시간을 보냈다 ② 그는 코트를 입지 않았다 ③ 나는 종일 집 안에 머물렀다 ④ 그녀는 산책을 하러 나갔다 ⑤ 사람들은 매우 행복해 보였다.

6 ④ 음악 소리가 너무 컸던 것이 잠을 자지 못한 이유이므로 이유를 나타내는 접속사 because, since, as 등이 알맞다.
① 그는 화가 났지만 미소를 지었다.
② 그녀는 나이가 많지만 빠르게 달린다.
③ 그녀는 어리지만 매우 현명하다.
⑤ 그는 독감에 걸렸지만 학교에 갔다.
☐ **upset** 형 화가 난
☐ **wise** 형 현명한
☐ **lound** 형 (소리가) 큰, 시끄러운

7 만약 네가 서울에서 부산까지 기차를 탄다면 3시간이 걸릴 것이다.
☐ **take** 동 (시간이) 걸리다

8 (1) 만약에 네가 요리를 하면 내가 설거지를 할게.
(2) 만약 네가 그녀에게 질문을 한다면 그녀는 친절하게 대답해 줄 거야.
☐ **kindly** 부 친절하게

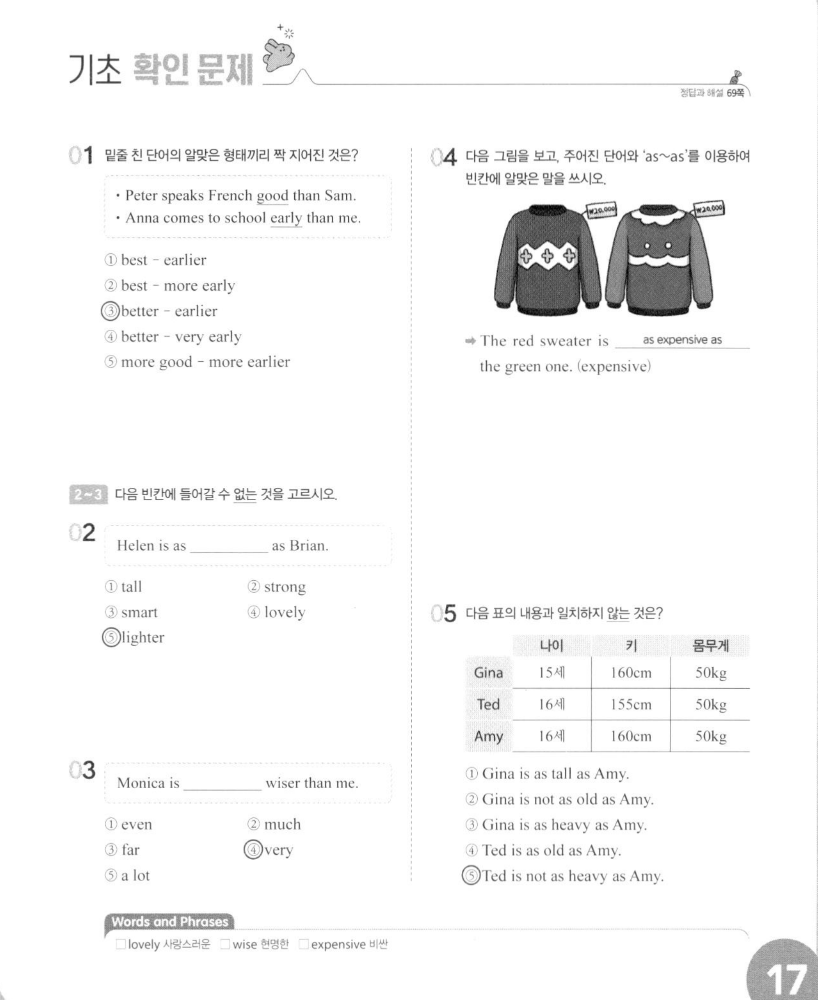

기초 확인 문제

정답과 해설 69쪽

01 밑줄 친 단어의 알맞은 형태끼리 짝 지어진 것은?

- Peter speaks French good than Sam.
- Anna comes to school early than me.

① best – earlier
② best – more early
③ better – earlier (정답 표시)
④ better – very early
⑤ more good – more earlier

[2~3] 다음 빈칸에 들어갈 수 없는 것을 고르시오.

02

Helen is as ______ as Brian.

① tall ② strong
③ smart ④ lovely
⑤ lighter (정답 표시)

03

Monica is ______ wiser than me.

① even ② much
③ far ④ very (정답 표시)
⑤ a lot

04 다음 그림을 보고, 주어진 단어와 'as~as'를 이용하여 빈칸에 알맞은 말을 쓰시오.

➡ The red sweater is as expensive as the green one. (expensive)

05 다음 표의 내용과 일치하지 않는 것은?

	나이	키	몸무게
Gina	15세	160cm	50kg
Ted	16세	155cm	50kg
Amy	16세	160cm	50kg

① Gina is as tall as Amy.
② Gina is not as old as Amy.
③ Gina is as heavy as Amy.
④ Ted is as old as Amy.
⑤ Ted is not as heavy as Amy. (정답 표시)

Words and Phrases
□ lovely 사랑스러운 □ wise 현명한 □ expensive 비싼

17

2일

01 '~보다 더 …한/하게'라는 의미의 비교급 문장은 「비교급 + than + 비교 대상」으로 쓴다. good은 불규칙 변화하는 형용사로 비교급은 better이고, early의 비교급은 earlier이다.

해석

- Peter는 Sam보다 프랑스어를 더 잘 말한다.
- Anna는 나보다 학교에 일찍 온다.

02 '~만큼 …한'은 「as + 원급 + as」로 나타낸다. 비교급인 lighter는 as와 as 사이에 올 수 없다.

해석

Helen은 Brian만큼 ① 키가 크다 ② 힘이 세다 ③ 영리하다 ④ 사랑스럽다.

03 much, a lot, far, even 등은 비교급 앞에 쓰여 '훨씬 더 ~한'이라는 의미를 나타낸다. very는 비교급을 강조할 수 없다.

해석

Monica는 나보다 훨씬 더 현명하다.

04 두 스웨터의 가격이 같으므로 원급 비교 표현 「as + 원급 + as」를 이용하여 문장을 완성한다.

해석

빨간색 스웨터는 녹색 (스웨터)만큼 비싸다.

05 원급 비교 표현은 「as + 원급 + as」로 쓰고, 원급 비교의 부정은 「not as[so] + 원급 + as」로 쓴다. (⑤ not as heavy as → as heavy as)

해석

① 지나는 Amy만큼 키가 크다. ② 지나는 Amy만큼 나이가 많지 않다. ③ 지나는 Amy만큼 무겁다. ④ Ted는 Amy만큼 나이가 많다. ⑤ Ted는 Amy만큼 무겁지 않다.

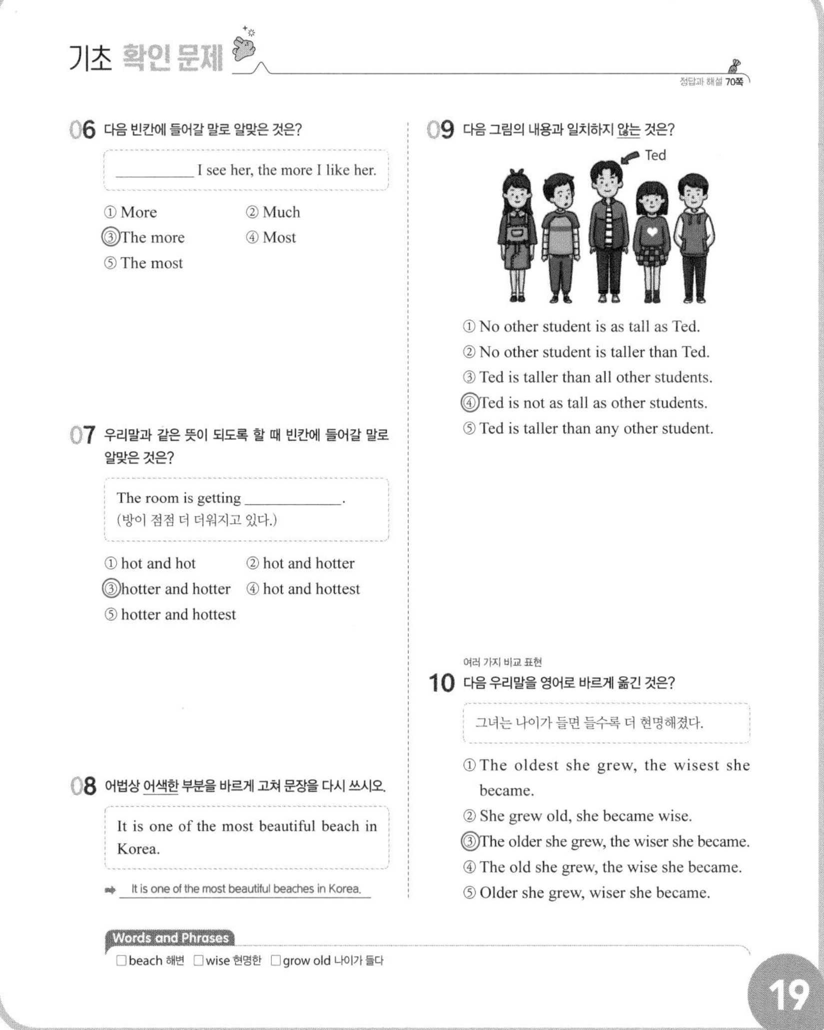

기초 확인 문제

정답과 해설 70쪽

06 다음 빈칸에 들어갈 말로 알맞은 것은?

_________ I see her, the more I like her.

① More ② Much
③ The more ④ Most
⑤ The most

07 우리말과 같은 뜻이 되도록 할 때 빈칸에 들어갈 말로 알맞은 것은?

The room is getting ___________.
(방이 점점 더 더워지고 있다.)

① hot and hot ② hot and hotter
③ hotter and hotter ④ hot and hottest
⑤ hotter and hottest

08 어법상 어색한 부분을 바르게 고쳐 문장을 다시 쓰시오.

It is one of the most beautiful beach in Korea.

➡ It is one of the most beautiful beaches in Korea.

09 다음 그림의 내용과 일치하지 않는 것은?

① No other student is as tall as Ted.
② No other student is taller than Ted.
③ Ted is taller than all other students.
④ Ted is not as tall as other students.
⑤ Ted is taller than any other student.

여러 가지 비교 표현

10 다음 우리말을 영어로 바르게 옮긴 것은?

그녀는 나이가 들면 들수록 더 현명해졌다.

① The oldest she grew, the wisest she became.
② She grew old, she became wise.
③ The older she grew, the wiser she became.
④ The old she grew, the wise she became.
⑤ Older she grew, wiser she became.

Words and Phrases
□beach 해변 □wise 현명한 □grow old 나이가 들다

19

06 「the + 비교급 ~, the + 비교급 ...」은 '~할수록 더 … 하다'라는 의미를 나타낸다.

해석

나는 그녀를 더 많이 볼수록 그녀가 더 많이 좋아진다.

07 「비교급 + and + 비교급」은 '점점 더 ~한'이라는 의미를 나타낸다. 형용사 hot의 비교급은 hotter이다.

08 「one of the + 최상급 + 복수 명사」는 '가장 ~한 … 중 하나'라는 의미를 나타내는 표현이므로 단수 명사 beach를 복수 명사로 고쳐 써야 한다.

해석

이것은 한국에서 가장 아름다운 해변들 중 하나이다.

09 모든 학생들 중에서 Ted가 가장 키가 크다는 의미를 나타내는 표현이 되어야 한다. 「비교급 + than any other + 단수 명사」, 「No (other) + 명사 ~ + 비교급 + than」, 「No (other) + 명사 ~ + as[so] + 원급 + as」는 모두 비교급을 활용한 최상급 표현이다.

해석

① 다른 어떤 학생도 Ted만큼 키가 크지 않다.
② 다른 어떤 학생도 Ted보다 키가 크지 않다.
③ Ted는 다른 모든 학생들보다 키가 크다.
④ Ted는 다른 학생들만큼 키가 크지 않다.
⑤ Ted는 다른 어떤 학생보다도 키가 더 크다.

10 「the + 비교급 ~, the + 비교급 ...」은 '~할수록 더 … 하다'라는 의미를 나타낸다. 형용사 old와 wise의 비교급은 각각 older와 wiser이다.

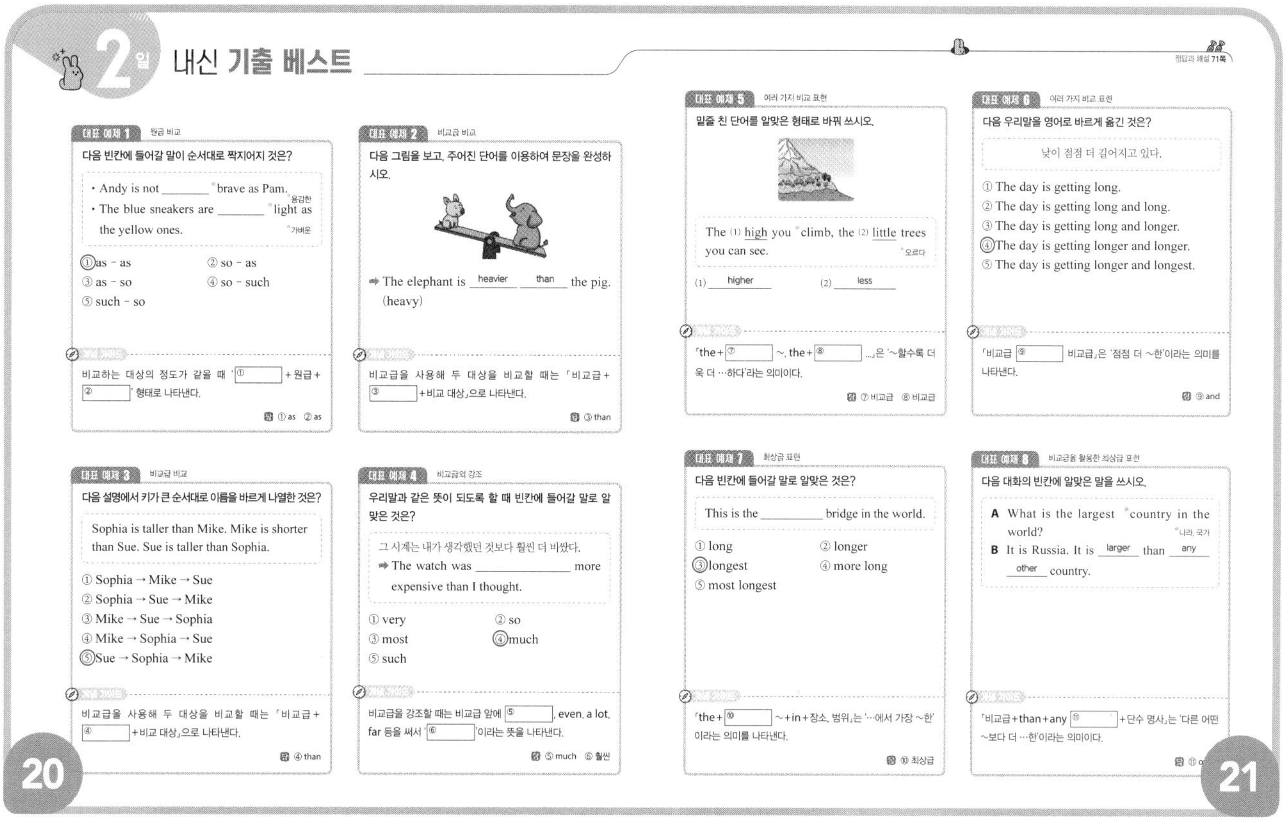

2일 내신 기출 베스트

정답과 해설 71쪽

대표 예제 1 원급 비교

다음 빈칸에 들어갈 말이 순서대로 짝지어진 것은?

- Andy is not _______ *brave as Pam.
- The blue sneakers are _______ *light as the yellow ones.

*용감한 *가벼운

①as - as ② so - as
③ as - so ④ so - such
⑤ such - so

개념 가이드: 비교하는 대상의 정도가 같을 때 '① [ ] + 원급 + ② [ ]' 형태로 나타낸다.

답 ① as ② as

대표 예제 2 비교급 비교

다음 그림을 보고, 주어진 단어를 이용하여 문장을 완성하시오.

➡ The elephant is heavier than the pig. (heavy)

개념 가이드: 비교급을 사용해 두 대상을 비교할 때는 「비교급 + ③ [ ] + 비교 대상」으로 나타낸다.

답 ③ than

대표 예제 3 비교급 비교

다음 설명에서 키가 큰 순서대로 이름을 바르게 나열한 것은?

Sophia is taller than Mike. Mike is shorter than Sue. Sue is taller than Sophia.

① Sophia → Mike → Sue
② Sophia → Sue → Mike
③ Mike → Sue → Sophia
④ Mike → Sophia → Sue
⑤Sue → Sophia → Mike

개념 가이드: 비교급을 사용해 두 대상을 비교할 때는 「비교급 + ④ [ ] + 비교 대상」으로 나타낸다.

답 ④ than

대표 예제 4 비교급의 강조

우리말과 같은 뜻이 되도록 할 때 빈칸에 들어갈 말로 알맞은 것은?

그 시계는 내가 생각했던 것보다 훨씬 더 비쌌다.
➡ The watch was _______________ more expensive than I thought.

① very ② so
③ most ④much
⑤ such

개념 가이드: 비교급을 강조할 때는 비교급 앞에 ⑤ [ ], even, a lot, far 등을 써서 '⑥ [ ]'이라는 뜻을 나타낸다.

답 ⑤ much ⑥ 훨씬

20

대표 예제 5 여러 가지 비교 표현

밑줄 친 단어를 알맞은 형태로 바꿔 쓰시오.

The (1) high you *climb, the (2) little trees you can see. *오르다

(1) higher (2) less

개념 가이드: 「the + ⑦ [ ] ~, the + ⑧ [ ] ...」은 '~할수록 더욱 더 …하다'라는 의미이다.

답 ⑦ 비교급 ⑧ 비교급

대표 예제 6 여러 가지 비교 표현

다음 우리말을 영어로 바르게 옮긴 것은?

낮이 점점 더 길어지고 있다.

① The day is getting long.
② The day is getting long and long.
③ The day is getting long and longer.
④The day is getting longer and longer.
⑤ The day is getting longer and longest.

개념 가이드: 「비교급 ⑨ [ ] 비교급」은 '점점 더 ~한'이라는 의미를 나타낸다.

답 ⑨ and

대표 예제 7 최상급 표현

다음 빈칸에 들어갈 말로 알맞은 것은?

This is the __________ bridge in the world.

① long ② longer
③longest ④ more long
⑤ most longest

개념 가이드: 「the + ⑩ [ ] ~ + in + 장소, 범위」는 '…에서 가장 ~한'이라는 의미를 나타낸다.

답 ⑩ 최상급

대표 예제 8 비교급을 활용한 최상급 표현

다음 대화의 빈칸에 알맞은 말을 쓰시오.

A What is the largest *country in the world? *나라, 국가
B It is Russia. It is larger than any other country.

개념 가이드: 「비교급 + than + any ⑪ [ ] + 단수 명사」는 '다른 어떤 ~보다 더 …한'이라는 의미이다.

답 ⑪ o

21

2일

1 원급 비교 표현은 「as + 원급 + as」로 쓰고, 원급 비교의 부정은 「not as[so] + 원급 + as」로 쓴다.
• Andy는 Pam만큼 용감하지 않다.
• 파란색 운동화는 노란색 운동화만큼 가볍다.
☐ **brave** 형 용감한
☐ **light** 형 가벼운

2 '~보다 더 …한/하게'라는 의미의 비교급 문장은 「비교급 + than + 비교 대상」으로 쓴다.
코끼리는 돼지보다 더 무겁다.
☐ **heavy** 형 무거운

3 Sophia는 Mike보다 키가 더 크다. Mike는 Sue보다 키가 작다. Sue는 Sophia보다 키가 더 크다.

5 형용사 high의 비교급은 higher, little의 비교급은 less이다.
더 높이 올라갈수록 너는 더 적은 나무를 볼 수 있다.

7 「the + 최상급 ~ + in + 장소, 범위」는 '…에서 가장 ~한'이라는 의미를 나타내는 표현이므로 long의 최상급 longest가 알맞다.
이것은 세계에서 가장 긴 다리이다.
☐ **bridge** 명 다리

8 **A** 세계에서 가장 큰 나라는 무엇이니?
B 러시아야. 그것은 다른 어떤나라보다 더 커.
☐ **country** 명 나라, 국가

01 첫 번째 문장의 선행사는 사람이고, 두 번째 문장의 선행사는 사물이다. 선행사가 사람이나 사물일 때 모두 쓸 수 있는 주격 관계대명사는 that이다.

☐ **in the middle of** ~의 중앙에

☐ **garden** 명 정원

해석

• 소미는 선생님인 언니가 한 명 있다.

• 정원 가운데 서 있는 나무를 봐.

02 선행사(the man)가 사람이므로 주격 관계대명사 who[that]를 쓰고 뒤에 동사를 쓴다.

해석

• 한 남자가 피아노를 치고 있다.

• 그 남자는 White 씨이다.

→ 피아노를 치고 있는 남자는 White 씨이다.

03 선행사를 파악하고 그에 따른 주격 관계대명사가 바르게 쓰였는지 확인한다. 관계대명사절의 동사는 선행사의 인칭과 수에 일치시킨다. ② 선행사 a cat이 단수이므로 복수 동사 have를 단수 동사 has로 고쳐 써야 한다.

☐ **cousin** 명 조카

☐ **corner** 명 모퉁이

해석

① 나는 키가 매우 큰 조카가 한 명 있다.

② 그녀는 눈이 파란 고양이 한 마리를 안고 있다.

③ 그는 그의 생일 선물이었던 시계를 잃어버렸다.

④ 개를 산책시키고 있는 소년은 나의 남동생이다.

⑤ 모퉁이에 있는 식당에 가자.

04 ①을 제외한 나머지 who는 모두 주격 관계대명사이다. ①의 who는 의문사이다.

해석

① 저기 앉아 있는 남자가 누구니?

② 모자를 쓰고 있는 남자를 보아라.

③ 그녀는 우리에게 영어를 가르치는 선생님이다.

④ 너는 통화를 하고 있는 소녀를 아니?

기초 확인 문제

정답과 해설 72쪽

01 다음 빈칸에 공통으로 들어갈 말로 알맞은 것은?

• Somi has a sister _______ is a teacher.
• Look at the tree _______ stands in the middle of the garden.

① who ②that
③ whose ④ which
⑤ what

02 다음 두 문장을 한 문장으로 바꿔 쓸 때 빈칸에 알맞은 말을 쓰시오.

• A man is playing the piano.
• The man is Mr. White.

➡ The man who(that) is playing the piano is Mr. White.

03 밑줄 친 부분 중 어법상 어색한 것은?

① I have a cousin who is very tall.
②She is holding a cat which have blue eyes.
③ He lost his watch which was his birthday gift.
④ The boy who is walking a dog is my little brother.
⑤ Let's go to the restaurant which is on the corner.

04 밑줄 친 who의 쓰임이 나머지 넷과 다른 하나는?

①Who is that man sitting over there?
② Look at the man who is wearing a hat.
③ She is the teacher who teaches us math.
④ Do you know the girl who is talking on the phone?
⑤ I know a man who can speak both Korean and English.

05 다음 그림을 보고, 관계대명사와 주어진 어구를 이용하여 문장을 완성하시오.

A firefighter is a person who(that) puts out fire.
(put out fire)

25

⑤ 나는 한국어와 영어를 둘 다 말할 수 있는 남자를 알고 있다.

05 선행사가 사람이므로 주격 관계대명사 who[that]를 쓰고 뒤에 동사를 쓴다. 관계대명사절의 동사는 선행사의 인칭과 수에 일치시킨다.

☐ **firefighter** 명 소방관

☐ **put out** (불을) 끄다

해석

소방관은 불을 끄는 사람이다.

기초 확인 문제

정답과 해설 73쪽

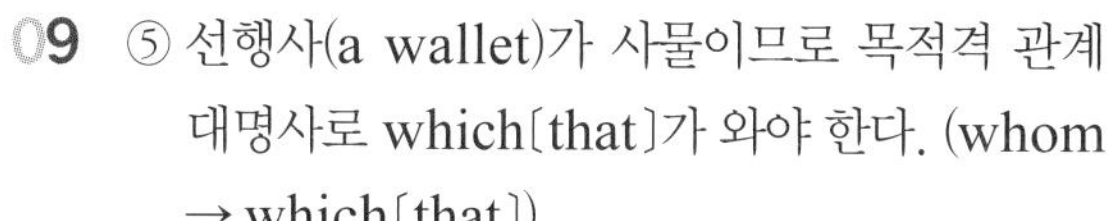

06 밑줄 친 that과 바꿔 쓸 수 있는 것은?

I bought the camera that I wanted to have.

① what ② who
③ whom ④ whose
⑤ which

07 다음 빈칸에 들어갈 말로 알맞은 것을 두 개 고르면?

The movie ________ I saw last night was boring.

① which ② who
③ whom ④ whose
⑤ that

08 다음 문장의 빈칸에 들어갈 수 없는 것은?

This is ________ whom I love so much.

① the girl ② the child
③ my mom ④ the song
⑤ the woman

09 다음 중 어법상 어색한 것은?

① It's the machine which makes coffee.
② I saw the girl whom you are looking for.
③ Did you like the cookies that I gave you?
④ This is the man who always makes me smile.
⑤ I picked up a wallet whom I found on the street.

10 밑줄 친 관계대명사 중 생략할 수 없는 것은?

① This is Ms. Kim who everyone likes.
② This is the park that I talked about.
③ The book that you gave me was helpful.
④ The guy that is playing with the kids is Dan.
⑤ We are going to the restaurant which Sam picked.

27

06 선행사(the camera)가 사물이므로 목적격 관계대명사로 that이나 which가 올 수 있다.

해석

나는 내가 가지고 싶었던 카메라를 샀다.

07 선행사(the movie)가 사물이므로 목적격 관계대명사로 that과 which가 둘 다 올 수 있다.

☐ **boring** 형 지루한

해석

내가 어젯밤에 본 영화는 지루했다.

08 목적격 관계대명사 whom으로 보아 선행사로 사람이 올 수 있다.

☐ **child** 명 아이

해석

이 사람은 내가 무척 사랑하는 ① 소녀 ② 아이 ③ 나의 엄마 ⑤ 여자이다.

09 ⑤ 선행사(a wallet)가 사물이므로 목적격 관계대명사로 which[that]가 와야 한다. (whom → which[that])

☐ **machine** 명 기계
☐ **look for** ~을 찾다
☐ **pick up** 줍다
☐ **wallet** 명 지갑

해석

① 이것은 커피를 만드는 기계이다.
② 나는 네가 찾고 있는 소녀를 보았다.
③ 너는 내가 준 쿠키를 좋아했니?
④ 이 사람은 나를 항상 웃게 해 주는 남자이다.
⑤ 나는 내가 거리에서 발견한 지갑을 주웠다.

10 목적격 관계대명사는 뒤에 「주어 + 동사 ~」가 오며 생략할 수 있다. ④의 that은 주격 관계대명사이므로 생략할 수 없다.

☐ **helpful** 형 도움이 되는
☐ **pick** 동 고르다

해석

① 이 분은 모두가 좋아하는 김 선생님이시다.
② 이곳이 내가 말했던 공원이다.
③ 네가 나에게 준 책은 도움이 되었다.
④ 아이들과 놀고 있는 남자는 Dan이다.
⑤ 우리는 Sam이 고른 식당에 갈 것이다.

3일 내신 기출 베스트

정답과 해설 74쪽

대표 예제 1 주격 관계대명사

다음 문장에서 which가 들어갈 위치로 알맞은 것은?

City Hall　train station

시청에서 출발하는 그 버스는 기차역으로 간다.

➡ The bus (①) leaves (②) from (③) City Hall (④) goes (⑤) to the train station.

개념 가이드

주격 관계대명사는 앞의 [①　] 를 수식하며 뒤에는 [②　] 가 온다.

답 ① 명사 ② 동사

대표 예제 2 주격 관계대명사

밑줄 친 that의 쓰임이 나머지 넷과 다른 하나는?

① I need a bag that has a big *pocket. *주머니
② I saw a cat that is sleeping on the bench.
③ I didn't know that Eric came from Canada.
④ A *giraffe is an animal that has a long neck. *기린
⑤ I know the boy that was dancing on the *stage. *무대

개념 가이드

주격 관계대명사 that 뒤에는 [③　] 가 오고, [④　] that 뒤에는 「주어+동사」가 온다.

답 ③ 동사 ④ 접속사

대표 예제 3 주격 관계대명사

다음 빈칸에 들어갈 수 없는 것은?

Look at the ________ that is sitting on the bench.

① cat　② boy
③ man　④ girl
⑤ people

개념 가이드

주격 관계대명사 뒤의 동사는 [⑤　] 의 인칭과 [⑥　] 에 일치시킨다.

답 ⑤ 선행사 ⑥ 수

대표 예제 4 주격 관계대명사

빈칸에 관계대명사 who 또는 which를 쓰시오.

(1) Do you know the boy __who__ is playing tennis?
(2) I can read the letter __which__ was written in English.
(3) I bought sneakers __which__ are very popular with teens.

개념 가이드

주격 관계대명사 who는 선행사가 [⑦　] 일 때, [⑧　] 는 선행사가 동물이나 사물일 때 쓴다.

답 ⑦ 사람 ⑧ which

대표 예제 5 목적격 관계대명사

다음 빈칸에 들어갈 말로 알맞은 것을 두 개 고르면?

This is the ________ which I really like.

① hat　② boy
③ singer　④ book
⑤ people

개념 가이드

목적격 관계대명사 which는 선행사가 동물이나 [⑨　] 일 때 쓴다. 선행사가 사람일 때는 [⑩　] 을 쓸 수 있다.

답 ⑨ 사물 ⑩ who(m)

대표 예제 6 목적격 관계대명사

다음 두 문장을 한 문장으로 바꿔 쓸 때 빈칸에 들어갈 말로 알맞은 것은?

- This is the house.
- Jack built it.
➡ This is the house ________ Jack built.

① who　② whom
③ what　④ whose
⑤ which

개념 가이드

선행사가 사물일 때 목적격 관계대명사로 [⑪　] 가 온다.

답 ⑪ which (that)

대표 예제 7 목적격 관계대명사

다음 그림을 보고, 우리말을 참고하여 빈칸에 알맞은 말을 쓰시오.

➡ The bag __which(that)__ Suho was carrying is red. (수호가 들고 다니던 그 가방은 빨간색이다.)

개념 가이드

선행사가 동물이나 [⑫　] 일 때 목적격 관계대명사로 that이나 which가 온다.

답 ⑫ 사물

대표 예제 8 목적격 관계대명사 that의 생략

다음 밑줄 친 that 중 생략할 수 있는 것은?

① A *vet is a doctor that **treats animals. *수의사 **치료하다
② This is the man that owns a *bakery. *빵집
③ Look at the dog that has brown *fur. *털
④ We're looking for the man that can speak Chinese well.
⑤ The person that I *respect most is my mother. *존경하다

개념 가이드

목적격 관계대명사 뒤에는 「주어+동사」가 오며 생략이 [⑬　] 하다.

답 ⑬

28　29

2 ③을 제외한 나머지는 모두 선행사를 수식하는 관계대명사절을 이끄는 주격 관계대명사이다. ③은 접속사 that이다.

① 나는 큰 주머니가 있는 가방이 필요하다.
② 나는 벤치 위에서 잠자고 있는 고양이 한 마리를 보았다.
③ 나는 Eric이 캐나다에서 온 것을 몰랐다.
④ 기린은 목이 긴 동물이다.
⑤ 나는 무대 위에서 춤을 추고 있었던 소년을 안다.

3 빈칸 뒤의 관계대명사 that으로 보아 선행사는 사람, 동물, 사물 모두 올 수 있다. 하지만 that 다음에 단수 동사 is가 쓰였으므로 복수 명사인 ⑤ people은 빈칸에 들어갈 수 없다.

벤치에 앉아 있는 ① 고양이 ② 소년 ③ 남자 ④ 소녀를 봐.

4 (1) 너는 테니스를 치고 있는 소년을 아니?
(2) 나는 영어로 쓰인 편지를 읽을 수 있다.
(3) 나는 십 대들 사이에서 아주 인기가 있는 운동화를 샀다.

5 이것은 내가 정말 좋아하는 ① 모자 ④ 책이다.

6 • 이것은 집이다.
• Jack이 그것을 지었다.
→ 이것은 Jack이 지은 집이다.

8 ① 수의사는 동물들을 치료하는 의사이다.
② 이 사람은 빵집을 소유한 사람이다.
③ 갈색 털을 가진 개를 보아라.
④ 우리는 중국어를 잘 말할 수 있는 남자를 찾고 있다.
⑤ 내가 가장 존경하는 사람은 나의 엄마이다.

☐ **vet** 명 수의사
☐ **treat** 동 치료하다
☐ **fur** 명 털
☐ **respect** 동 존경하다

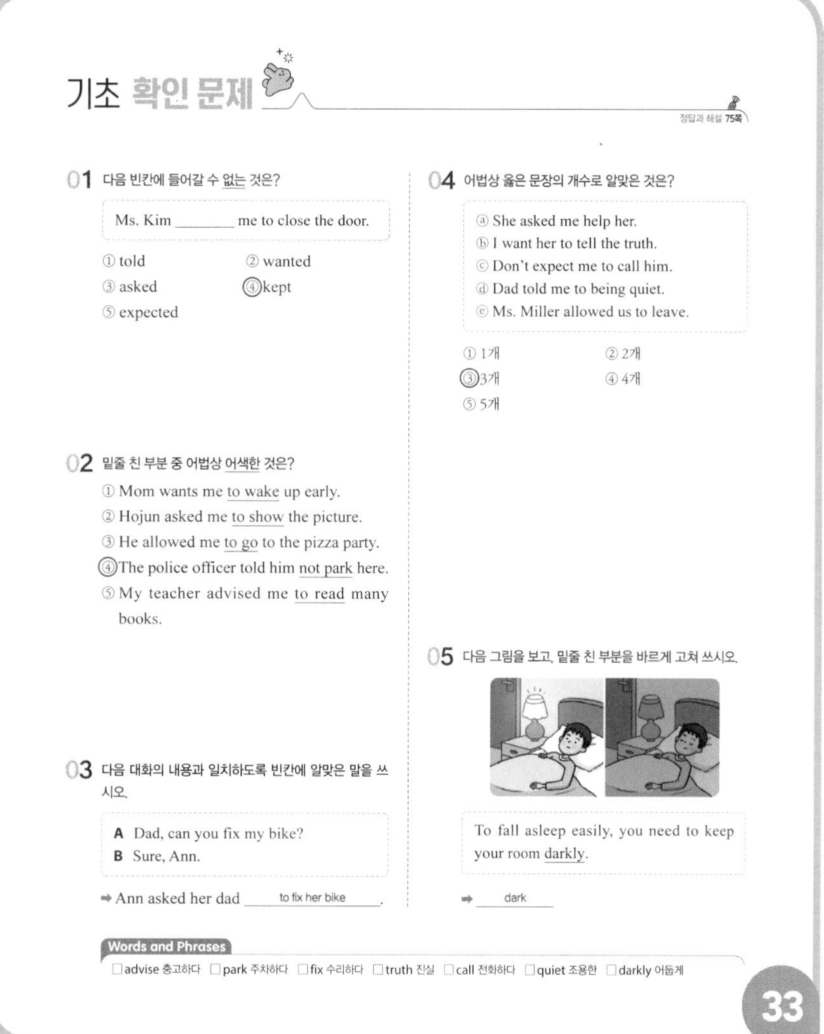

기초 확인 문제

정답과 해설 75쪽

01 다음 빈칸에 들어갈 수 없는 것은?

Ms. Kim _______ me to close the door.

① told ② wanted
③ asked ④ kept
⑤ expected

02 밑줄 친 부분 중 어법상 어색한 것은?

① Mom wants me to wake up early.
② Hojun asked me to show the picture.
③ He allowed me to go to the pizza party.
④ The police officer told him not park here.
⑤ My teacher advised me to read many books.

03 다음 대화의 내용과 일치하도록 빈칸에 알맞은 말을 쓰시오.

A Dad, can you fix my bike?
B Sure, Ann.

➡ Ann asked her dad ___to fix her bike___.

04 어법상 옳은 문장의 개수로 알맞은 것은?

ⓐ She asked me help her.
ⓑ I want her to tell the truth.
ⓒ Don't expect me to call him.
ⓓ Dad told me to being quiet.
ⓔ Ms. Miller allowed us to leave.

① 1개 ② 2개
③ 3개 ④ 4개
⑤ 5개

05 다음 그림을 보고, 밑줄 친 부분을 바르게 고쳐 쓰시오.

To fall asleep easily, you need to keep your room darkly.

➡ ___dark___

Words and Phrases
□advise 충고하다 □park 주차하다 □fix 수리하다 □truth 진실 □call 전화하다 □quiet 조용한 □darkly 어둡게

33

4일

01 동사 keep의 목적격 보어로는 형용사가 온다.

해석

김 선생님은 나에게 문을 닫아 달라고 ① 말씀하셨다 ③ 부탁하셨다. / 김 선생님은 내가 문을 닫기를 ② 원하셨다 ⑤ 기대하셨다.

02 ④ not park → not to park

해석

① 엄마는 내가 일찍 일어나기를 원하신다.
② 호준이는 나에게 그 사진을 보여 달라고 부탁했다.
③ 그는 내가 피자 파티에 가도록 허락했다.
④ 경찰관은 그에게 이곳에 주차하지 말라고 말했다.
⑤ 나의 선생님은 나에게 많은 책을 읽으라고 조언하셨다.

03 「주어 + 동사 + 목적어 + 목적격 보어(to부정사)」 구조의 5형식 문장을 완성한다.

해석

A 아빠, 제 자전거를 수리해 주실 수 있나요?
B 물론이지, Ann.

Ann은 아빠에게 그녀의 자전거를 수리해 달라고 부탁드렸다.

04 ⓐ help → to help ⓓ to being → to be

해석

ⓐ 그녀는 나에게 그녀를 도와달라고 부탁했다.
ⓑ 나는 그녀가 진실을 말하기를 원한다.
ⓒ 내가 그에게 전화하기를 기대하지 마라.
ⓓ 아빠는 나에게 조용히 하라고 말씀하셨다.
ⓔ Miller 씨는 우리가 떠나는 것을 허락하셨다.

05 동사 keep의 목적격 보어로는 형용사가 와야 한다.

해석

쉽게 잠들기 위해서 너는 방을 어둡게 유지해야 한다.

기초 확인 문제

정답과 해설 76쪽

06 다음 빈칸에 들어갈 말로 알맞은 것은?

He saw his mother _______ a birthday cake.

①make ② makes
③ made ④ to make
⑤ being made

07 다음 빈칸에 들어갈 수 없는 것은?

I _______ Eric talking with his friends.

① saw ② heard
③ watched ④wanted
⑤ listened to

08 밑줄 친 부분을 어법에 맞게 고쳐 쓰시오.

(1) The heavy rain made I stay home.
➡ me

(2) Justin let use his sister his computer.
➡ let his sister use

(3) She had David cooked dinner.
➡ cook

09 다음 문장 중 어법상 옳은 것은?

① Let me saying it again.
②She let her son go camping.
③ He had his son watering the flowers.
④ The alarm sounds made the baby cried.
⑤ Dad makes me to wash the dog every Sunday.

10 다음 우리말을 영어로 바르게 옮긴 것은?

나는 한 소년이 버스 정류장으로 뛰어가는 것을 보았다.

① I saw a boy ran to the bus stop.
② I saw ran a boy to the bus stop.
③ I saw a boy to run to the bus stop.
④ I saw run a boy to the bus stop.
⑤I saw a boy running to the bus stop.

Words and Phrases
□ go camping 캠핑을 가다 □ water (식물에) 물을 주다

35

06 지각동사 see의 목적격 보어로 동사원형이나 현재분사가 올 수 있다.

해석

그는 그의 엄마가 생일 케이크를 만드는 것을 보았다.

07 동사 want의 목적격 보어로는 to부정사가 쓰인다. 나머지는 모두 지각동사로 목적격 보어 자리에 동사원형이나 현재분사가 올 수 있다.

해석

나는 Eric이 그의 친구들과 이야기를 하는 것을 ① 보았다 ② 들었다 ③ 보았다 ⑤ 들었다.

08 「동사 + 목적어 + 목적격 보어」의 5형식 문장에서 사역동사 let, make, have의 목적격 보어로 동사원형이 온다.

해석

(1) 폭우가 나를 집에 머무르게 했다.
(2) Justin은 그의 여동생이 그의 컴퓨터를 사용하는 것을 허락했다.
(3) 그녀는 David이 저녁 식사를 요리하게 했다.

09 ① saying → say ③ watering → water ④ cried → cry ⑤ to wash → wash

해석

① 그것을 다시 말씀드리겠습니다.
② 그녀는 그녀의 아들이 캠핑을 가는 것을 허락했다.
③ 그는 그의 아들이 꽃에 물을 주게 시켰다.
④ 알람 소리가 아기를 더 울게 만들었다.
⑤ 아빠는 매주 일요일 내가 개를 씻기게 하신다.

10 지각동사인 see의 목적격 보어로는 동사원형이나 현재분사가 올 수 있으므로 ⑤가 알맞다.

4일 내신 기출 베스트

정답과 해설 77쪽

대표 예제 1 5형식 문장의 목적격 보어

다음 그림을 보고, 빈칸에 알맞은 말을 쓰시오.

Dad, let's play badminton.

Jahee asked her dad __to play__ badminton together.

개념 가이드: 5형식 문장은 「주어+동사+목적어+①[ ]」 구조이다.

답 ① 목적격 보어

대표 예제 2 사역동사의 목적격 보어

다음 중 어법상 어색한 것은?

Mr. Nelson had① the students② to read③ the *poem④ in a loud voice⑤. *시

(Nelson 선생님은 학생들이 큰 목소리로 시를 읽게 하셨다.)

개념 가이드: 「have+목적어+목적격 보어」의 5형식 문장에서 목적격 보어 자리에 ②[ ]이 와야 한다.

답 ② 동사원형

대표 예제 3 5형식 문장의 형태

다음 그림을 보고, 주어진 어구를 바르게 배열하시오.

➡ This muffler will keep you warm.

(this *muffler / warm / keep / will / you) *목도리

개념 가이드: 「keep+목적어+목적격 보어」의 5형식 문장에서 목적격 보어 자리에 ③[ ]가 와야 한다.

답 ③ 형용사

대표 예제 4 to부정사를 목적격 보어로 쓰는 동사

다음 빈칸에 들어갈 수 없는 것은?

Did you ________ him to go there?

① want ② tell
③ allow ④ see
⑤ *expect *기대하다

개념 가이드: 5형식 문장의 동사가 want, tell, allow, expect 등일 때 ④[ ]로 ⑤[ ]가 온다.

답 ④ 목적격 보어 ⑤ to부정사

대표 예제 5 사역동사의 목적격 보어

다음 그림을 보고, 밑줄 친 부분을 어법에 맞게 고쳐 쓰시오.

Ms. Smith made her son to wash the dishes.

➡ wash

개념 가이드: '시키다, ~을 하게 하다'라는 뜻의 사역동사 make는 목적격 보어로 ⑥[ ]을 쓴다.

답 ⑥ 동사원형

대표 예제 6 사역동사의 목적격 보어

다음 두 문장을 한 문장으로 바꿔 쓰시오.

- I saw your sister.
- She was taking a walk.

➡ I saw __your sister take(taking) a walk__.

개념 가이드: ⑦[ ]인 see는 목적격 보어로 동사원형이나 ⑧[ ]를 쓴다.

답 ⑦ 지각동사 ⑧ 현재분사

대표 예제 7 지각동사·사역동사의 목적격 보어

다음 빈칸에 공통으로 들어갈 말로 알맞은 것은?

- I saw him ________ the wall.
- My dad had me ________ the wall.

① paint ② painted
③ to paint ④ painting
⑤ be painted

개념 가이드: 5형식 문장에서 동사 tell은 목적격 보어로 ⑨[ ]를 쓴다.

답 ⑨ to부정사

대표 예제 8 지각동사의 목적격 보어

다음 빈칸에 들어갈 말로 알맞은 것은?

Kevin heard someone ________ his name.

① call ② called
③ to call ④ being called
⑤ to be called

개념 가이드: 5형식 문장에서 ⑩[ ]를 쓸 경우 목적격 보어로 동사원형 또는 현재분사가 온다.

답 ⑩ 지각

36 37

1 아빠, 배드민턴을 쳐요.
재희는 그녀의 아빠에게 함께 배드민턴을 치자고 부탁드렸다.

3 이 목도리가 너를 따뜻하게 해 줄 거야.

4 ④ 지각동사 see의 목적격 보어 자리에는 동사원형 또는 현재분사가 올 수 있다.
① 너는 그가 그곳에 가기를 원했니?
② 너는 그에게 그곳에 가라고 말했니?
③ 너는 그가 그곳에 가는 것을 허락했니?
⑤ 너는 그가 그곳에 가기를 기대했니?

5 Smith 씨는 그녀의 아들이 설거지를 하도록 시켰다.

6 • 나는 너의 언니를 보았다.
• 그녀는 산책을 하고 있었다.
→ 나는 너의 언니가 산책을 하는 것을 보았다.

7 지각동사 see의 목적격 보어로 동사원형 또는 현재분사가 올 수 있다. / 사역동사 have의 목적격 보어로 동사원형이 올 수 있다.
• 나는 그가 벽을 페인트칠하는 것을 봤다.
• 아빠가 나에게 벽을 페인트칠하게 시키셨다.

8 Kevin은 누군가가 자신의 이름을 부르는 것을 들었다.

정답과 해설

기초 확인 문제

정답과 해설 78쪽

01 밑줄 친 부분의 쓰임이 나머지 넷과 다른 하나는?

① I need a sofa to sit on.
② Let's buy some food to eat.
③ I have some books to read.
④ We need fresh water to drink.
⑤ He learned a new language to survive.

02 다음 빈칸에 들어갈 말로 알맞은 것은?

I have many friends ________.

① play ② playing
③ to play ④ play with
⑤ to play with

03 다음 밑줄 친 단어의 알맞은 형태는?

Is there anything drink?

① drink ② to drink
③ for drink ④ of drink
⑤ drinking

04 다음 그림을 보고, 밑줄 친 부분을 어법에 맞게 고쳐 쓰시오.

Can you give me something write with?
Sure.

➡ to write

05 다음 문장의 밑줄 친 부분과 쓰임이 같은 것은?

I have a lot of work to do.

① I hope to lose weight.
② I'm glad to see you again.
③ Do you want to visit the farm?
④ I have to go to the library to study.
⑤ We don't have enough time to think.

41

---

01 ⑤를 제외한 나머지 to부정사는 모두 '~할'이라는 의미를 나타내는 형용사적 용법으로 쓰여 앞의 명사를 수식한다. ⑤는 '~하기 위해'라는 뜻의 목적을 나타내는 to부정사이다.

☐ **fresh** 형 신선한
☐ **survive** 동 생존하다

해석
① 나는 앉을 소파가 필요하다.
② 먹을 음식을 좀 사자.
③ 나는 읽을 책을 좀 가지고 있다.
④ 우리는 마실 신선한 물이 필요하다.
⑤ 그는 생존하기 위해 새 언어를 배웠다.

02 play with many friends로, to부정사가 수식하는 명사가 전치사의 목적어이므로 to부정사 뒤에 전치사 with를 써야 한다.

해석
나는 함께 놀 친구가 많다.

03 앞의 대명사 anything을 수식하는 to부정사 to drink가 되어야 한다.

해석
마실 것이 있니?

04 대명사 something을 수식하는 to부정사 to write가 되어야 한다. write with something으로, to부정사가 수식하는 명사가 전치사의 목적어이므로 to부정사 다음에 전치사 with가 쓰였다.

해석
나에게 (가지고) 쓸 것을 줄 수 있니?
물론이지.

05 주어진 문장과 ⑤의 to부정사는 앞의 명사를 꾸미는 형용사 역할을 하는 to부정사이다.

① 동사 hope의 목적어 역할을 하는 명사적 용법의 to부정사이다.
② '~해서'라는 뜻의 감정의 원인을 나타내는 부사적 용법의 to부정사이다.
③ 동사 want의 목적어 역할을 하는 명사적 용법의 to부정사이다.
④ '하기 위해서'라는 뜻의 목적을 나타내는 부사적 용법의 to부정사이다.
⑤ 앞의 명사 time을 수식하는 형용사적 용법의 to부정사이다.

☐ **lose weight** 체중을 감량하다
☐ **enough** 형 충분한

해석
나는 할 일이 많다.
① 나는 몸무게를 줄이고 싶다.
② 너를 다시 만나게 되어 기뻐.
③ 너는 농장을 방문하고 싶니?
④ 나는 공부하기 위해 도서관에 가야 해.
⑤ 우리는 생각할 충분한 시간이 없다.

기초 확인 문제

정답과 해설 79쪽

06 다음 그림을 보고, 우리말과 같은 뜻이 되도록 빈칸에 알맞은 말을 쓰시오.

➡ She __is__ __to__ cancel her flight for tomorrow because she is sick.
(그녀는 아프기 때문에 내일 항공편 예약을 취소할 것이다.)

07 우리말과 일치하도록 할 때 빈칸에 들어갈 말로 알맞은 것은?

No one was _______ seen in the room.
(방 안에는 아무도 없었다.)

① be ② to ③to be ④ being ⑤ to being

08 밑줄 친 부분의 쓰임이 나머지 넷과 다른 하나는?

① My dream is to be a photographer.
② All students are to take a written exam.
③ Junsu is to appear in the office tomorrow.
④ If you are to succeed, you must work hard.
⑤ We are to travel by car from Seoul to Sokcho.

[9~10] 다음 밑줄 친 부분과 바꿔 쓸 수 있는 것을 고르시오.

09

We are to meet here at six.

① want to ② seem to ③ are going to ④ had better ⑤ are willing to

10

She is to finish the work by tomorrow.

① must ② wants to ③ agrees to ④ used to ⑤ decided to

43

06 항공편 예약을 취소할 것이라는 '예정'을 나타내는 말이 와야 한다. is to cancel은 is going to cancel과 같은 의미이다. 「be + to부정사」는 '의무, 예정, 의도, 가능, 운명' 등을 나타낼 수 있다.

☐ **cancel** 동 취소하다
☐ **flight** 명 항공편

07 No one could be seen in the room.에서 could be seen을 was to be seen으로 바꿔 쓴 문장이다.

08 ①을 제외한 나머지는 모두 be동사 뒤에 쓰여 보어 역할을 하는 형용사적 용법의 to부정사이다. 「be + to부정사」는 '의무, 예정, 의도, 가능, 운명'을 나타낸다. ①은 '~하기, ~하는 것'이라는 의미의 명사적 용법의 to부정사이다.

② are to take는 must[should, have to] take로 바꿔 쓸 수 있으며 '의무'를 나타낸다.
③ is to appear는 is going to appear로 바꿔 쓸 수 있으며 '예정'을 나타낸다.
④ are succeed는 intend to succeed로 바꿔 쓸 수 있으며 '의도'를 나타낸다.
⑤ are to travel은 are going to travel로 바꿔 쓸 수 있으며 '예정'을 나타낸다.

☐ **photographer** 명 사진가
☐ **appear** 동 나타나다, 모습을 드러내다
☐ **succeed** 동 성공하다

해석

① 내 꿈은 사진가가 되는 것이다.
② 모든 학생들은 필기시험을 치러야 한다.
③ 준수는 내일 사무실에 나타날 것이다.
④ 만약에 성공하고 싶다면 너는 열심히 일해야 한다.
⑤ 우리는 서울에서 속초까지 자동차로 여행할 예정이다.

09 '예정'을 나타내므로 「be동사 + going to」와 바꿔 쓸 수 있다.

해석

우리는 6시에 이곳에서 만날 예정이다.

10 '의무'를 나타내므로 must와 바꿔 쓸 수 있다.

해석

그녀는 내일까지 일을 끝내야 한다.

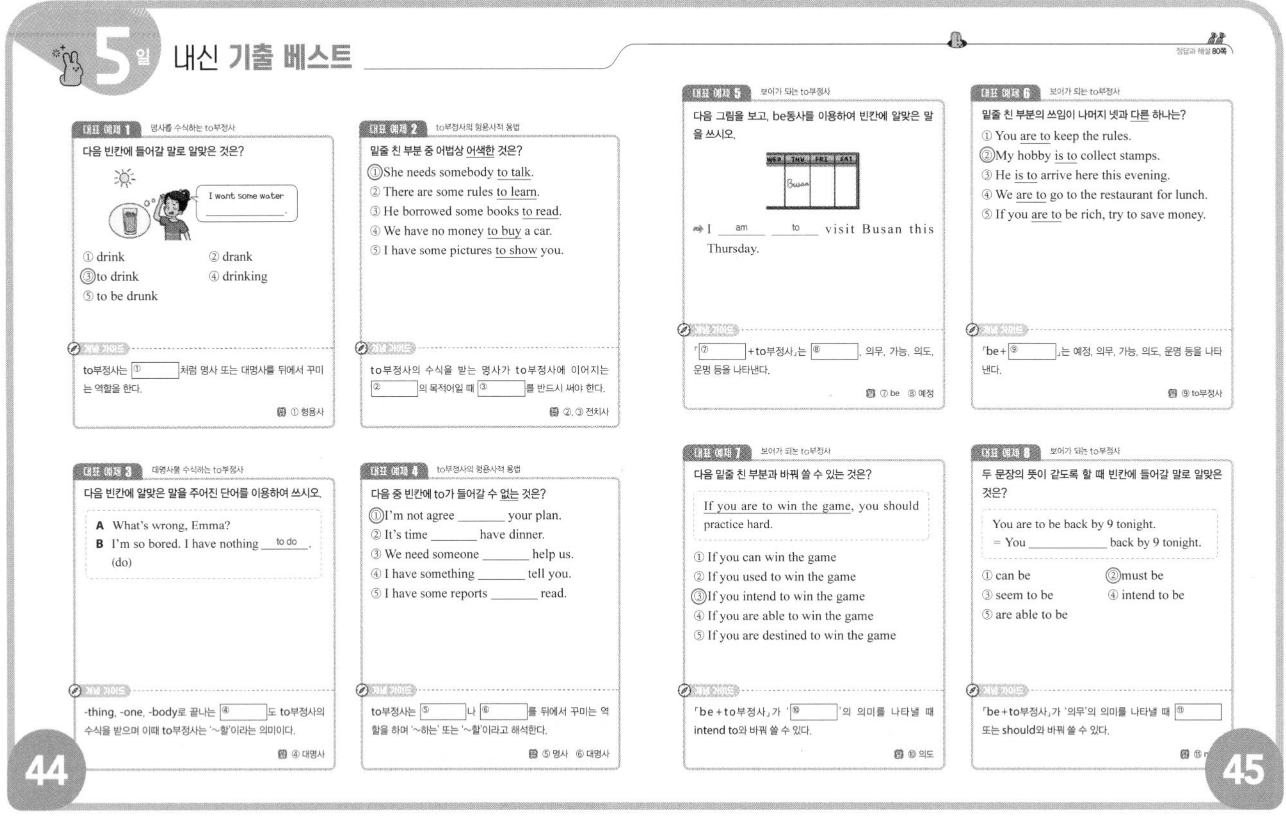

5일 내신 기출 베스트

정답과 해설 80쪽

대표 예제 1 명사를 수식하는 to부정사

다음 빈칸에 들어갈 말로 알맞은 것은?

I want some water ________.

① drink ② drank
③ to drink ④ drinking
⑤ to be drunk

개념 가이드
to부정사는 ① 처럼 명사 또는 대명사를 뒤에서 꾸미는 역할을 한다.

답 ① 형용사

대표 예제 2 to부정사의 형용사적 용법

밑줄 친 부분 중 어법상 어색한 것은?

① She needs somebody to talk.
② There are some rules to learn.
③ He borrowed some books to read.
④ We have no money to buy a car.
⑤ I have some pictures to show you.

개념 가이드
to부정사의 수식을 받는 명사가 to부정사에 이어지는 ② 의 목적어일 때 ③ 를 반드시 써야 한다.

답 ②, ③ 전치사

대표 예제 3 대명사를 수식하는 to부정사

다음 빈칸에 알맞은 말을 주어진 단어를 이용하여 쓰시오.

A What's wrong, Emma?
B I'm so bored. I have nothing to do. (do)

개념 가이드
-thing, -one, -body로 끝나는 ④ 도 to부정사의 수식을 받으며 이때 to부정사는 '~할'이라는 의미이다.

답 ④ 대명사

대표 예제 4 to부정사의 형용사적 용법

다음 중 빈칸에 to가 들어갈 수 없는 것은?

① I'm not agree ______ your plan.
② It's time ______ have dinner.
③ We need someone ______ help us.
④ I have something ______ tell you.
⑤ I have some reports ______ read.

개념 가이드
to부정사는 ⑤ 나 ⑥ 를 뒤에서 꾸미는 역할을 하며 '~하는' 또는 '~할'이라고 해석한다.

답 ⑤ 명사 ⑥ 대명사

대표 예제 5 보어가 되는 to부정사

다음 그림을 보고, be동사를 이용하여 빈칸에 알맞은 말을 쓰시오.

WED	THU	FRI	SAT
	Busan		

→ I am to visit Busan this Thursday.

개념 가이드
「⑦ + to부정사」는 ⑧ , 의무, 가능, 의도, 운명 등을 나타낸다.

답 ⑦ be ⑧ 예정

대표 예제 6 보어가 되는 to부정사

밑줄 친 부분의 쓰임이 나머지 넷과 다른 하나는?

① You are to keep the rules.
② My hobby is to collect stamps.
③ He is to arrive here this evening.
④ We are to go to the restaurant for lunch.
⑤ If you are to be rich, try to save money.

개념 가이드
「be + ⑨ 」는 예정, 의무, 가능, 의도, 운명 등을 나타낸다.

답 ⑨ to부정사

대표 예제 7 보어가 되는 to부정사

다음 밑줄 친 부분과 바꿔 쓸 수 있는 것은?

If you are to win the game, you should practice hard.

① If you can win the game
② If you used to win the game
③ If you intend to win the game
④ If you are able to win the game
⑤ If you are destined to win the game

개념 가이드
「be + to부정사」가 '⑩ '의 의미를 나타낼 때 intend to와 바꿔 쓸 수 있다.

답 ⑩ 의도

대표 예제 8 보어가 되는 to부정사

두 문장의 뜻이 같도록 할 때 빈칸에 들어갈 말로 알맞은 것은?

You are to be back by 9 tonight.
= You ________ back by 9 tonight.

① can be ② must be
③ seem to be ④ intend to be
⑤ are able to be

개념 가이드
「be + to부정사」가 '의무'의 의미를 나타낼 때 ⑪ 또는 should와 바꿔 쓸 수 있다.

44 45

1 앞의 명사 water를 수식하는 to부정사가 와야 한다.
나는 마실 물을 좀 원한다.

2 ① talk to somebody이므로 to부정사 다음에 전치사 to를 써야 한다. (→ to talk to)
① 그녀는 이야기를 할 누군가를 필요로 한다.
② 익힐 규칙들이 좀 있다.
③ 그는 읽을 책을 좀 빌렸다.
④ 우리는 차를 살 돈이 없다.
⑤ 나는 너에게 보여줄 사진이 좀 있다.

3 **A** 무슨 일이니, Emma?
B 나는 정말 지루해. 할 일이 하나도 없어.

4 ①을 제외한 나머지는 빈칸에는 모두 앞의 명사를 수식하는 형용사적 용법의 to부정사의 to가 알맞다. ① '~에 동의하다'라는 뜻의 agree with가 되어야 한다.
① 나는 당신의 계획에 동의하지 않는다.
② 저녁 식사를 할 시간이다.
③ 우리는 우리를 도와줄 누군가가 필요하다.
④ 나는 너에게 말할 것이 있다.
⑤ 나는 읽을 보고서들이 좀 있다.

5 나는 이번 주 목요일에 부산을 방문할 예정이다.

6 ① 너는 규칙을 지켜야 한다. (의무)
② 나의 취미는 우표를 모으는 것이다. (to부정사의 명사적 용법)
③ 그는 오늘 저녁에 이곳에 도착할 예정이다. (예정)
④ 우리는 점심을 먹으러 그 식당에 갈 것이다. (예정)
⑤ 만약에 부유해지고 싶다면 돈을 절약하도록 노력해라. (의도)

7 경기에서 이기려면, 너는 열심히 연습해야 한다.

8 너는 오늘밤 9시까지 돌아와야 한다.

6일 누구나 100점 테스트 1회

시간을 나타내는 접속사

01 다음 문장에서 when이 들어갈 위치로 알맞은 것은?

(①) I'll give (②) you (③) a call (④) I get to Boston (⑤).

시간을 나타내는 접속사

02 다음 중 밑줄 친 부분의 쓰임이 어색한 것은?

① I was very sad after you left.
② Turn off the lights before you leave.
③ Brush your teeth after you go to bed.
④ Raise your hand before you answer.
⑤ He always warms up before he exercises.

이유를 나타내는 접속사

03 다음 그림을 보고, because를 이용하여 여학생의 대답을 완성하시오.

Q Why are you crying?

➡ Because this movie is so sad.

양보를 나타내는 접속사

04 다음 빈칸에 들어갈 말로 알맞은 것은?

_______ I left home early, I was late for school.

① As　② If
③ Since　④ While
⑤ Though

조건을 나타내는 접속사

05 밑줄 친 부분을 어법에 맞게 고쳐 쓰시오.

(1)

➡ come

(2)

➡ rains

46

01 '내가 Boston에 도착하면'이라는 의미가 되도록 시간을 나타내는 접속사 when의 위치는 ④가 알맞다.

해석

내가 Boston에 도착하면 너에게 전화할게.

02 시간 순서를 나타내는 접속사가 바르게 쓰였는지 확인한다. ③ after → before

해석

① 네가 떠난 후 나는 매우 슬펐다.
② 네가 떠나기 전에 불을 꺼라.
③ 잠자리에 든 후에 (→ 들기 전에) 양치질을 해라.
④ 대답하기 전에 너의 손을 들어라.
⑤ 그는 운동하기 전에 항상 준비운동을 한다.

03 여학생이 말하는 내용이 그녀가 우는 이유이다. 이유를 나타내는 접속사 because 뒤에 「주어 + 동사 ~」가 오도록 문장을 완성한다.

해석

이 영화는 정말 슬퍼.
Q 너는 왜 울고 있니?
왜냐하면 이 영화가 정말 슬프기 때문이야.

04 주절과 부사절의 내용이 양보의 관계이므로 양보를 나타내는 접속사 Though가 알맞다.

해석

나는 일찍 집을 나섰음에도 불구하고 학교에 지각했다.

05 조건을 나타내는 절에서는 현재 시제로 미래를 나타낸다.

해석

(1) 네가 내 파티에 온다면 나는 행복할 거야.
(2) 내일 비가 내린다면 나는 우산을 가져갈 거야.

6일

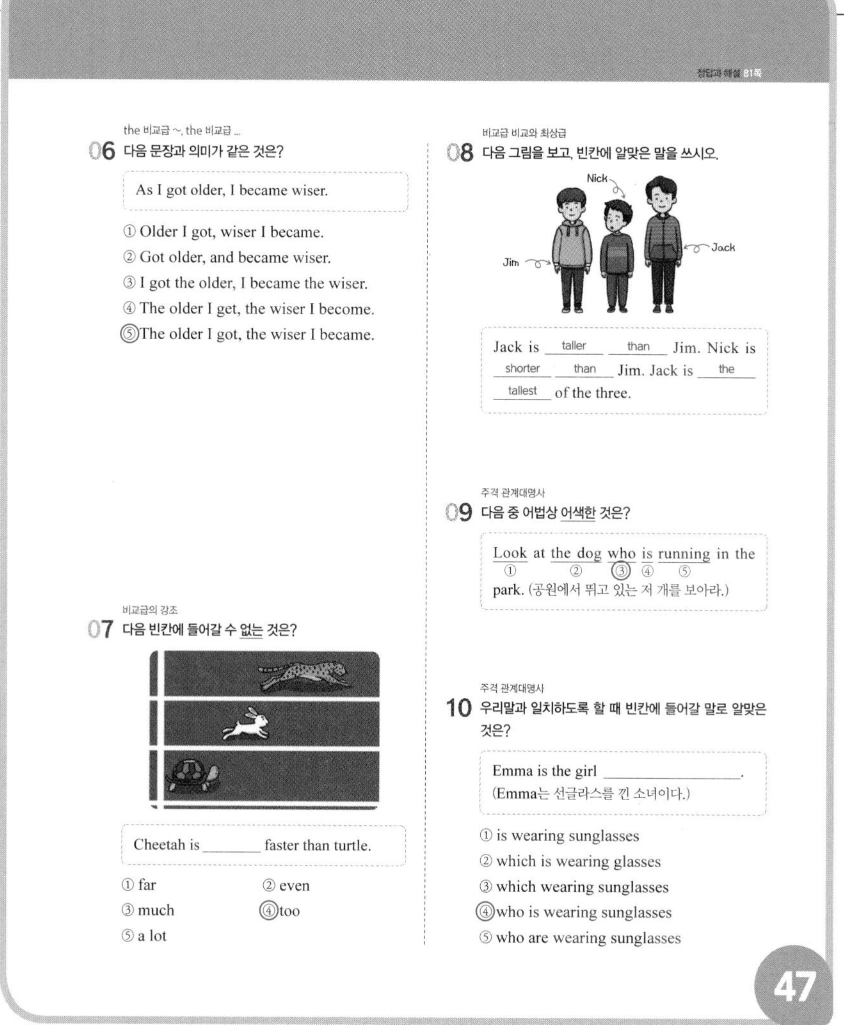

정답과 해설 81쪽

the 비교급 ~, the 비교급 ...

06 다음 문장과 의미가 같은 것은?

As I got older, I became wiser.

① Older I got, wiser I became.
② Got older, and became wiser.
③ I got the older, I became the wiser.
④ The older I get, the wiser I become.
⑤The older I got, the wiser I became.

비교급의 강조

07 다음 빈칸에 들어갈 수 없는 것은?

Cheetah is _______ faster than turtle.

① far ② even
③ much ④too
⑤ a lot

비교급 비교와 최상급

08 다음 그림을 보고, 빈칸에 알맞은 말을 쓰시오.

Nick
Jim
Jack

Jack is __taller__ __than__ Jim. Nick is __shorter__ __than__ Jim. Jack is __the__ __tallest__ of the three.

주격 관계대명사

09 다음 중 어법상 어색한 것은?

Look(①) at the dog(②) who(③) is(④) running(⑤) in the park. (공원에서 뛰고 있는 저 개를 보아라.)

주격 관계대명사

10 우리말과 일치하도록 할 때 빈칸에 들어갈 말로 알맞은 것은?

Emma is the girl _______________.
(Emma는 선글라스를 낀 소녀이다.)

① is wearing sunglasses
② which is wearing glasses
③ which wearing sunglasses
④who is wearing sunglasses
⑤ who are wearing sunglasses

47

06 「the + 비교급 ~, the + 비교급 ...」은 '~할수록 더 … 하다'라는 의미를 나타낸다.

해석

나는 나이가 들수록 더 현명해졌다.

07 ④를 제외한 나머지는 모두 비교급 앞에 쓰여 비교급을 강조한다.

해석

치타는 거북이보다 훨씬 더 빠르다.

08 형용사 tall과 short의 비교급과 최상급을 이용하여 세 사람의 키를 비교하는 문장을 완성한다. 「비교급 + than + 비교 대상」은 '…보다 더 ~한'이라는 뜻을 나타낸다. 「the + 최상급 ~ + of + 복수 명사」는 '…에서 가장 ~한'이라는 뜻을 나타낸다.

해석

Jack은 Jim보다 키가 더 크다. Nick은 Jim보다 키가 더 작다. Jack은 셋 중에서 가장 키가 크다.

09 who는 선행사가 사람일 때 쓰는 관계대명사이다. 선행사 the dog이 동물이므로 주격 관계대명사 which [that]로 고쳐 써야 한다.

해석

공원을 뛰어다니는 저 개를 보아라.

10 선행사가 사람이므로 주격 관계대명사 who를 쓰고 뒤에 「주어 + 동사」를 써야 한다. 관계대명사절의 동사는 선행사에 일치시킨다. 선행사 the girl이 단수이므로 be동사로는 is가 알맞다.

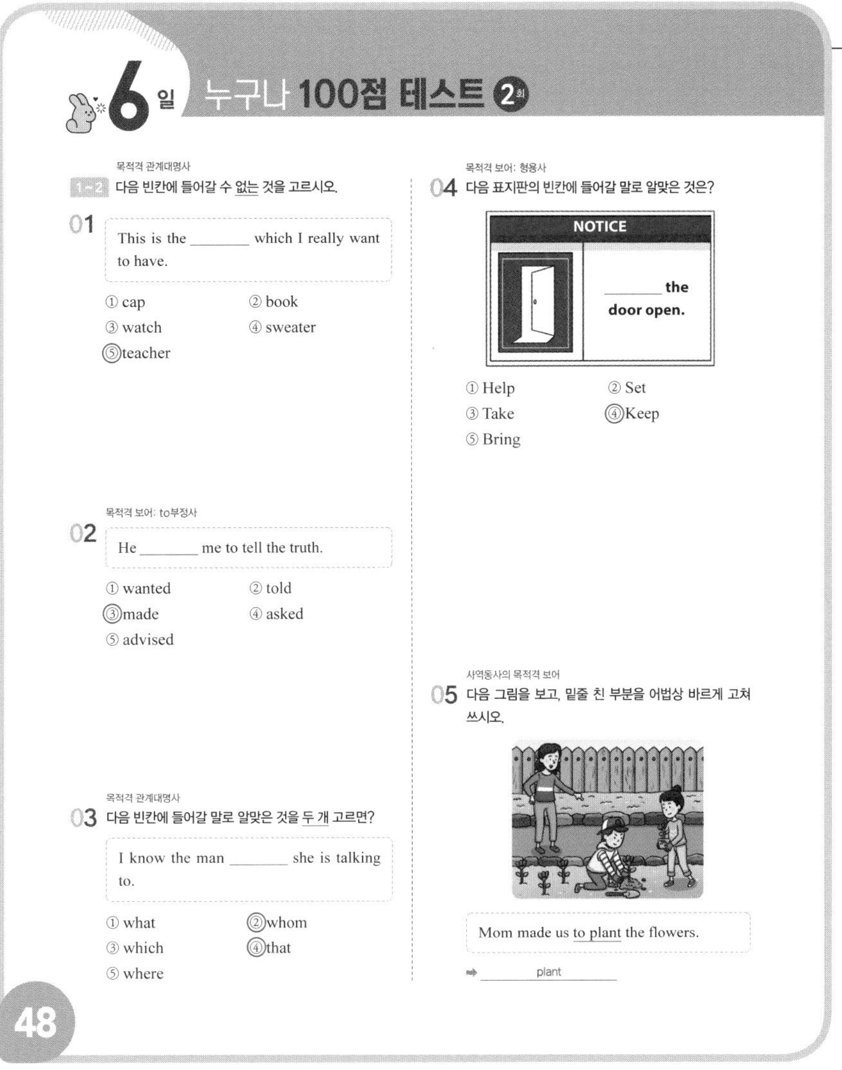

01 which는 선행사가 동물이나 사물일 때 쓰는 관계대명사이므로 사람인 teacher는 빈칸에 알맞지 않다.

해석

이것은 내가 정말 가지고 싶은 ① 모자 ② 책 ③ 시계 ④ 스웨터이다.

02 목적격 보어 자리에 to부정사가 온 것으로 보아 사역동사 make의 과거형인 made는 알맞지 않다. want, tell, ask, advise는 모두 목적격 보어로 to부정사를 쓴다.

해석

① 그는 내가 진실을 말하기를 원했다.
② 그는 나에게 진실을 말하라고 말했다.
④ 그는 나에게 진실을 말해 달라고 부탁했다.
⑤ 그는 나에게 진실을 말하라고 충고했다.

03 빈칸 뒤의 「주어 + 동사 ~」로 보아 빈칸에는 목적격 관계대명사가 와야 한다. 선행사가 사람이므로 알맞은 목적격 관계대명사는 whom과 that이다.

해석

나는 그녀가 말하고 있는 남자를 안다.

04 the door가 목적어, open이 목적격 보어인 문장이다. 따라서 목적격 보어 자리에 형용사가 오는 동사 Keep이 알맞다.

해석

공지 / 문을 열어 놓으시오.

05 사역동사 make의 목적격 보어로 동사원형이 온다.

해석

엄마는 우리가 꽃을 심게 하셨다.

6일

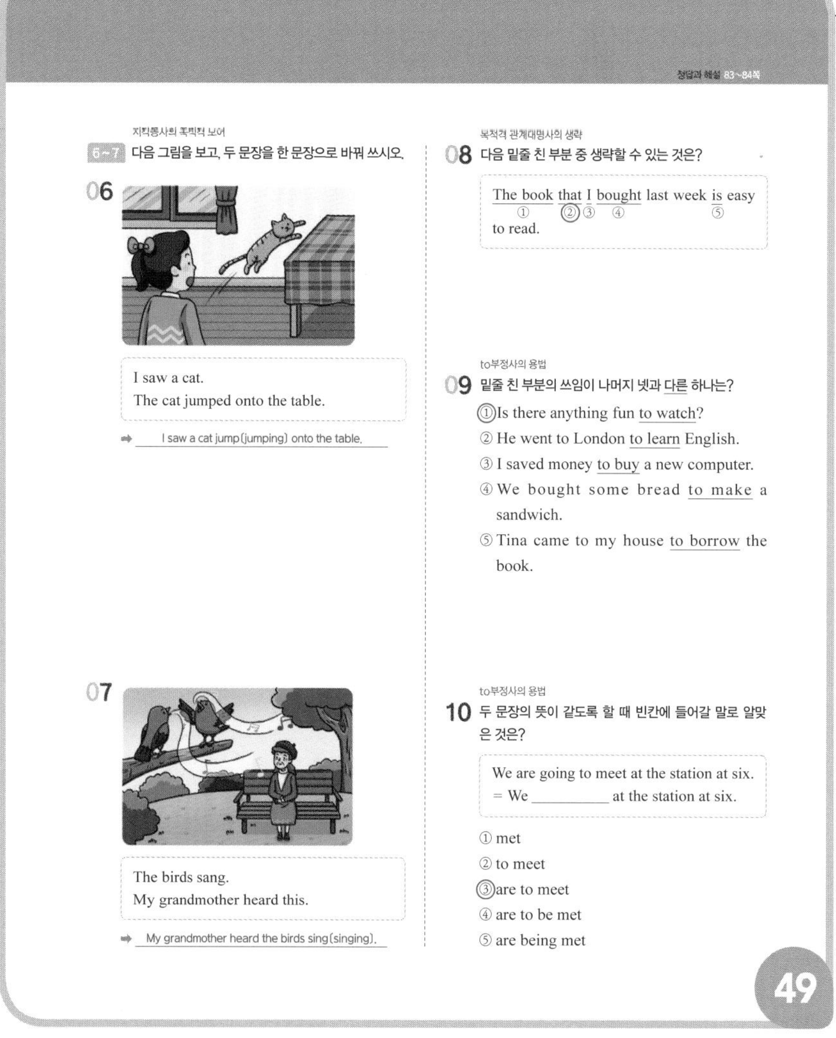

정답과 해설 83~84쪽

지각동사의 목적격 보어

6~7 다음 그림을 보고, 두 문장을 한 문장으로 바꿔 쓰시오.

06

I saw a cat.
The cat jumped onto the table.

➡ I saw a cat jump(jumping) onto the table.

07

The birds sang.
My grandmother heard this.

➡ My grandmother heard the birds sing(singing).

목적격 관계대명사의 생략

08 다음 밑줄 친 부분 중 생략할 수 있는 것은?

The book(①) that(②) I(③) bought(④) last week is(⑤) easy to read.

to부정사의 용법

09 밑줄 친 부분의 쓰임이 나머지 넷과 다른 하나는?

① Is there anything fun to watch?
② He went to London to learn English.
③ I saved money to buy a new computer.
④ We bought some bread to make a sandwich.
⑤ Tina came to my house to borrow the book.

to부정사의 용법

10 두 문장의 뜻이 같도록 할 때 빈칸에 들어갈 말로 알맞은 것은?

We are going to meet at the station at six.
= We ________ at the station at six.

① met
② to meet
③ are to meet
④ are to be met
⑤ are being met

49

06 지각동사 see의 목적격 보어 자리에는 동사원형이나 현재분사가 온다.

해석

나는 고양이를 봤다. 그 고양이는 탁자 위로 뛰어 올랐다.
→ 나는 탁자 위로 뛰어 오르는 고양이를 봤다.

07 지각동사 hear의 목적격 보어 자리에는 동사원형이나 현재분사가 온다.

해석

새들이 노래를 했다. 나의 할머니는 이 소리를 들으셨다.
→ 나의 할머니는 새들이 노래하는 소리를 들으셨다.

08 목적격 관계대명사 that이 이끄는 절이 선행사 The book을 수식하는 문장이다. 목적격 관계대명사는 생략할 수 있다.

해석

내가 지난주에 산 책은 읽기 쉽다.

09 ①을 제외한 나머지는 모두 목적을 나타내는 부사적 용법의 to부정사이다. ①은 대명사를 뒤에서 수식하여 형용사 역할을 하는 to부정사이다.

해석

① 볼 만한 재미있는 것이 있니?
② 그는 영어를 배우기 위해 런던에 갔다.
③ 나는 새 컴퓨터를 사기 위해 돈을 모았다.
④ 우리는 샌드위치를 만들기 위해 빵을 좀 샀다.
⑤ Tina는 책을 빌리기 위해 우리집에 왔다.

10 「be + to부정사」가 예정의 의미를 나타낼 때 「be going + to부정사」와 바꿔 쓸 수 있다.

해석

우리는 여섯 시에 역에서 만날 예정이다.

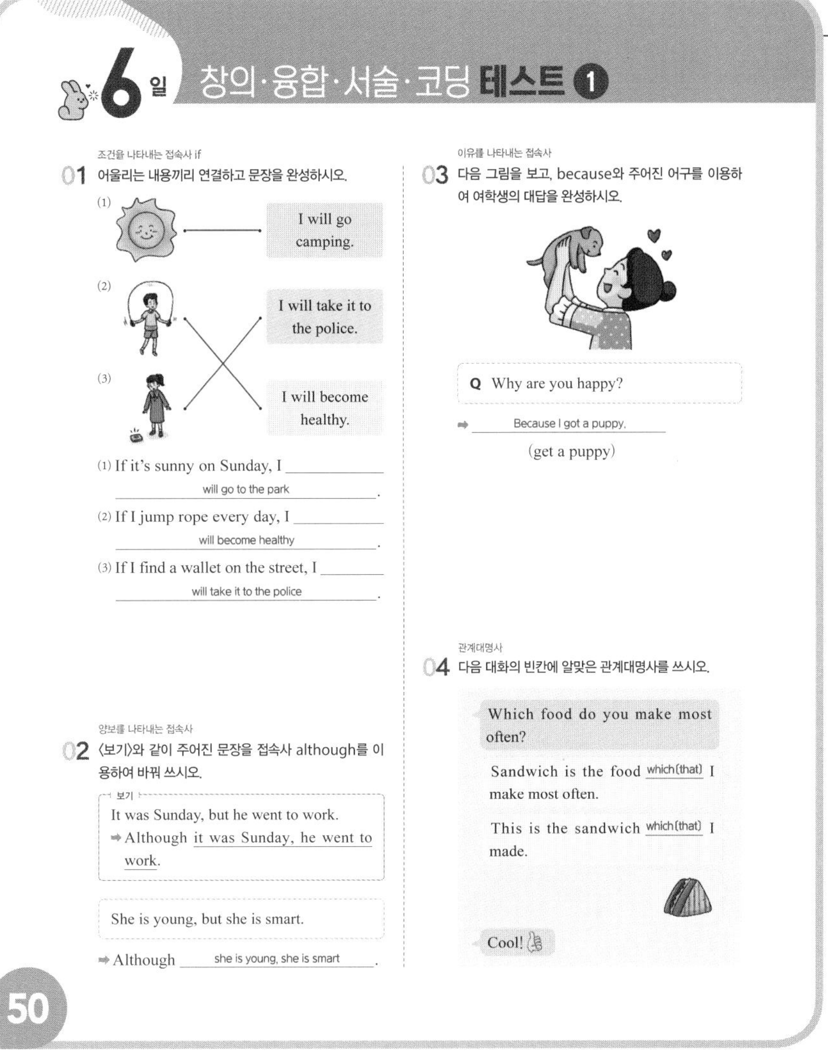

6일 창의·융합·서술·코딩 테스트 1

조건을 나타내는 접속사 if

01 어울리는 내용끼리 연결하고 문장을 완성하시오.

(1) I will go camping.

(2) I will take it to the police.

(3) I will become healthy.

(1) If it's sunny on Sunday, I will go to the park.

(2) If I jump rope every day, I will become healthy.

(3) If I find a wallet on the street, I will take it to the police.

양보를 나타내는 접속사

02 〈보기〉와 같이 주어진 문장을 접속사 although를 이용하여 바꿔 쓰시오.

보기

It was Sunday, but he went to work.

➡ Although it was Sunday, he went to work.

She is young, but she is smart.

➡ Although she is young, she is smart.

이유를 나타내는 접속사

03 다음 그림을 보고, because와 주어진 어구를 이용하여 여학생의 대답을 완성하시오.

Q Why are you happy?

➡ Because I got a puppy.

(get a puppy)

관계대명사

04 다음 대화의 빈칸에 알맞은 관계대명사를 쓰시오.

Which food do you make most often?

Sandwich is the food which(that) I make most often.

This is the sandwich which(that) I made.

Cool!

50

01 접속사 if는 '만약 ~라면'이라는 뜻으로 조건을 나타내는 부사절을 이끈다.

해석

(1) 만약 일요일에 날씨가 화창하다면 나는 캠핑을 갈 것이다.

(2) 만약 내가 매일 줄넘기를 한다면 나는 건강해질 것이다.

(3) 만약 내가 거리에서 지갑을 줍는다면 나는 그것을 경찰관에게 가져갈 것이다.

02 '비록 ~이지만'이라는 뜻의 양보를 나타내는 접속사 although 뒤에는 주어와 동사가 온다.

해석

일요일이었지만 그는 출근했다.

→ 일요일이었음에도 불구하고 그는 출근했다.

그녀는 어리지만 영리하다.

→ 그녀는 비록 어리지만 영리하다.

03 접속사 because가 이끄는 절은 이유를 나타내며 뒤에 「주어 + 동사 ~」가 온다.

해석

Q 너는 왜 행복하니?

왜냐하면 나는 강아지가 생겼기 때문이야.

04 선행사가 모두 사물이고 빈칸 뒤에 주어와 동사가 이어지므로 목적격 관계대명사 which〔that〕가 알맞다.

해석

A 어떤 음식을 너는 가장 자주 만드니?

B 샌드위치가 내가 가장 자주 만드는 음식이야.

B 이게 내가 만든 샌드위치야.

A 멋지다!

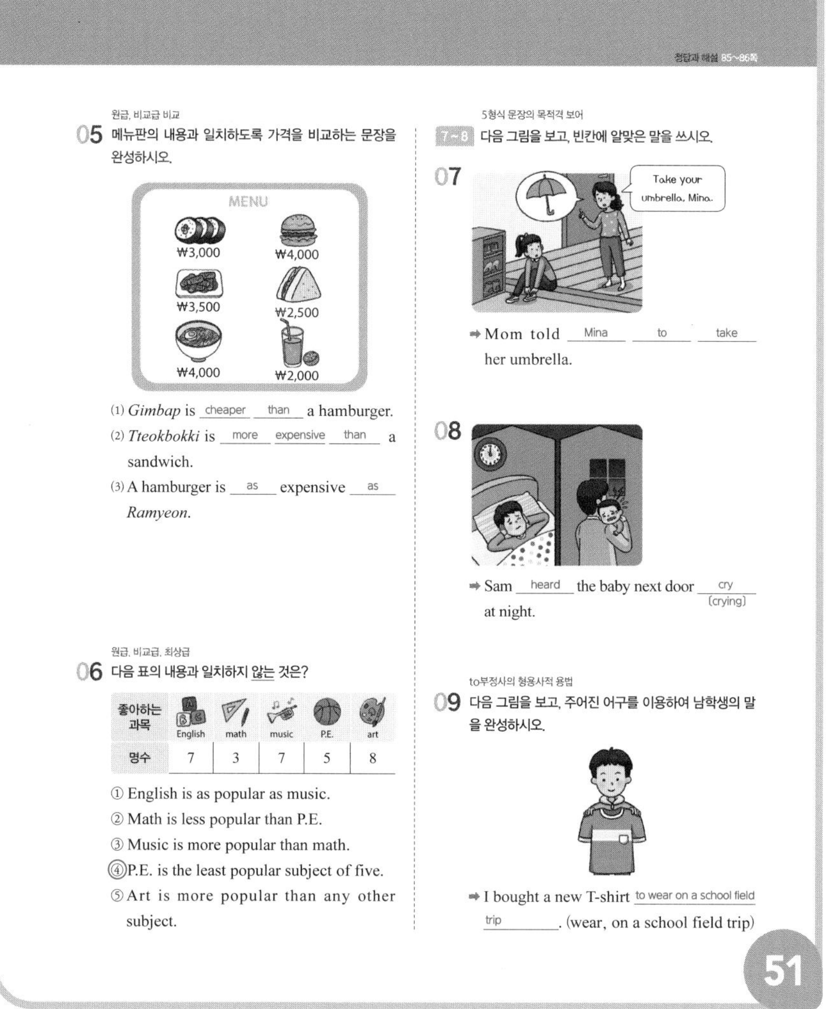

정답과 해설 85~86쪽

원급, 비교급 비교

05 메뉴판의 내용과 일치하도록 가격을 비교하는 문장을 완성하시오.

(1) *Gimbap* is cheaper than a hamburger.

(2) *Tteokbokki* is more expensive than a sandwich.

(3) A hamburger is as expensive as *Ramyeon*.

원급, 비교급, 최상급

06 다음 표의 내용과 일치하지 않는 것은?

좋아하는 과목	English	math	music	P.E.	art
명수	7	3	7	5	8

① English is as popular as music.
② Math is less popular than P.E.
③ Music is more popular than math.
④ P.E. is the least popular subject of five.
⑤ Art is more popular than any other subject.

5형식 문장의 목적격 보어

7~8 다음 그림을 보고, 빈칸에 알맞은 말을 쓰시오.

07

➡ Mom told Mina to take her umbrella.

08

➡ Sam heard the baby next door cry (crying) at night.

to부정사의 형용사적 용법

09 다음 그림을 보고, 주어진 어구를 이용하여 남학생의 말을 완성하시오.

➡ I bought a new T-shirt to wear on a school field trip. (wear, on a school field trip)

51

05 「비교급 + than + 비교 대상」은 '…보다 더 ~한'을, 「as + 원급 + as」는 '~만큼 …한'이라는 의미를 나타낸다.

해석

(1) 김밥은 햄버거보다 더 싸다.
(2) 떡볶이는 샌드위치보다 더 비싸다.
(3) 햄버거는 라면만큼 비싸다.

06 「비교급 + than + 비교 대상」은 '…보다 더 ~한'을, 「as + 원급 + as」는 '~만큼 …한'이라는 의미를 나타낸다. ④ P.E. → Math

해석

① 영어는 음악만큼 인기가 있다.
② 수학은 체육보다 덜 인기가 있다.
③ 음악은 수학보다 더 인기가 있다.
④ 체육은 다섯 개의 과목 중 가장 인기가 적다.
⑤ 미술은 다른 어떤 과목들보다 더 인기가 있다.

07 동사 tell의 목적격 보어로 to부정사가 온다.

해석

엄마는 미나에게 우산을 가져가라고 말씀하셨다.

08 지각동사 hear의 목적격 보어로 동사원형 또는 현재분사가 온다.

해석

Sam은 어젯밤 옆집의 아기가 우는 소리를 들었다.

09 앞의 명사를 수식하여 형용사 역할을 하는 to부정사구를 완성한다.

해석

나는 소풍날 입을 새 티셔츠를 샀다.

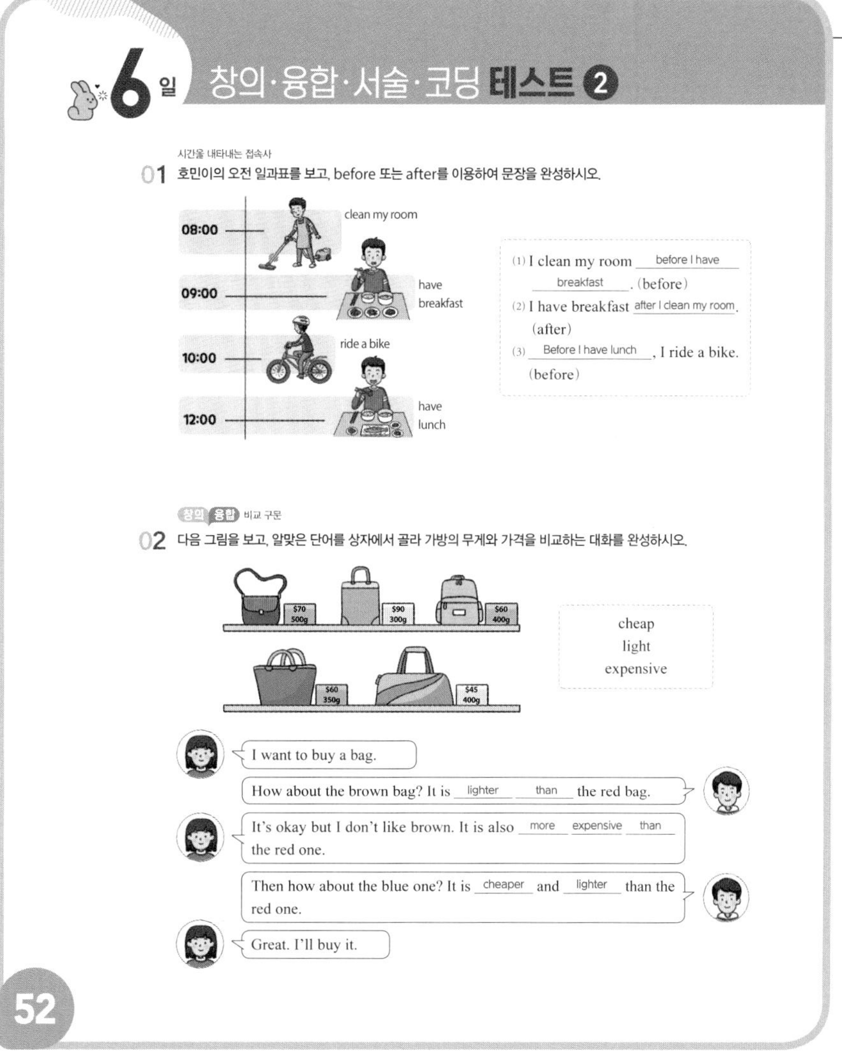

6일 창의·융합·서술·코딩 테스트 2

시간을 나타내는 접속사

01 호민이의 오전 일과표를 보고, before 또는 after를 이용하여 문장을 완성하시오.

(1) I clean my room before I have breakfast. (before)

(2) I have breakfast after I clean my room. (after)

(3) Before I have lunch, I ride a bike. (before)

창의 융합 비교 구문

02 다음 그림을 보고, 알맞은 단어를 상자에서 골라 가방의 무게와 가격을 비교하는 대화를 완성하시오.

cheap
light
expensive

I want to buy a bag.

How about the brown bag? It is lighter than the red bag.

It's okay but I don't like brown. It is also more expensive than the red one.

Then how about the blue one? It is cheaper and lighter than the red one.

Great. I'll buy it.

52

01 일과의 순서를 살핀 다음 시간을 나타내는 접속사 before(~ 전에)와 after(~ 후에)를 이용하여 문장을 완성한다. 부사절은 주절의 앞과 뒤에 모두 올 수 있다.

해석

(1) 나는 아침을 먹기 전에 내 방을 청소한다.

(2) 나는 내 방을 청소한 후에 아침을 먹는다.

(3) 점심을 먹기 전에 나는 자전거를 탄다.

02 주어진 단어의 비교급과 최상급을 이용하여 각 문장을 완성한다. 'A가 B보다 더 ~하다'라는 의미의 비교급 문장은 「A ~ 비교급 + than + B」로 쓴다.

해석

나는 가방을 사고 싶어.

갈색 가방은 어때? 그것이 빨간색 가방보다 더 가벼워.

괜찮지만 나는 갈색을 좋아하지 않아. 그것은 또한 빨간색 가방보다 더 비싼 걸.

그러면 파란색 가방은 어때? 그것은 빨간색 가방보다 더 싸고 더 가벼워.

좋아. 그것을 살래.

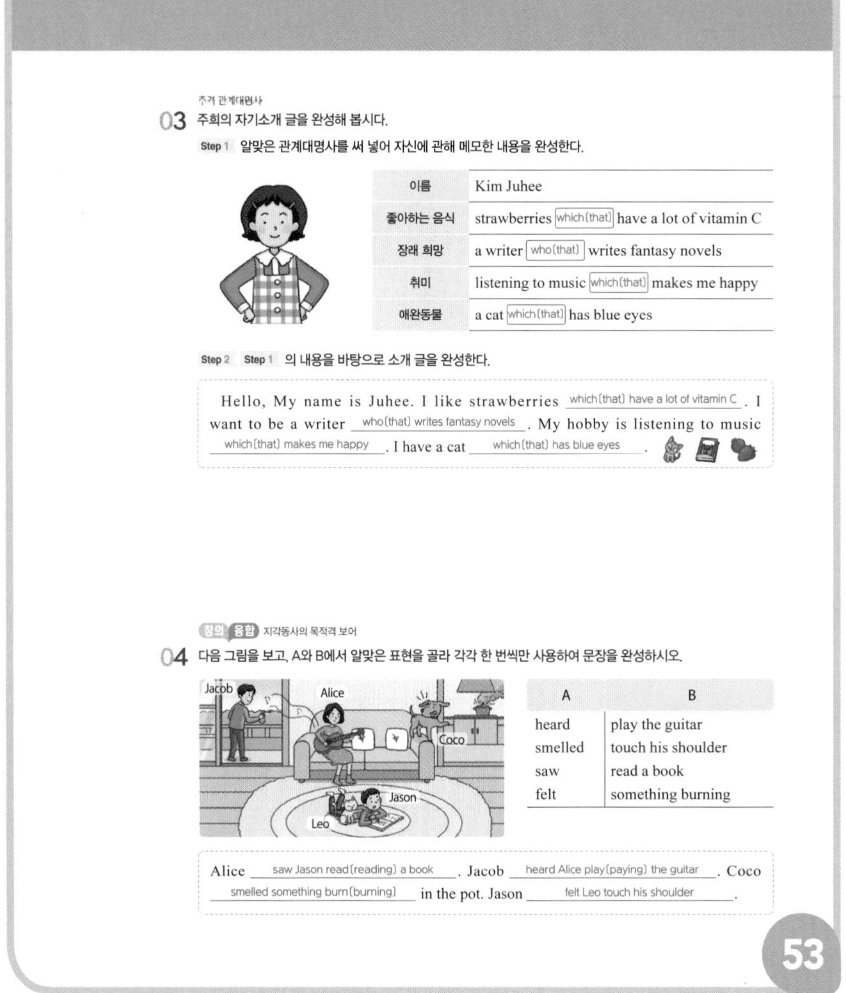

03 적절한 주격 관계대명사를 빈칸에 쓰고 이를 이용하여 문장을 완성한다.

해석

이름	김주희
좋아하는 음식	비타민 C가 많이 든 딸기
장래 희망	환상 소설을 쓰는 작가
취미	나를 행복하게 하는 음악 듣기
애완동물	파란 눈을 가진 고양이

안녕. 내 이름은 주희야. 나는 비타민 C가 많이 든 딸기를 좋아해. 나는 환상 소설을 쓰는 작가가 되고 싶어. 내 취미는 나를 행복하게 하는 음악을 듣는 거야. 나는 파란 눈을 가진 고양이가 한 마리 있어.

04 「주어 + 동사 + 목적어 + 목적격 보어」의 5형식 문장에서 지각동사의 목적격 보어로는 동사원형 또는 현재분사가 온다.

해석

A	B
들었다	기타를 연주하다
냄새를 맡았다	그의 어깨를 만지다
봤다	책을 읽다
느꼈다	무엇인가가 타고 있는

Alice는 Jason이 책을 읽고 있는 것을 봤다. Jacob은 Alice가 기타를 연주하고 있는 것을 들었다. Coco는 냄비 안의 무엇인가가 타고 있는 냄새를 맡았다. Jason은 Leo가 그의 어깨를 만지는 것을 느꼈다.

7일 중간·기말고사 기본 테스트 1회

시간을 나타내는 접속사

01 두 문장이 같은 뜻이 되도록 할 때 빈칸에 들어갈 말로 알맞은 것은?

Lucy did her homework and then she watched TV.
➡ ________ Lucy watched TV, she did her homework.

① When ② If
③ After ④ Before
⑤ Because

시간을 나타내는 접속사

02 밑줄 친 When[when]의 쓰임이 나머지 넷과 다른 하나는?

① When are you going to leave?
② Don't drive when you are tired.
③ What were you doing when I called?
④ When he came home, it began to rain.
⑤ When I was a child, I wanted to be an actor.

명사절 접속사·부사절 접속사

03 다음 빈칸에 공통으로 들어갈 말을 쓰시오.

• I don't know ___if___ it will rain tomorrow.
• ___If___ it rains tomorrow, I'll visit you.

신경향 원급 비교

04 그림의 내용과 일치하도록 괄호 안에 주어진 단어를 이용하여 문장을 완성하시오.

Minsu
Siwon

➡ Minsu is ___as fast as___ Siwon.
(as, fast)

신경향 이유를 나타내는 접속사

05 다음 그림을 보고, because와 주어진 단어를 이용하여 질문에 대한 대답을 완성하시오.

Tom

Q Why was Tom *absent from school?
*결석한

➡ ___Because he was sick.___ (sick)

54

01 일의 순서를 살펴 빈칸에 알맞은 접속사를 찾는다. 숙제를 먼저 하고 TV를 본 것이므로 빈칸에는 '~전에'라는 뜻을 나타내는 접속사 Before가 알맞다.

해석

Lucy는 숙제를 하고 나서 TV를 봤다.
→ Lucy는 TV를 보기 전에 숙제를 했다.

02 ①을 제외한 나머지의 when은 모두 '~할 때'라는 뜻의 시간을 나타내는 접속사이다. ①의 When은 '언제'라는 뜻의 의문사이다.

해석

① 너는 언제 떠날 예정이니? ② 피곤할 때는 운전하지 마라. ③ 내가 전화했을 때 너는 무엇을 하고 있었니? ④ 그가 집에 왔을 때 비가 내리기 시작했다. ⑤ 어렸을 때, 나는 배우가 되고 싶었다.

03 첫 번째 문장의 if는 '~인지 아닌지'라는 뜻의 명사절 접속사 if이고, 두 번째 문장의 if는 '만약 ~라면'이라는 뜻을 나타내는 부사절 접속사 if이다.

해석

• 나는 내일 비가 올지 안 올지 모른다.
• 만약에 내일 비가 내리면 나는 너를 찾아갈 것이다.

04 '~만큼 …한'은 「as + 원급 + as」로 나타낸다.

해석

민수는 시원이만큼 빠르다.

05 이유를 나타내는 접속사 because를 이용하여 문장을 완성한다.

해석

Q Tom은 왜 학교에 결석했는가?
왜냐하면 그는 아팠기 때문이다.

7일

비교급의 형태

06 다음 중 어법상 어색한 것은?

① He is heavier than his father.
② This bag looks better than mine.
③ He has three more books than I.
④ A snail is not as smart as a parrot.
⑤ Health is most important thing in life.

조건을 나타내는 접속사

07 다음 밑줄 친 부분을 어법에 맞게 고친 것은?

> You'll be able to go hiking if the weather will be fine tomorrow.

① if the weather be fine tomorrow
② if the weather was fine tomorrow
③ if the weather were fine tomorrow
④ if the weather is fine tomorrow
⑤ if the weather will fine tomorrow

비교급 비교

08 다음 표의 내용과 일치하도록 주어진 단어를 이용하여 빈칸에 알맞은 말을 쓰시오.

	Jisu	Tina
나이	15	16
키	163	170

(1) Jisu is __younger__ __than__ Tina. (young)
(2) Tina is __taller__ __than__ Jisu. (tall)

신경향 시간을 나타내는 접속사

09 다음은 민수의 일요일 오전 일과표이다. 표의 내용과 일치하는 것은?

7:00	get up
7:30	have breakfast
8:00	play soccer
9:00	read a book
10:30	do homework
12:00	have lunch

① Minsu has breakfast after he reads a book.
② Minsu reads a book after he has lunch.
③ After Minsu plays soccer, he reads a book.
④ After Minsu does his homework, he plays soccer.
⑤ Minsu has lunch before he does his homework.

신경향 the 비교급 ~, the 비교급...

10 그림의 내용과 일치하도록 주어진 단어를 이용하여 빈칸에 알맞은 말을 쓰시오.

$5 $7 $10

➡ __The__ __bigger__ (big) the pizza is, the __more__ __expensive__ (expensive) it is.

55

06 ⑤ important의 최상급 most important 앞에 the를 붙여 「the + 최상급」 형태로 고쳐 써야 한다.
① 그는 그의 아버지보다 더 무겁다.
② 이 가방은 내 것보다 더 좋아 보인다.
③ 그는 나보다 책을 세 권 더 가지고 있다.
④ 달팽이는 앵무새만큼 영리하지 않다.
⑤ 건강이 인생에서 가장 중요한 것이다.

07 조건을 나타내는 접속사 if 뒤에는 주어와 동사가 오며 조건의 부사절에서는 현재 시제로 미래를 나타낸다.

해석

만약 내일 날씨가 맑으면 너는 등산을 할 수 있을 것이다.

08 'A가 B보다 더 ~하다'라는 의미의 비교급 문장은 「A ~ 비교급 + than + B」로 쓴다. 형용사 young과 tall의 비교급은 각각 younger와 taller이다.

해석

(1) 지수는 Tina보다 더 어리다.
(2) Tina는 지수보다 키가 더 크다.

09 일과의 순서를 살펴 시간을 나타내는 접속사가 바르게 쓰였는지 확인한다.

해석

① 민수는 책을 읽은 후에 아침을 먹는다.
② 민수는 점심을 먹은 후에 책을 읽는다.
③ 민수는 축구를 한 후에 책을 읽는다.
④ 민수는 숙제를 한 후에 축구를 한다.
⑤ 민수는 숙제를 하기 전에 점심을 먹는다.

10 「the + 비교급 ~, the + 비교급 ...」은 '~할수록 더 … 하다'라는 의미를 나타낸다.

해석

피자는 더 커질수록 더 비싸진다.

7일 중간·기말고사 기본 테스트 1회

주격 관계대명사

11 다음 두 문장을 which를 이용하여 한 문장으로 바꿔 쓰시오.

• I have a dog.
• It likes dancing.

➡ I have a dog ___which likes dancing___.

주격 관계대명사

12 다음 문장에서 that이 들어갈 위치로 알맞은 것은?

The notebook (①) is (②) on (③) the desk (④) is (⑤) mine.

양보를 나타내는 접속사

13 다음 중 밑줄 친 부분의 쓰임이 어색한 것은?

① She smiled though she lost the match.
② He arrived *in time although the traffic is bad. *제시간에
③ Although the vase is small, it is very expensive.
④ Though it was very cold, he wasn't wearing a jacket.
⑤ Though you finish your homework, you can go out and play.

시간을 나타내는 접속사

14 우리말과 일치하도록 주어진 두 문장을 when을 이용하여 한 문장으로 바꿔 쓰시오.

(1) I'm happy. + I listen to music.
(나는 음악을 들을 때 행복하다.)
➡ I'm happy when I listen to music. 또는 When I listen to music, I'm happy.

(2) I'm excited. + I read comic books.
(나는 만화책을 볼 때 신이 난다.)
➡ I'm excited when I read comic books. 또는 When I read comic books, I'm excited.

신경향 비교급의 강조

15 그림의 내용과 일치하도록 할 때 빈칸에 들어갈 말이 바르게 짝 지어진 것은?

Chris
35 years old

David
25 years old

David looks _______ older but he is _______ younger than Chris.

① far – much ② more – more
③ far – more ④ more – far
⑤ very – much

56

11 선행사(a dog)가 동물이므로 주격 관계대명사 which를 쓰고 뒤에 동사를 쓴다.

해석
• 나는 개가 한 마리 있다 • 그것은 춤추는 것을 좋아한다.
➡ 나는 춤추는 것을 좋아하는 개가 한 마리 있다.

12 선행사 The notebook과 be동사 is 사이에 주격 관계대명사 that이 위치해야 한다.

해석
책상 위에 있는 노트는 내 것이다.

13 ③의 주절과 부사절의 내용은 양보의 관계가 아니므로 조건을 나타내는 접속사 If가 알맞다.

해석
① 그녀는 경기에 졌지만 미소를 지었다.
② 교통 사정이 좋지 않았지만 그는 제 시간에 도착했다.
③ 그 꽃병은 작지만 매우 비싸다.
④ 날씨가 추웠지만 그는 재킷을 입지 않았다.

14 '~할 때'라는 뜻의 시간을 나타내는 접속사 when을 이용하여 두 문장을 한 문장으로 바꿔 쓴다.

해석
(1) 나는 행복하다. + 나는 음악을 듣는다.
(2) 나는 신이 난다. + 나는 만화책을 읽는다.

15 much, a lot, far, even 등은 비교급 앞에 쓰여 '훨씬 더 ~한'이라는 의미를 나타낸다.

해석
David는 Chris보다 나이가 훨씬 더 들어 보이지만, 그는 Chris보다 훨씬 더 어리다.

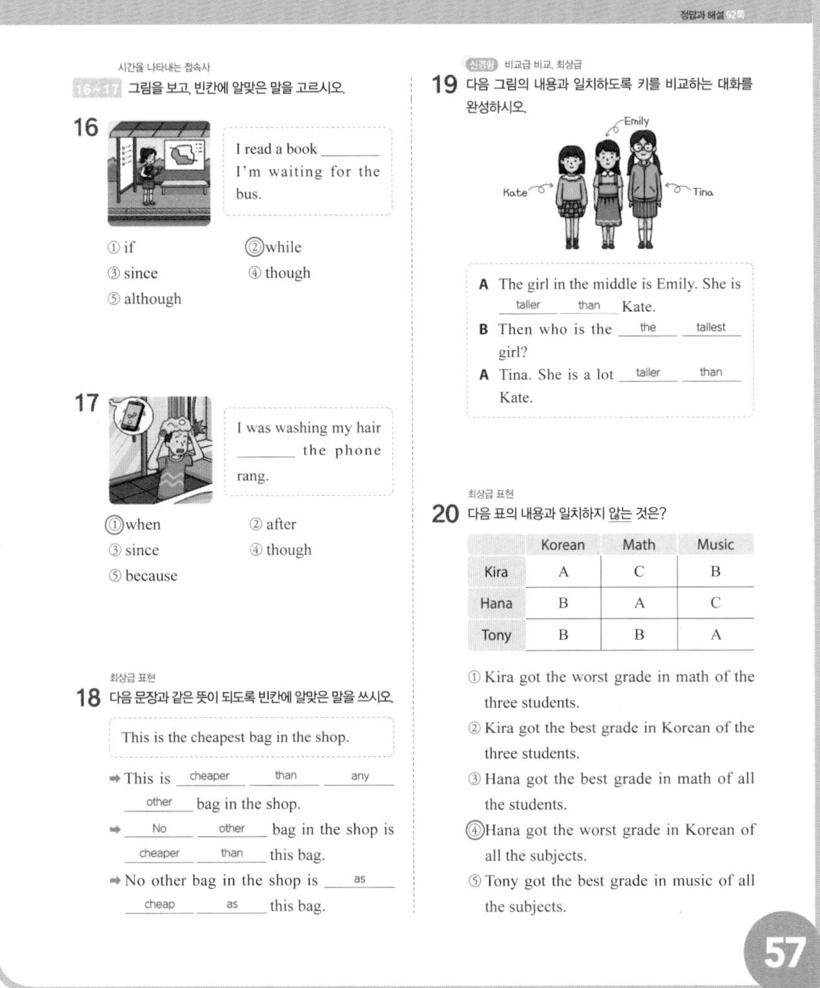

정답과 해설 92쪽

시간을 나타내는 접속사

16~17 그림을 보고, 빈칸에 알맞은 말을 고르시오.

16 I read a book ________ I'm waiting for the bus.

① if ② while ③ since ④ though ⑤ although

17 I was washing my hair ________ the phone rang.

① when ② after ③ since ④ though ⑤ because

최상급 표현

18 다음 문장과 같은 뜻이 되도록 빈칸에 알맞은 말을 쓰시오.

This is the cheapest bag in the shop.

➡ This is cheaper than any other bag in the shop.

➡ No other bag in the shop is cheaper than this bag.

➡ No other bag in the shop is as cheap as this bag.

신경향 비교급 비교, 최상급

19 다음 그림의 내용과 일치하도록 키를 비교하는 대화를 완성하시오.

A The girl in the middle is Emily. She is taller than Kate.

B Then who is the the tallest girl?

A Tina. She is a lot taller than Kate.

최상급 표현

20 다음 표의 내용과 일치하지 않는 것은?

	Korean	Math	Music
Kira	A	C	B
Hana	B	A	C
Tony	B	B	A

① Kira got the worst grade in math of the three students.

② Kira got the best grade in Korean of the three students.

③ Hana got the best grade in math of all the students.

④ Hana got the worst grade in Korean of all the subjects.

⑤ Tony got the best grade in music of all the subjects.

57

16 while은 '~하면서'라는 뜻의 시간을 나타내는 접속사이다.

해석

나는 버스를 기다리면서 책을 읽었다.

17 when은 '~할 때'라는 뜻의 시간을 나타내는 접속사이다.

해석

전화벨이 울렸을 때 나는 머리를 감고 있었다.

18 「비교급 + than any other + 단수 명사」, 「No (other) + 명사 ~ + 비교급 + than」, 「No (other) + 명사 ~ + as [so] + 원급 + as」는 모두 비교급을 활용한 최상급 표현이다.

해석

이것은 가게에서 가장 싼 가방이다.

19 'A가 B보다 더 ~하다'라는 의미의 비교급 문장은 「A ~ 비교급 + than + B」로 쓴다.

해석

A 가운데 있는 소녀는 Emily야. 그녀는 Kate보다 키가 더 커.

B 그러면 가장 키가 큰 소녀는 누구야?

A Tina야. 그녀는 Kate보다 키가 훨씬 더 커.

20 「the + 최상급~ + of + 복수 명사」는 '…에서 가장 ~한'이라는 뜻의 최상급 표현이다. (④ Korean → music)

해석

① 세 학생 중 Kira가 수학에서 가장 낮은 나쁜 점수를 받았다. ② 세 학생 중 Kira가 국어에서 가장 좋은 점수를 받았다. ③ 세 학생 중 하나가 수학에서 가장 좋은 점수를 받았다. ④ 하나는 모든 과목 중 국어에서 가장 나쁜 점수를 받았다. ⑤ Tony는 모든 과목 중 음악에서 가장 좋은 점수를 받았다.

7일 중간·기말고사 기본 테스트 2회

신경향 목적격 관계대명사

01 다음 두 문장을 한 문장으로 바꿔 쓸 때, 빈칸에 들어갈 말로 알맞은 것은?

Mom is talking to a woman.
She is Ms. Johnson.
➡ The woman ________________ is Ms. Johnson.

① who Mom talking to
② which Mom is talking to
③ whom Mom is talking
④ whom is Mom talking to
⑤ whom Mom is talking to

5형식 문장의 목적격 보어

02 다음 빈칸에 들어갈 말이 바르게 짝 지어진 것은?

- I watched Olivia ________ in the pool.
- The man told us not ________ the paintings.

① swim – touch ② swim – to touch
③ swam – touched ④ to swim – touch
⑤ swimming – touching

5형식 문장의 목적격 보어

03 다음 빈칸에 들어갈 말로 알맞은 것을 두 개 고르면?

Please ______ the window open.

① ask ② keep
③ allow ④ leave
⑤ want

신경향 관계대명사

04 다음 그림의 내용과 일치하도록 빈칸에 알맞은 관계대명사를 쓰시오.

Sunwoo

The boy who(that) is walking a dog is Sunwoo. The T-shirt which(that) he is wearing looks good on him.

사역동사의 쓰임

05 밑줄 친 make의 쓰임이 나머지 넷과 다른 하나는?

① I'll make the man fix my car.
② Let me make breakfast for you.
③ This music makes me feel happy.
④ Please make the kids not to jump.
⑤ My parents make me go to bed at ten.

58

01 빈칸에는 선행사를 수식하는 목적격 관계대명사절이 와야 한다. 선행사가 사람이므로 관계대명사로는 who(m)[that]이 알맞다.

해석

엄마는 한 여성과 이야기를 나누고 있다. 그녀는 Johnson 씨이다. → 엄마와 이야기를 나누고 있는 사람은 Johnson 씨이다.

02 지각동사 watch의 목적격 보어로는 동사원형 또는 현재분사가, 동사 tell의 목적격 보어로는 to부정사가 온다.

해석

- 나는 Olivia가 수영장에서 수영하는 것을 보았다.
- 그 남자는 우리에게 그림을 만지지 말라고 말했다.

03 동사 keep과 leave의 목적격 보어로는 형용사가 온다.

해석

창문을 연 채로 두세요.

04 첫 번째 빈칸에는 주격 관계대명사가 와야 한다. 선행사가 사람이므로 who[that]가 알맞다. 두 번째에는 목적격 관계대명사가 와야 한다. 선행사가 사물이므로 which[that]가 알맞다.

해석

개를 산책시키고 있는 소년은 선우이다. 그가 입고 있는 티셔츠는 그에게 잘 어울린다.

05 ②를 제외한 나머지 make는 모두 사역동사이다. ②의 make는 '만들다'라는 뜻의 일반동사이다.

해석

① 나는 그 남자가 내 차를 수리하게 만들 것이다. ② 내가 너에게 아침 식사를 만들어 줄게. ③ 이 음악은 나를 행복하게 한다. ④ 아이들이 뛰지 않게 해 주세요. ⑤ 나의 부모님은 내가 열 시에 잠자리에 들게 하신다.

7일

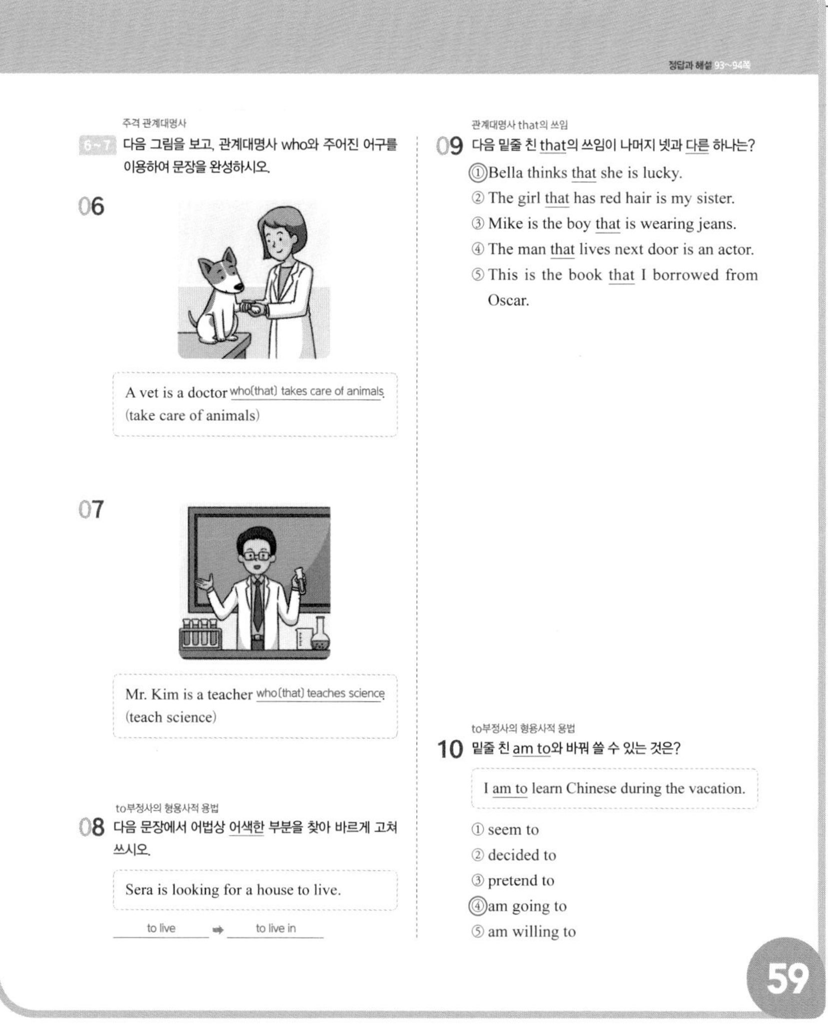

정답과 해설 93~94쪽

주격 관계대명사

6~7 다음 그림을 보고, 관계대명사 who와 주어진 어구를 이용하여 문장을 완성하시오.

06

A vet is a doctor who(that) takes care of animals.
(take care of animals)

07

Mr. Kim is a teacher who(that) teaches science.
(teach science)

to부정사의 형용사적 용법

08 다음 문장에서 어법상 어색한 부분을 찾아 바르게 고쳐 쓰시오.

Sera is looking for a house to live.

to live ➡ to live in

관계대명사 that의 쓰임

09 다음 밑줄 친 that의 쓰임이 나머지 넷과 다른 하나는?

① Bella thinks that she is lucky.
② The girl that has red hair is my sister.
③ Mike is the boy that is wearing jeans.
④ The man that lives next door is an actor.
⑤ This is the book that I borrowed from Oscar.

to부정사의 형용사적 용법

10 밑줄 친 am to와 바꿔 쓸 수 있는 것은?

I am to learn Chinese during the vacation.

① seem to
② decided to
③ pretend to
④ am going to
⑤ am willing to

59

06 선행사를 수식하는 관계대명사절을 완성한다. 선행사가 사람이므로 who[that]를 쓰고 동사를 쓴다. 관계대명사절의 동사는 선행사의 인칭과 수에 일치시킨다.

해석

수의사는 동물들을 돌보는 의사이다.

07 선행사를 수식하는 관계대명사절을 완성한다. 선행사가 사람이므로 who[that]를 쓰고 동사를 쓴다. 관계대명사절의 동사는 선행사의 인칭과 수에 일치시킨다.

해석

김 선생님은 과학을 가르치는 선생님이다.

08 앞의 명사 a house를 수식하는 to부정사의 형용사적 용법이다. to부정사 앞에 쓰인 명사가 전치사의 목적어이면 to부정사 다음에 전치사를 쓴다.

해석

세라는 살 집을 찾는 중이다.

09 ①을 제외한 나머지는 관계대명사절을 이끄는 관계대명사 that이다. ①의 that은 접속사이다.

해석

① Bella는 그녀가 운이 좋다고 생각한다. ② 빨간 머리를 가진 소녀는 내 여동생이다. ③ Mike는 청바지를 입은 소년이다. ④ 나의 옆집에 사는 남자는 배우이다. ⑤ 이것은 내가 Oscar에게 빌린 책이다.

10 '예정'을 나타내는 「be+to부정사」는 be going to와 바꿔 쓸 수 있다.

해석

나는 방학 동안에 중국어를 배울 예정이다.

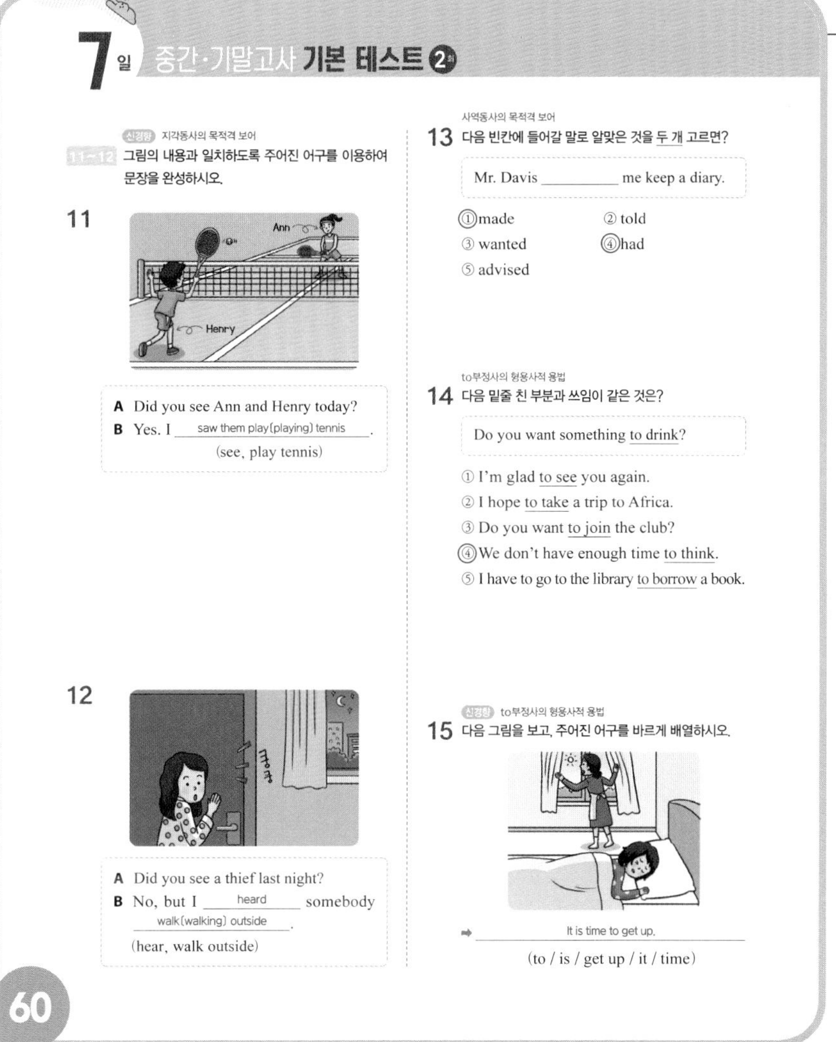

11 「지각동사 + 목적어 + 목적격 보어」의 5형식 문장에서 지각동사 see의 목적격 보어로 동사원형이나 현재분사가 온다.

해석

A 너는 오늘 Ann과 Henry를 봤니?

B 응, 나는 그들이 테니스를 치는 것을 봤어.

12 「지각동사 + 목적어 + 목적격 보어」의 5형식 문장을 완성한다. 지각동사 hear의 목적격 보어 자리에는 동사원형이나 현재분사가 온다.

해석

A 너는 어젯밤에 도둑을 봤니?

B 아니, 하지만 나는 누군가가 밖에서 걷는 소리를 들었어.

13 사역동사 make와 have의 목적격 보어로 동사원형이 온다.

Davis 씨는 내가 일기를 ① 쓰게 만드셨다 ④ 쓰게 하셨다.

14 주어진 문장과 ④의 to부정사는 형용사처럼 쓰여 앞의 명사 또는 대명사를 꾸미고 있다.

해석

너는 마실 것을 원하니?

① 다시 만나게 되어 반가워. ② 나는 아프리카로 여행을 가고 싶어. ③ 너는 동아리에 가입하고 싶니? ④ 우리는 생각할 충분한 시간이 없다. ⑤ 나는 책을 빌리기 위해 도서관에 가야 한다.

15 to부정사구가 형용사처럼 명사 time을 뒤에서 꾸미도록 어구를 배열한다.

해석

일어날 시간이다.

해설

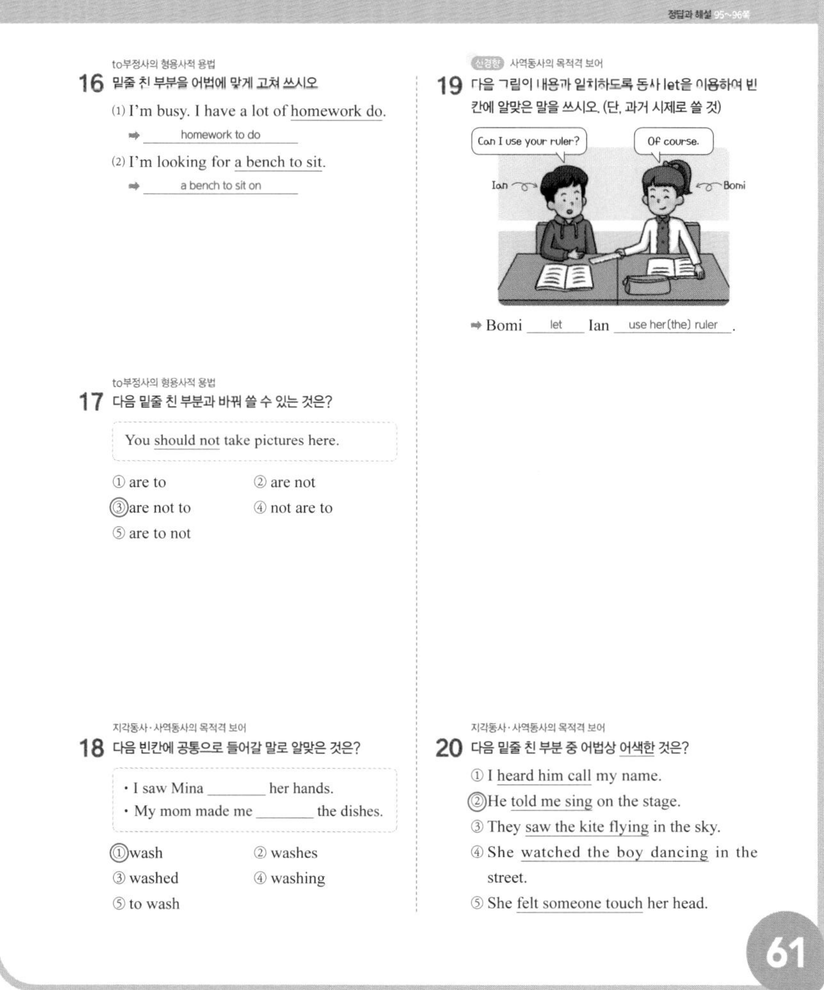

정답과 해설 95~96쪽

to부정사의 형용사적 용법
16 밑줄 친 부분을 어법에 맞게 고쳐 쓰시오.

(1) I'm busy. I have a lot of homework do.
➡ homework to do

(2) I'm looking for a bench to sit.
➡ a bench to sit on

to부정사의 형용사적 용법
17 다음 밑줄 친 부분과 바꿔 쓸 수 있는 것은?

You should not take pictures here.

① are to ② are not
③ are not to ④ not are to
⑤ are to not

지각동사·사역동사의 목적격 보어
18 다음 빈칸에 공통으로 들어갈 말로 알맞은 것은?

• I saw Mina _______ her hands.
• My mom made me _______ the dishes.

① wash ② washes
③ washed ④ washing
⑤ to wash

신경향 사역동사의 목적격 보어
19 다음 그림의 내용과 일치하도록 동사 let을 이용하여 빈칸에 알맞은 말을 쓰시오. (단, 과거 시제로 쓸 것)

➡ Bomi ___let___ Ian ___use her(the) ruler___.

지각동사·사역동사의 목적격 보어
20 다음 밑줄 친 부분 중 어법상 어색한 것은?

① I heard him call my name.
② He told me sing on the stage.
③ They saw the kite flying in the sky.
④ She watched the boy dancing in the street.
⑤ She felt someone touch her head.

61

16 (1) 앞의 명사 homework를 수식하는 to부정사 to do로 고쳐야 한다.
(2) sit on bench이므로 to부정사 뒤에 전치사 on을 쓴다.

해석
(1) 나는 바쁘다. 나는 할 숙제가 많다.
(2) 나는 앉을 벤치를 찾는 중이다.

17 「be + to부정사」는 의무, 예정, 의도, 가능, 운명 등 다양한 의미를 나타낼 수 있으며 to부정사의 부정은 「not + to부정사」이다.

해석
너는 이곳에서 사진을 찍으면 안 된다.

18 지각동사 see는 목적격 보어로 동사원형 또는 현재분사가 온다. 사역동사 make의 목적격 보어로 동사원형이 온다.

해석
• 나는 미나가 손을 씻는 것을 봤다.
• 나의 엄마는 내가 설거지를 하게 하셨다.

19 사역동사 let의 목적격 보어로는 동사원형이 온다.

해석
보미는 Ian에게 (그녀의) 자를 쓰게 했다.

20 ② 동사 tell의 목적격 보어로는 to부정사가 오므로 sing을 to sing으로 고쳐 써야 한다.

해석
① 나는 그가 내 이름을 부르는 것을 들었다.
② 그는 나에게 무대 위에서 노래하라고 말했다.
③ 그들은 연이 하늘에서 나는 것을 보았다.
④ 그녀는 그 소년이 거리에서 춤추는 것을 보았다.
⑤ 그녀는 누군가가 그녀의 머리를 만지는 것을 느꼈다.

핵심 정리 01 부사절 접속사

부사절은 이유, 시간, 양보, 조건 등을 나타내며 주절의 앞이나 뒤에 쓰일 수 있다.

이유	❶ [ ]	~ 때문에
	since	
	as	
시간	when	~할 때
	before [after]	~전에 [후에]
	while	~하는 동안
양보	though	비록 ~이지만, ~에도 불구하고
	although	
조건	❷ [ ]	만약 ~라면

What do you want to be **when** you grow up?
(너는 자라서 무엇이 되고 싶니?)

답 ❶ because ❷ if

핵심 정리 02 원급 비교

원급 비교는 비교하는 대상의 정도가 같음을 나타낸다.

- 원급 비교는 「as+형용사/부사의 원급+as」로 나타내며 '~만큼 …한/하게'라는 의미이다.

Tina can sing ❶ [ ] **well as** Jinho.
(Tina는 진호만큼 노래를 잘 부른다.)

He spoke **as slowly as** my grandfather.
(그는 나의 할아버지만큼 느리게 말했다.)

- 원급 비교의 부정은 「not so (as)+형용사/부사의 원급+as」로 나타내며 '~만큼 …하지 않은/않게'라는 의미이다.

Tim is not **as** ❷ [ ] **as** Andy.
(Tim은 Andy만큼 키가 크지 않다.)

답 ❶ as ❷ tall

핵심 정리 03 비교급 비교, 비교급의 강조

1. 비교급 비교

비교급+❶ [ ] +비교 대상: ~보다 더 …한/하게

The green ruler is ❷ [ ] **than** the pink one.
(녹색 자는 분홍색 자보다 더 길다.)
The pink ruler is **shorter than** the green one.
(분홍색 자는 녹색 자보다 더 짧다.)

2. 비교급의 강조

much / a lot / far / even 등 + ❸ [ ] ➡ 훨씬 더 ~한

A bear is **far** heavier than a rabbit.
(곰은 토끼보다 훨씬 더 무겁다.)
I like watching TV **even** more than playing soccer.
(나는 축구하는 것보다 TV보는 것을 훨씬 더 좋아한다.)

답 ❶ than ❷ longer ❸ 비교급

핵심 정리 04 여러 가지 비교 표현

- 비교급 and 비교급: 점점 더 ~한

More ❶ [ ] **more** students are using smartphones.
(점점 더 많은 학생들이 스마트폰을 사용하고 있다.)

The weather is getting ❷ [ ] **and colder.**
(날씨가 점점 더 추워지고 있다.)

- the+비교급 ~, the+비교급 ...: ~할수록 더 …하다

The more you practice, the ❸ [ ] you play. (더 많이 연습할수록 너는 더 잘 연주할 것이다.)

The older we grow, **the wiser** we become.
(더 나이가 들수록 우리는 더 현명해진다.)

답 ❶ and ❷ colder ❸ better

절취선에 따라 카드를 잘라서 활용하세요.

핵심 예문 02

The blue sneakers are ❶ ______ **big as** the yellow sneakers.
파란색 운동화는 노란색 운동화만큼 크다.

Helen is **as** ❷ ______ **as** Matt.
Helen은 Matt만큼 나이가 많다.

Action movies are **as interesting as** horror movies.
액션 영화는 공포 영화만큼 흥미롭다.

A rabbit is **not** ❸ ______ **fast as** a cheetah.
토끼는 치타만큼 빠르지 않다.

답 ❶as ❷old ❸as(so)

핵심 예문 01

Because Mia is kind, everyone likes her.
Mia는 친절하기 때문에 모두가 그녀를 좋아한다.

❶ ______ I was young, I wanted to be a cook.
나는 어렸을 때, 요리사가 되고 싶었다.

If you ❷ ______ hard, you can win the contest.
만약 네가 열심히 연습하면 대회에서 우승할 수 있을 것이다.

❸ ______ it rains tomorrow, we'll go camping.
내일 비가 내릴지라도 우리는 캠핑을 갈 것이다.

답 ❶When ❷practice ❸Though(Although)

핵심 예문 04

The ❶ ______ you start, **the sooner** you will finish.
너는 더 일찍 시작할수록 더 일찍 끝마칠 것이다.

The ❷ ______ you laugh, **the healthier** you become.
너는 더 많이 웃을수록 더 건강해진다.

The more money you have, **the more** money you spend.
너는 더 많은 돈을 가질수록 더 많은 돈을 쓴다.

The higher you climb, ❸ ______ **more** you can see.
더 높이 올라갈수록 너는 더 많이 볼 수 있다.

답 ❶earlier ❷more ❸the

핵심 예문 03

My banana is **longer than** your banana.
내 바나나가 너의 바나나보다 더 길어.

I am **far** ❶ ______ than my brother.
나는 나의 남동생보다 훨씬 더 키가 크다.

It is **even** easier ❷ ______ I thought.
그것은 내가 생각했던 것보다 훨씬 쉽다.

답 ❶taller ❷than

핵심 정리 05 비교급 표현을 활용한 최상급 비교

최상급은 「비교급+than+any other+단수 명사」, 「비교급+than+all other+복수 명사」, 「No (other)+명사~+비교급+than」, 「No (other)+명사~+as[so]+원급+as」 등 비교급 표현을 활용해서 다양하게 나타낼 수 있다.

- The Amazon river is **longer** ❶ ______ **any other** river.
  (아마존 강은 다른 어떤 강보다 더 길다.)
- The Amazon river is **longer than** ❷ ______ **other** rivers.
  (아마존 강은 다른 모든 강보다 더 길다.)
- **No other** river is **longer than** the Amazon river.
  (다른 어떤 강도 아마존 강보다 더 길지 않다.)
- ❸ ______ **other** river is **as long as** the Amazon river.
  (어떤 강도 아마존 강만큼 길지 않다.)

답 ❶ than ❷ all ❸ No

핵심 정리 06 여러 가지 최상급 표현

- the+최상급~+in+장소, 집단: …에서 가장 ~한

  Amy is **the** ❶ ______ girl **in** my class.
  (Amy는 우리 반에서 가장 키가 큰 소녀이다.)

- the+최상급~+of+복수 명사: …에서 가장 ~한

  This shirt **is the** ❷ ______ **expensive of** the three.
  (이 셔츠는 셋 중에서 가장 비싸다.)

- one of the+최상급+복수 명사: 가장 ~한 … 중 하나

  This is ❸ ______ **of the most popular songs** among teens.
  (이것은 십 대들 사이에서 가장 인기 있는 노래 중 하나이다.)

답 ❶ tallest ❷ most ❸ one

핵심 정리 07 주격 관계대명사

1. 관계대명사가 이끄는 절에서 주어 역할을 한다.
   - Look at the girl. (저 소녀를 봐.)
   - She is riding a bike. (그녀는 자전거를 타고 있다.)

   ➡ Look at the girl ❶ ______ is riding a bike.
   (자전거를 타고 있는 저 소녀를 봐.)

2. 선행사에 따라 구별해서 쓰며, 선행사에 동사를 일치시킨다.

선행사	주격 관계대명사
사람	who
사물, 동물	which
사람, 사물, 동물	❷ ______

The boy **who[that]** has blue eyes is my son.
(파란 눈을 가진 소년이 내 아들이다.)

I like the book **which[that]** has many pictures in it. (나는 안에 그림이 많은 책을 좋아한다.)

답 ❶ who[that] ❷ that

핵심 정리 08 목적격 관계대명사

1. 관계대명사가 이끄는 절 안에서 목적어 역할을 한다.

   I met her in the library yesterday.
   (나는 어제 도서관에서 그녀를 만났다.)

   ➡ The girl **who(m)[that]** I met in the library yesterday ❶ ______ Emily.
   (내가 어제 도서관에서 만난 소녀는 Emily이다.)

2. 선행사에 따라 구별해서 쓰며, 선행사에 동사를 일치시킨다.

선행사	목적격 관계대명사
사람	❷ ______
사물, 동물	which
사람, 사물, 동물	that

3. 목적격 관계대명사는 생략할 수 있다.

   I had some pizza (**which[that]**) my dad made.
   (나는 아빠가 만드신 피자를 먹었다.)

답 ❶ is ❷ who(m)

핵심 예문 06

e..g.

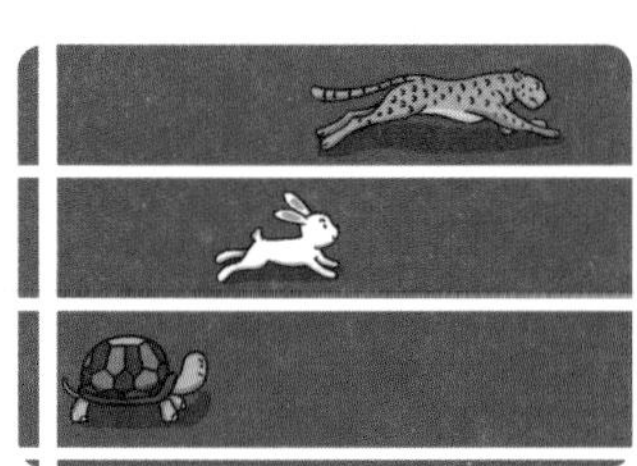

The cheetah is **the** ❶ ______ land animal in the world.
치타는 가장 빠른 육지 동물이다.

The cheetah runs **the fastest** ❷ ______ the three animals.
치타는 세 동물 중에서 가장 빠르게 달린다.

The cheetah is ❸ ______ **of the fastest** animals.
치타는 가장 빠른 동물들 중 하나이다.

답 ❶ fastest ❷ of ❸ one

핵심 예문 05

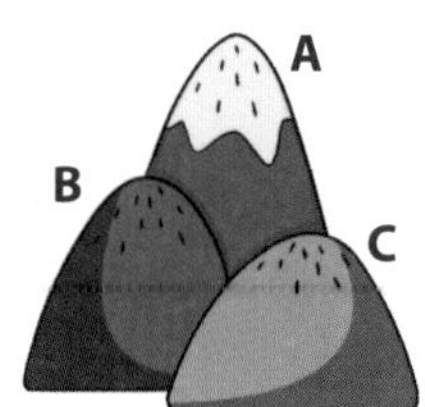

Mountain A is **higher** ❶ ______ **any other** mountain.
산 A는 다른 어떤 산보다 더 높다.

= Mountain A is **higher than all other** mountains.
산 A는 다른 모든 산보다 더 높다.

= ❷ ______ **other** mountain is **higher than** mountain A.
다른 어떤 산도 A보다 높지 않다.

= **No other** mountain is **as high** ❸ ______ mountain A.
다른 어떤 산도 A만큼 높지 않다.

답 ❶ than ❷ No ❸ as

핵심 예문 08

He is the man **which〔that〕** I told you about.
그는 내가 너에게 말한 남자이다.

The book **which〔that〕** I bought yesterday ❶ ______ so boring.
내가 어제 산 책은 정말 지루하다.

The food ❷ ______ you made was so delicious.
네가 만든 음식은 정말 맛있었다.

He can't remember the boy **who(m)〔that〕** he ❸ ______ last week.
그는 지난주에 만났던 소년을 기억하지 못한다.

답 ❶ is ❷ which〔that〕 ❸ met

핵심 예문 07

The computer is mine. 그 컴퓨터는 내 것이다.
It is on the desk. 그것은 책상 위에 있다.
➡ The computer ❶ ______ is on the desk is mine.
책상 위에 있는 컴퓨터는 내 것이다.

I saw my friend. 나는 내 친구를 봤다.
She was waiting for the bus.
그녀는 버스를 기다리고 있었다.

➡ I saw my friend ❷ ______ was waiting for the bus.
나는 버스를 기다리고 있는 내 친구를 봤다.

답 ❶ which〔that〕 ❷ who〔that〕

핵심 정리 09 관계대명사 that과 접속사 that

1. 관계대명사 that
   ① 형용사절을 이끈다.
   ② 선행사가 있다.
   ③ 뒤에 불완전한 문장이 온다.

I know a boy ❶ ______ raises three dogs.
(나는 개를 세 마리 키우는 소년을 안다.)

2. 접속사 that
   ① 명사절을 이끈다.
   ② 선행사가 없다.
   ③ 뒤에 완전한 문장이온다.

I know **that** ❷ ______ are one of his friends.
(나는 네가 그의 친구들 중 하나라는 것을 안다.)

답 ❶who〔that〕 ❷you

핵심 정리 10 목적격 보어: to부정사

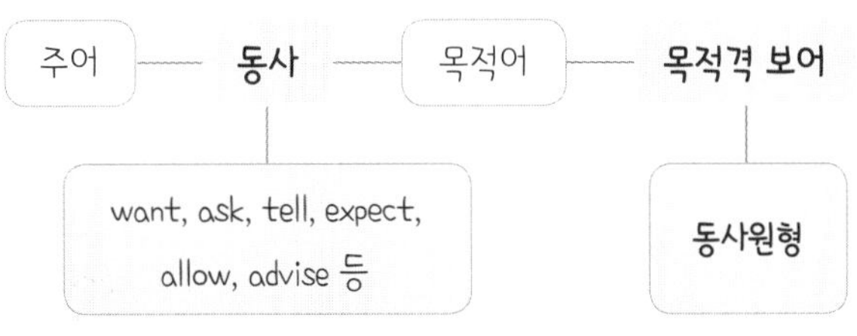

The man ❶ ______ us **to enter** the building.
(그 남자는 우리가 건물 안으로 들어가는 것을 허락했다.)

My parents **want** me **to** ❷ ______ history.
(나의 부모님은 내가 역사를 공부하기를 원하신다.)

I **asked** him **to return** my book.
(나는 그에게 나의 책을 돌려달라고 부탁했다.)

답 ❶allowed ❷study

핵심 정리 11 목적격 보어: 형용사

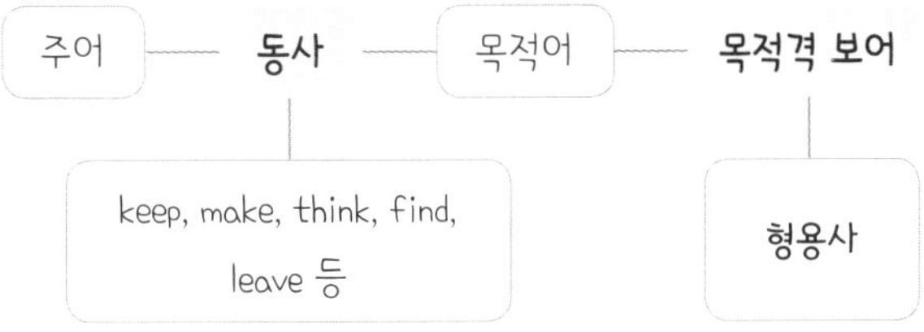

Leave me ❶ ______.
(나를 혼자 내버려 두세요.)

❷ ______ the window **closed**.
(창문을 닫힌 채로 두어라.)

I **found** the box **empty**.
(나는 그 상자가 비었다는 것을 알았다.)

Do you **think** him **honest**?
(너는 그가 정직하다고 생각하니?)

답 ❶alone ❷Keep

핵심 정리 12 지각동사의 목적격 보어

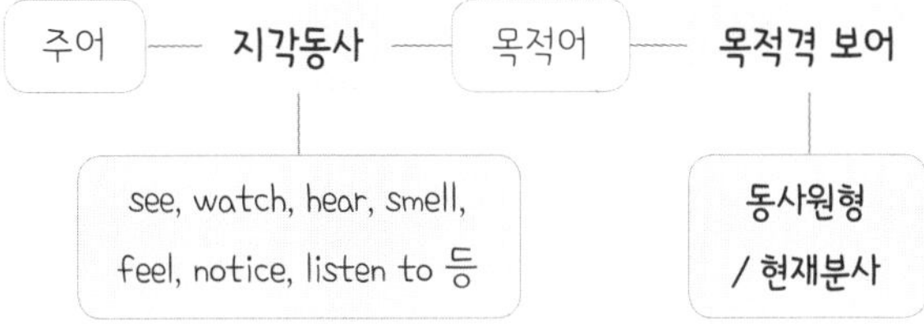

I **saw** you are ❶ ______ with Ben.
(나는 네가 Ben과 이야기하는 것을 봤다.)

I **felt** the ground **shake**〔**shaking**〕.
(나는 땅이 흔들리는 것을 느꼈다.)

I **heard** someone ❷ ______ my name.
(나는 누군가가 내 이름을 부르는 것을 들었다.)

답 ❶talk〔talking〕 ❷call〔calling〕

핵심 예문 10

e.g. I **want** you **to** ❶ ______ honest with me.
나는 네가 나에게 정직하기를 원한다.

She **asked** them ❷ ______ **be** quiet in the library.
그녀는 그들에게 도서관에서 조용히 해 달라고 부탁했다.

The teacher **told** her not **to be** late.
선생님은 그녀에게 늦지 말라고 말씀하셨다.

My parents ❸ ______ me **to learn** to drive.
나의 부모님은 나에게 운전하는 법을 배우라고 충고하셨다.

답 ❶ be ❷ to ❸ advised

핵심 예문 09

e.g. I met a boy ❶ ______ lives in London.
나는 런던에 사는 한 소년을 만났다.

She knows the man **that** ❷ ______ sitting on the bench.
그녀는 벤치에 앉아 있는 남자를 안다.

I can't believe **that** you love him.
네가 그를 사랑한다니 믿을 수 없다.

I think ❸ ______ the woman is lying to us.
나는 그 여자가 우리에게 거짓말을 하고 있다고 생각한다.

답 ❶ who(that) ❷ is ❸ that

핵심 예문 12

e.g. I ❶ ______ Jihun **bake** (**baking**) cookies.
나는 지훈이가 쿠키를 굽는 것을 봤다.

Mr. Black **heard** a dog ❷ ______ last night.
Black 씨는 어젯밤 개가 짖는 소리를 들었다.

Mia **felt** the bird ❸ ______ on her shoulder.
Mia는 새가 그녀의 어깨 위에 앉는 것을 느꼈다.

They could **smell** something **burn** (**burning**) in the pan.
그들은 팬에서 무언가가 타고 있는 냄새를 맡을 수 있었다.

답 ❶ saw ❷ bark(barking) ❸ sit(sitting)

핵심 예문 11

e.g. You should ❶ ______ your room **clean**.
너는 네 방을 깨끗하게 유지해야 한다.

He ❷ ______ the product **useless**.
그는 그 상품이 쓸모없다는 것을 발견했다.

Too much homework **makes** the students ❸ ______.
너무 많은 숙제는 학생들을 피곤하게 만든다.

Someone **left** the door **open**.
누군가가 문을 연 채로 두었다.

답 ❶ keep ❷ found ❸ tired

핵심 정리 13 사역동사의 목적격 보어

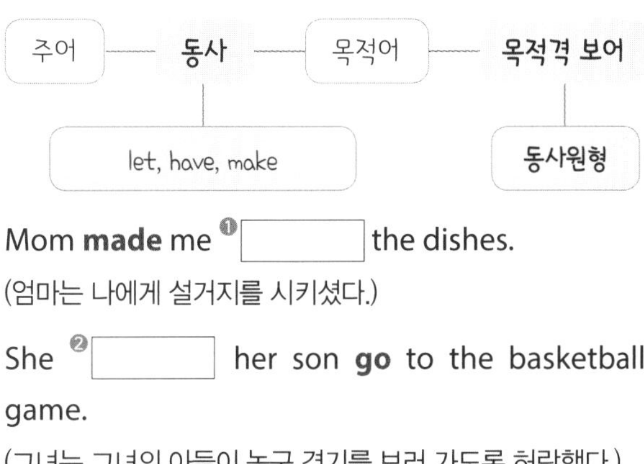

Mom **made** me ❶ [ ] the dishes.
(엄마는 나에게 설거지를 시키셨다.)

She ❷ [ ] her son **go** to the basketball game.
(그녀는 그녀의 아들이 농구 경기를 보러 가도록 허락했다.)

I **had** the man **check** my bike.
(나는 그 남자에게 내 자전거를 점검하도록 시켰다.)

답 ❶ wash ❷ let

핵심 정리 14 명사를 수식하는 to부정사

to부정사는 형용사처럼 앞의 명사를 수식할 수 있으며, 이때 to부정사는 '~할, ~하는'이라고 해석한다.

It's time ❶ [ ] **go** to bed.
(자러 갈 시간이다.)

I have a lot of homework **to** ❷ [ ] tonight.
(나는 오늘밤에 해야 할 숙제가 많다.)

to부정사가 수식하는 명사가 전치사의 목적어이면 to부정사 다음에 전치사를 쓴다.

We need chairs **to sit on.**
(우리는 앉을 의자가 필요하다)

답 ❶ to ❷ do

핵심 정리 15 대명사를 수식하는 to부정사

1. to부정사가 형용사처럼 앞의 대명사를 수식할 수 있으며, 이때 to부정사는 '~할, ~하는'이라고 해석한다.

   I have ❶ [ ] **to wear.**
   (나는 입을 것이 없다.)

   Can I have something ❷ [ ] **drink**?
   (마실 것 좀 주실 수 있나요?)

2. -thing, -one, -body로 끝나는 대명사가 쓰일 때는 「대명사(+형용사)+to부정사」로 쓴다.

   I need something hot **to drink.**
   (나는 마실 뜨거운 것이 필요하다.)

답 ❶ nothing ❷ to

핵심 정리 16 보어가 되는 to부정사

「be+❶ [ ]」는 의무, 예정, 의도, 가능, 운명 등을 나타낸다.

형태	쓰임	해석
be+to부정사	의무	~해야 한다
	예정	~할 예정이다, ~하기로 되어 있다
	의도	~하려면, ~하려고 한다면
	가능	~할 수 있다
	운명	~할 운명이다

Students ❷ [ ] **to** keep the school rules.
(학생들은 교칙을 지켜야 한다.)

They **are** ❸ [ ] marry in June.
(그들은 6월에 결혼할 예정이다.)

답 ❶ to부정사 ❷ are ❸ to

핵심 예문 14

e.g. I have some water ❶ ______ **drink.**
나에게는 마실 물이 약간 있다.

They don't have money **to** ❷ ______.
그들은 쓸 돈이 없다.

I have some beautiful pictures **to show** you.
나는 너에게 보여줄 아름다운 사진들이 있다.

I bought a pen **to write** ❸ ______.
나는 쓸 펜을 샀다.

답 ❶to ❷spend ❸with

핵심 예문 13

e.g. Did you **let** Jack ❶ ______ to the party?
네가 Jack이 파티에 가는 것을 허락했니?

Don't let him ❷ ______ the secret.
그가 비밀을 말하게 내버려 두지 마.

Dad **told** me ❸ ______ **make** the dog be quiet.
아빠가 나에게 개를 조용히 시키라고 말씀하셨다.

Have him **prepare** for the meeting.
그가 회의를 준비하게 해.

답 ❶go ❷tell ❸to

핵심 예문 16

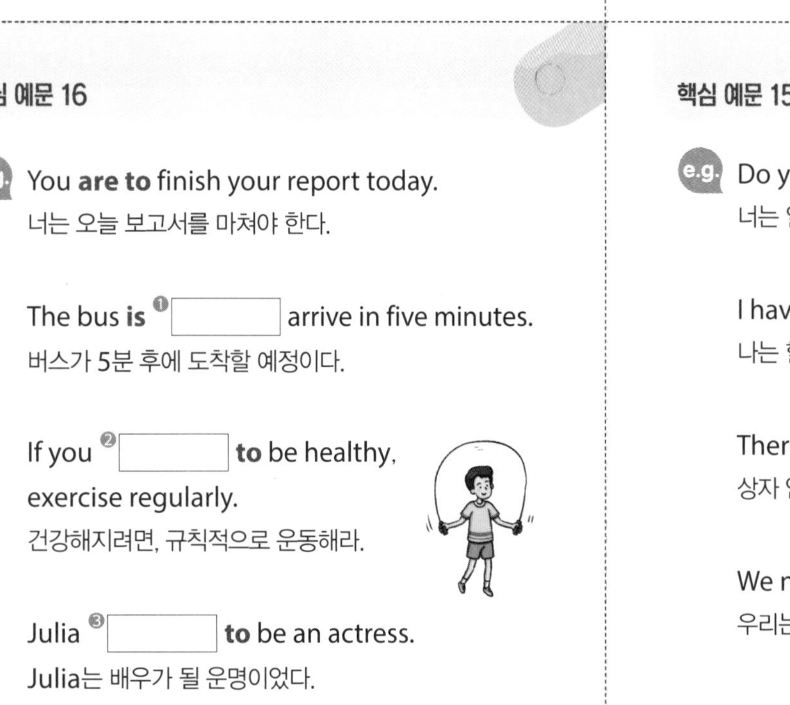

e.g. You **are to** finish your report today.
너는 오늘 보고서를 마쳐야 한다.

The bus **is** ❶ ______ arrive in five minutes.
버스가 5분 후에 도착할 예정이다.

If you ❷ ______ **to** be healthy, exercise regularly.
건강해지려면, 규칙적으로 운동해라.

Julia ❸ ______ **to** be an actress.
Julia는 배우가 될 운명이었다.

답 ❶to ❷are ❸was

핵심 예문 15

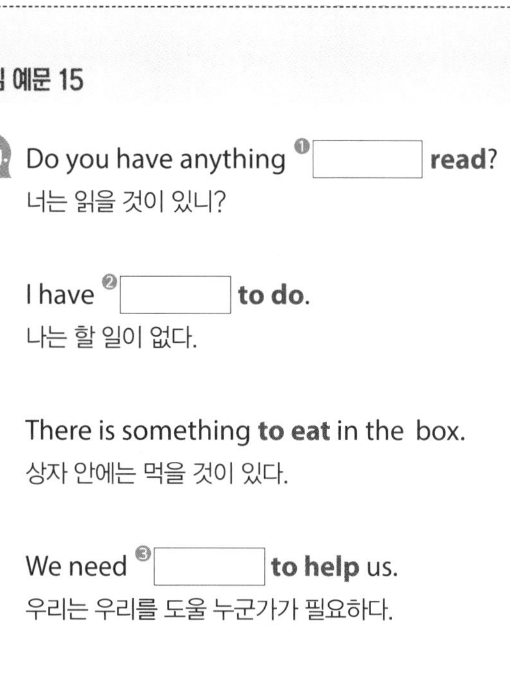

e.g. Do you have anything ❶ ______ **read**?
너는 읽을 것이 있니?

I have ❷ ______ **to do.**
나는 할 일이 없다.

There is something **to eat** in the box.
상자 안에는 먹을 것이 있다.

We need ❸ ______ **to help** us.
우리는 우리를 도울 누군가가 필요하다.

답 ❶to ❷nothing ❸someone

book.chunjae.co.kr

교재 내용 문의 ················ 교재 홈페이지 ▸ 중등 ▸ 교재상담
교재 내용 외 문의 ················ 교재 홈페이지 ▸ 고객센터 ▸ 1:1문의
발간 후 발견되는 오류 ················ 교재 홈페이지 ▸ 중등 ▸ 학습지원 ▸ 학습자료실

7일 끝

시험 대비 문법 기초

7일 끝으로 끝내자!

중학 영문법 2

BOOK 2

천재교육

언제나 만점이고 싶은 친구들

Welcome!

숨 돌릴 틈 없이 찾아오는 시험과 평가,
성적과 입시 그리고 미래에 대한 걱정.
중·고등학교에서 보내는 6년이란 시간은
때때로 힘들고, 버겁게 느껴지곤 해요.

그런데 여러분, 그거 아세요?
지금 이 시기가 노력의 대가를
가장 잘 확인할 수 있는 시간이라는 걸요.

안 돼, 못하겠어, 해도 안 될 텐데-
이렇게 생각하지 말아요. 천재교육이 있잖아요.
첫 시작의 두려움을 첫 마무리의 뿌듯함으로 바꿔줄게요.

펜을 쥐고 이 책을 펼친 순간
여러분 앞에 무한한 가능성의 길이 열렸어요.

우리와 함께 꽃길을 향해 걸어가 볼까요?

#시험대비
#핵심정복

7일 끝
시험 대비
문법 기초

Chunjae
Makes
Chunjae

편집개발	구은경, 구보선, 김희윤
제작	황성진, 조규영

발행일	2021년 4월 15일 초판 2021년 4월 15일 1쇄
발행인	(주)천재교육
주소	서울시 금천구 가산로9길 54
신고번호	제2001-000018호
고객센터	1577-0902
교재 내용문의	(02)3282-1711 / 8884

※ 정답 분실 시에는 천재교육 홈페이지에서 내려받으세요.

7일 끝으로 끝내자!

중학 영문법 2

BOOK 2

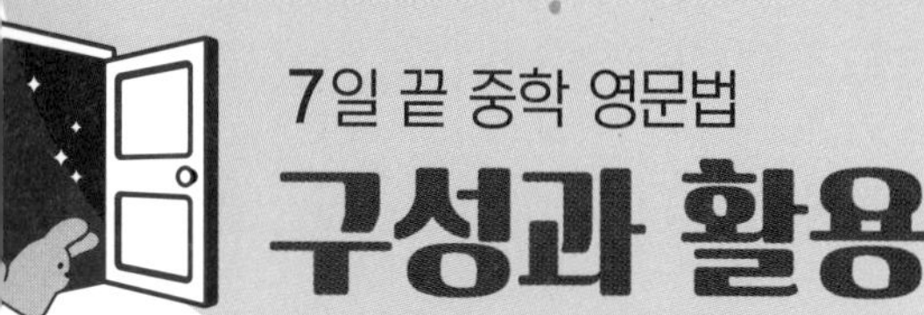

7일 끝 중학 영문법

구성과 활용

공부 시작

생각 열기

공부할 내용을 만화로 가볍게 살펴보며 학습 준비를 해 보세요.

❶ 공부할 내용을 살피며 핵심 학습 요소를 확인해 보세요.

❷ 학습 요소를 떠올리며 Quiz를 풀어 보세요.

본격 공부 중

교과서 핵심 문법 + 기초 확인 문제

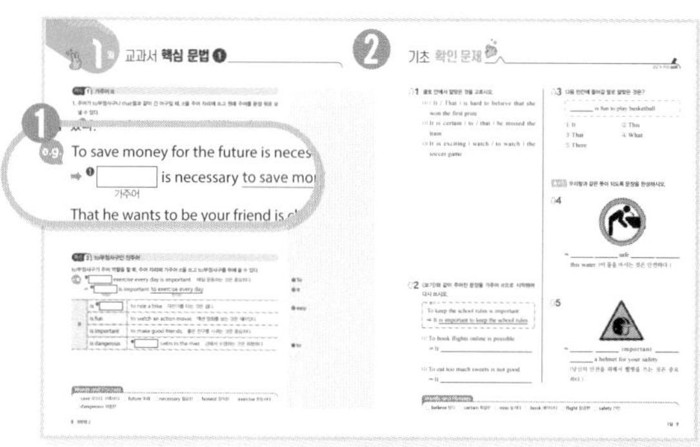

꼭 알아야 할 교과서 핵심 문법을 익히고 기초 확인 문제를 풀며 제대로 이해했는지 확인해 보세요.

❶ 빈칸을 채우며 핵심 내용을 다시 한 번 체크해 보세요.

❷ 기초 확인 문제를 풀며 앞서 공부한 문법 내용을 확인해 보세요.

내신 기출 베스트

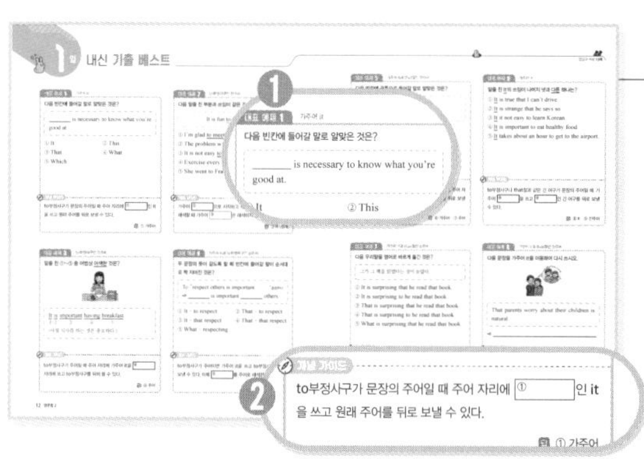

학교 시험 유형의 문제를 풀어 보며 공부한 내용을 점검해 보세요.

❶ 8개의 대표 예제를 풀며 학교 시험 유형의 기본 문제를 익혀 보세요.

❷ 개념 가이드의 빈칸을 채우며 각 문제의 핵심 문법 내용을 다시 한 번 확인해 보세요.

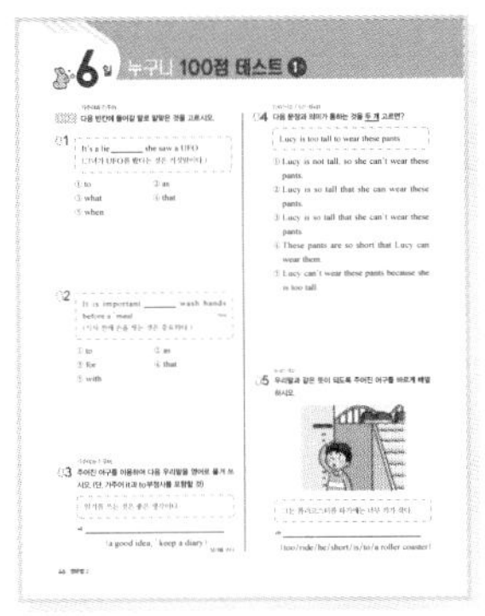

누구나 100점 테스트

앞서 공부한 내용에 대한 기초 이해력을 점검해 보세요.

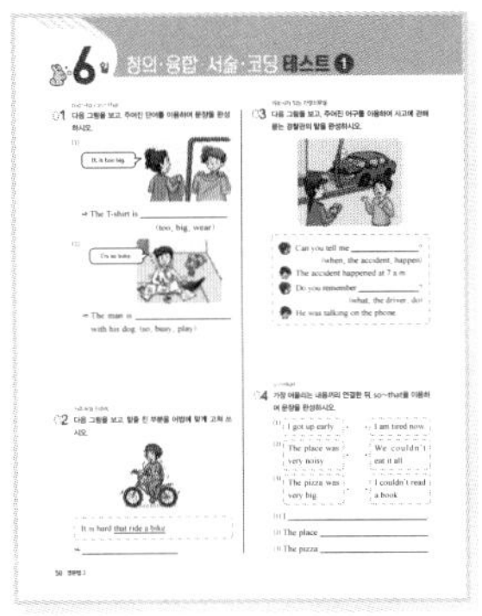

창의·융합·서술·코딩 테스트

문장 완성하기 유형의 다양한 서술형 문제를 풀어 보세요.

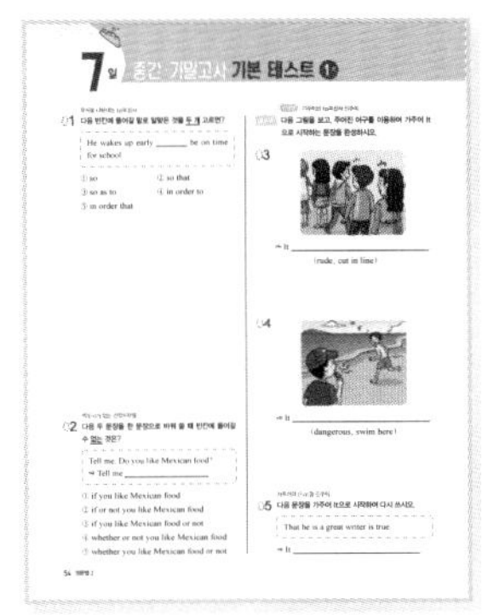

중간·기말고사 기본 테스트

학교 시험 유형의 예상 문제를 풀며 실전에 대비해 보세요.

튼튼이 공부하기

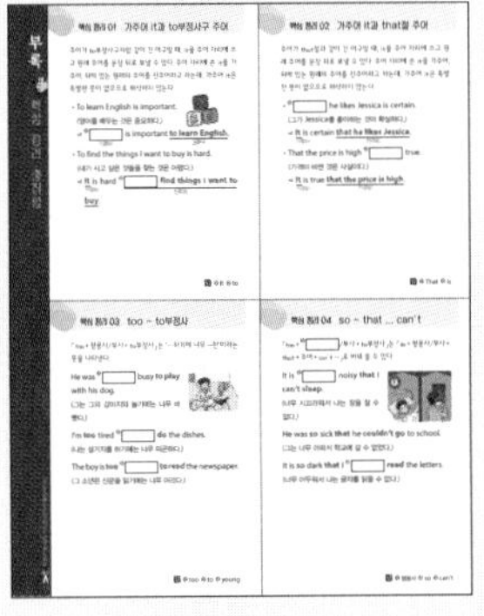

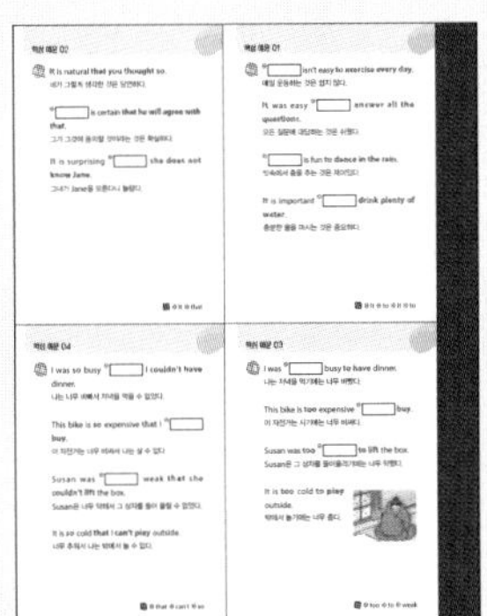

앞서 공부한 내용을 요약한 16장의 핵심 정리 총집합 학습 카드를 들고 다니며 공부해 보세요.

7일 끝 중학 영문법

차례

1일 가주어 it

생각 열기

공부할 내용

❶ 가주어 it
❷ to부정사구인 진주어
❸ that절인 진주어

that절인 진주어

It is strange that Tom didn't come today. He likes watching soccer games.
Tom이 오늘 오지 않은 것이 이상해. 그는 축구 경기 보는 것을 좋아하잖아.

He couldn't come because of a cold.
그는 감기 때문에 못 왔어.

It is a pity that Tom can't watch the final soccer match.
Tom이 축구 결승전을 못 보다니 안타깝다.

Quiz

1. To run every morning is my pleasure.는 [It / That] is my pleasure to run every morning.으로 쓸 수 있습니다.
2. It is strange that Tom didn't come today.에서 It은 특별한 뜻이 [있습니다 / 없습니다].

Answers

1. It
2. 없습니다

교과서 핵심 문법 ❶

핵심 1 가주어 it

1. 주어가 to부정사구나 that절과 같이 긴 어구일 때, it을 주어 자리에 쓰고 원래 주어를 문장 뒤로 보낼 수 있다.

e.g. To save money for the future is necessary. 미래를 위해 돈을 모으는 것은 필요하다.
➡ ❶ [　　　] is necessary to save money for the future.
(가주어 / 진주어)

That he wants to be your friend is clear. 그가 너의 친구가 되고 싶어 하는 것은 분명하다.
➡ It is clear that he wants to be your friend.
(가주어 / 진주어)

2. 주어 자리에 쓴 it을 가주어, 뒤에 있는 원래의 주어를 진주어라고 한다.

3. 가주어 it은 특별한 뜻이 없으므로 해석하지 않는다.

e.g. It is difficult ❷ [　　　] answer that question. 그 질문에 대답하는 것은 어렵다.
(가주어 / 진주어)

❸ [　　　] is true that he is honest. 그가 정직하다는 것은 사실이다.
(가주어 / 진주어)

❶ It
❷ to
❸ It

핵심 2 to부정사구인 진주어

to부정사구가 주어 역할을 할 때, 주어 자리에 가주어 it을 쓰고 to부정사구를 뒤에 쓸 수 있다.

e.g. ❹ [　　　] exercise every day is important. 매일 운동하는 것은 중요하다.
➡ ❺ [　　　] is important to exercise every day.
(가주어 / 진주어)

It		
It	is ❻ [　　　]	to ride a bike. 자전거를 타는 것은 쉽다.
	is fun	to watch an action movie. 액션 영화를 보는 것은 재미있다.
	is important	to make good friends. 좋은 친구를 사귀는 것은 중요하다.
	is dangerous	❼ [　　　] swim in the river. 강에서 수영하는 것은 위험하다.

❹ To
❺ It
❻ easy
❼ to

Words and Phrases

☐ save 모으다, 저축하다 ☐ future 미래 ☐ necessary 필요한 ☐ honest 정직한 ☐ exercise 운동하다
☐ dangerous 위험한

기초 확인 문제

정답과 해설 66쪽

01 괄호 안에서 알맞은 것을 고르시오.

(1) (It / That) is hard to believe that she won the first prize.

(2) It is certain (to / that) he missed the train.

(3) It is exciting (watch / to watch) the soccer game.

02 〈보기〉와 같이 주어진 문장을 가주어 it으로 시작하여 다시 쓰시오.

보기
To keep the school rules is important.
➡ It is important to keep the school rules.

(1) To book flights online is possible.
➡ It ____________________.

(2) To eat too much sweets is not good.
➡ It ____________________.

03 다음 빈칸에 들어갈 말로 알맞은 것은?

________ is fun to play basketball.

① It　② This
③ That　④ What
⑤ There

4~5 우리말과 같은 뜻이 되도록 문장을 완성하시오.

04

➡ ________ ________ safe ________ ________ this water. (이 물을 마시는 것은 안전하다.)

05

➡ ________ ________ important ________ ________ a helmet for your safety. (당신의 안전을 위해서 헬멧을 쓰는 것은 중요하다.)

Words and Phrases

□ believe 믿다 □ certain 확실한 □ miss 놓치다 □ book 예약하다 □ flight 항공편 □ safety 안전

교과서 핵심 문법 ❷

핵심 3 that절인 진주어

1. that절

접속사 that이 이끄는 「that+주어+동사 ~」 형태의 절을 말하며 '~하다는 것'이라는 의미를 나타낸다. that절은 주어 자리에 올 수 있고, 이때 주어로 쓰인 that절은 단수 취급을 하므로 단수 동사가 온다.

e.g. That he loves Susan is true.
그가 Susan을 사랑한다는 것은 사실이다.
That he is only 20 years old ❶ ______ surprising.
그가 단지 20세라는 것이 놀랍다.

2. that절이 주어 역할을 할 때, 주어 자리에 가주어 it을 쓰고 that절을 뒤에 쓸 수 있다.

e.g. ❷ ______ this book became a bestseller is not surprising.
이 책이 베스트셀러가 된 것은 놀랍지 않다.
➡ ❸ ______ (가주어) is not surprising that this book became a bestseller (진주어).

That no one is on the street is strange.
거리에 아무도 없는 것이 이상하다.
➡ It (가주어) is strange that no one is on the street (진주어).

It	is certain	❹ ______ he likes cats. 그가 고양이를 좋아하는 것은 확실하다.
	is ❺ ______	that she is good at English. 그녀가 영어를 잘하는 것은 사실이다.
	is known	that fast food is bad for health. 패스트푸드가 건강에 나쁘다는 것은 알려져 있다.
	is interesting	❻ ______ he has a twin brother. 그가 쌍둥이 남동생이 있다는 것이 흥미롭다.
	is clear	that the dog likes you. 그 개가 너를 좋아하는 것이 분명하다.

❶ is
❷ That
❸ It
❹ that
❺ true
❻ that

Words and Phrases

□ surprising 놀라운 □ be good at ~을 잘하다 □ known 알려진 □ twin 쌍둥이 □ clear 분명한

정답과 해설 67쪽

06 다음 빈칸에 들어갈 말로 알맞은 것은?

> It is true ________ she is friendly.
> (그녀가 다정하다는 것은 사실이다.)

① to ② that
③ what ④ who
⑤ which

07 우리말과 같은 뜻이 되도록 주어진 어구를 바르게 배열하시오.

> 그가 3개 언어를 말할 수 있다는 것은 거짓말이다.

➡ It is a lie ________________________.
(speak / that / can / he / three languages)

08 다음 빈칸에 들어갈 말이 나머지 넷과 다른 하나는?

① It is clear ________ she likes you.
② It is a pity ________ he can't join us.
③ It is certain ________ the man is alive.
④ It is impossible ________ get there in time.
⑤ It is natural ________ his parents feel proud.

09 우리말과 같은 뜻이 되도록 주어진 어구를 이용하여 문장을 완성하시오.

> Kate가 책을 잃어버린 것이 분명하다.
> (lost the book, clear)

(1) That ________________________.
(2) It ________________________.

10 다음 문장과 같은 뜻이 되도록 빈칸에 알맞은 말을 쓰시오.

> That he is a good actor is well-known.

➡ ________ ________ well-known ________ he is a good actor.

Words and Phrases
□ friendly 다정한 □ pity 유감, 애석한 일 □ alive 살아 있는 □ impossible 불가능한 □ in time (~에) 늦지 않게
□ natural 당연한 □ proud 자랑스러운 □ well-known 잘 알려진

1일 내신 기출 베스트

대표 예제 1 가주어 it

다음 빈칸에 들어갈 말로 알맞은 것은?

________ is necessary to know what you're good at.

① It　② This
③ That　④ What
⑤ Which

개념 가이드

to부정사구가 문장의 주어일 때 주어 자리에 ① ______ 인 it을 쓰고 원래 주어를 뒤로 보낼 수 있다.

답 ① 가주어

대표 예제 2 to부정사구인 진주어

다음 밑줄 친 부분과 쓰임이 같은 것은?

It is fun to play soccer.

① I'm glad to meet you again.
② The problem was easy to solve.
③ It is not easy to take care of pets.
④ Exercise every day to stay healthy.
⑤ She went to France to study French.

개념 가이드

가주어 ② ______ 으로 시작하고 뒤에 진주어가 있는 문장을 해석할 때 가주어 ③ ______ 은 해석하지 않는다.

답 ② It　③ It

대표 예제 3 to부정사구인 진주어

밑줄 친 ①~⑤ 중 어법상 어색한 것은?

It(①) is(②) important(③) having(④) breakfast(⑤).
(아침 식사를 하는 것은 중요하다.)

개념 가이드

to부정사구가 주어일 때 주어 자리에 가주어 it을 ④ ______ 자리에 쓰고 to부정사구를 뒤에 쓸 수 있다.

답 ④ 주어

대표 예제 4 가주어 it과 to부정사구인 진주어

두 문장의 뜻이 같도록 할 때 빈칸에 들어갈 말이 순서대로 짝 지어진 것은?

To respect* others is important.　*존중하다
➡ ________ is important ________ others.

① It – to respect　② That – to respect
③ It – that respect　④ That – that respect
⑤ What – respecting

개념 가이드

to부정사구가 주어이면 가주어 it을 쓰고 to부정사구를 뒤로 보낼 수 있다. 이때 ⑤ ______ 를 주어로 해석한다.

답 ⑤ to부정사구

대표 예제 5 가주어 it과 that절인 진주어

다음 빈칸에 공통으로 들어갈 말로 알맞은 것은?

_______ Tom is smart is true.
➡ It is true _______ Tom is smart.

① To[to] ② It[it]
③ What[what] ④ That[that]
⑤ Which[which]

개념 가이드

문장의 주어가 「that+주어+동사 ~」인 that절일 때 주어 자리에 ⑥ [   ] 인 it을 쓰고 원래 ⑦ [   ] 를 뒤로 보낼 수 있다.

답 ⑥ 가주어 ⑦ 주어

대표 예제 6 가주어 it

밑줄 친 It의 쓰임이 나머지 넷과 다른 하나는?

① It is true that I can't drive.
② It is strange that he says so.
③ It it not easy to learn Korean.
④ It is important to eat healthy food.
⑤ It takes about an hour to get to the airport.

개념 가이드

to부정사구나 that절과 같은 긴 어구가 문장의 주어일 때 가주어 ⑧ [   ] 을 쓰고 ⑨ [   ] 인 긴 어구를 뒤로 보낼 수 있다.

답 ⑧ it ⑨ 진주어

대표 예제 7 가주어 it과 that절인 진주어

다음 우리말을 영어로 바르게 옮긴 것은?

그가 그 책을 읽었다는 것이 놀랍다.

① It is surprising that he read that book.
② It is surprising to he read that book.
③ That is surprising that he read that book.
④ That is surprising to he read that book.
⑤ What is surprising that he read that book.

개념 가이드

주어 자리의 ⑩ [   ] 이 아닌 뒤의 to부정사구 또는 that절이 의미상 진짜 주어일 때 It을 가주어, 뒤의 to부정사구 또는 that절을 ⑪ [   ] 라고 부른다.

답 ⑩ It ⑪ 진주어

대표 예제 8 가주어 it과 that절인 진주어

다음 문장을 가주어 it을 이용하여 다시 쓰시오.

That parents worry about their children is natural.

➡ _______________________

개념 가이드

that절이 ⑫ [   ] 일 때 가주어 it을 쓰고 원래 주어를 뒤로 보낼 수 있다.

답 ⑫ 주어

2일 원인과 결과, 목적을 나타내는 구문

생각 열기

공부할 내용

❶ too+형용사/부사+to부정사 ~
❷ so+형용사/부사+that+주어+can't ~
❸ so that, (in order (so as)) to

so that, (in order (so as)) to

I don't eat anything after 6 p.m. in order to lose weight.
나는 몸무게를 줄이기 위해서 오후 6시 이후에는 아무것도 먹지 않아.

This pasta is too salty. I want to call the server to complain about the food.
이 파스타는 너무 짜. 음식에 대한 불평을 하기 위해 종업원을 부르고 싶어.

Please speak louder so that I can hear you.
내가 너의 말을 들을 수 있도록 더 크게 말해 줘.

This tea doesn't taste good. I want some soda.
이 차는 맛이 없어. 나는 탄산음료를 원한다고.

I advise you to avoid soda so as to stay healthy.
나는 너에게 건강을 유지하기 위해서 탄산음료 마시는 것을 피하라고 충고하겠어.

Quiz

1. '마시기에 너무 뜨거운'은 [too hot to drink / so hot that drink] 로 씁니다.
2. We went to the park so as to take a walk.에서 밑줄 친 부분은 [목적 / 결과]을(를) 나타냅니다.

Answers

1. too hot to drink
2. 목적

2일 교과서 핵심 문법 ❶

핵심 1 too+형용사/부사+to부정사

「too+형용사/부사+to부정사」는 '~하기에 너무 …한/하게'라는 의미이다.

e.g. He is too busy ❶ ______ go camping. 그는 캠핑을 가기에는 너무 바쁘다.

Helen is ❷ ______ young to drive. Helen은 운전을 하기에는 너무 어리다.

I'm too tired to cook. 나는 요리를 하기에는 너무 피곤하다.

He was too shy to dance on the stage. 그는 무대 위에서 춤을 추기에는 너무 수줍었다.

❶ to
❷ too

핵심 2 so+형용사/부사+that+주어+can't ~

「too+형용사/부사+to부정사」는 「so+형용사/부사+that+주어+can't ~」로 바꿔 쓸 수 있다.

e.g. He is too busy to go camping.

➡ He is ❸ ______ busy that he can't go camping.
그는 너무 바빠서 캠핑을 갈 수 없다.

Helen is too young to drive.

➡ Helen is so ❹ ______ that she can't drive.
Helen은 너무 어려서 운전을 할 수 없다.

I'm too tired to cook.

➡ I'm so tired that I can't cook.
나는 너무 피곤해서 요리를 할 수 없다.

He was too shy to dance on the stage.

➡ He was so shy ❺ ______ he couldn't dance on the stage.
그는 너무 수줍어서 무대 위에서 춤을 출 수 없었다.

I was too full to eat more.

➡ I was ❻ ______ full that I couldn't eat more.
나는 너무 배가 불러서 더 먹을 수 없었다.

TIP 앞 동사의 시제에 따라 can't 또는 couldn't가 결정된다.

❸ so
❹ young
❺ that
❻ so

Words and Phrases

☐ go camping 캠핑을 가다 ☐ drive 운전하다 ☐ shy 수줍어하는 ☐ stage 무대

기초 확인 문제

정답과 해설 69쪽

01 다음 빈칸에 들어갈 말로 알맞은 것은?

He was ________ tired to take a walk.

① a ② to
③ so ④ too
⑤ such

02 다음 중 어법상 어색한 것은?

① I'm too sleepy that drive.
② He was too busy to go to the movies.
③ The cake is so sweet that I can't eat it.
④ It was so hot that I couldn't fall asleep.
⑤ She was so weak that she couldn't carry the bags.

03 두 문장이 같은 뜻이 되도록 빈칸에 알맞은 말을 쓰시오.

Jiho is too short to reach the shelf.
➡ Jiho is ________ short ________ she can't reach the shelf.

04 다음 그림을 보고, 주어진 단어와 so~that을 이용하여 빈칸에 알맞은 말을 쓰시오.

A How was the movie?
B It was ______ ______ ______ ______ ______ stay awake. (boring)

05 다음 문장과 의미가 통하는 것은?

David is too young to drink coffee.

① David is not so young to drink coffee.
② David is so young that he can drink coffee.
③ David is so young that he can't drink coffee.
④ David is not so young that he can drink coffee.
⑤ David is not so young that he can't drink coffee.

Words and Phrases

□ take a walk 산책을 하다 □ fall asleep 잠이 들다 □ carry 나르다, 운반하다 □ shelf 선반 □ boring 지루한

2일 교과서 **핵심 문법 ❷**

핵심 3 so that+주어+동사

1. 「so that+주어+동사」는 'that 이하를 위해'라는 뜻으로 ❶ ______ 을 나타낸다. so that 다음에는 보통 조동사가 온다.

e.g. Speak clearly ❷ ______ that I can understand you.
네가 하는 말을 내가 이해할 수 있도록 분명하게 말해라.
I swim every day so ❸ ______ I can stay healthy.
나는 건강을 유지하기 위해 매일 수영을 한다.

2. so that 앞의 주절의 동사가 과거 시제이면 조동사 can(will)도 과거형인 could(would)로 바꿔 써야 한다.

e.g. I saved my allowance so that I ❹ ______ buy a new computer.
나는 새 컴퓨터를 사기 위해 용돈을 모았다.
We took a taxi so that we would not miss the train.
우리는 기차를 놓치지 않기 위해 택시를 탔다.

핵심 4 (in order(so as)) to

1. 목적을 나타내는 so that 대신에 in order to, so as to 또는 to부정사를 쓸 수 있다.

e.g. Oliver practiced hard so that he ❺ ______ win the race.
Oliver는 경주에서 우승하기 위해 열심히 연습했다.
➡ Oliver practiced hard in order to win the race.
➡ Oliver practiced hard so ❻ ______ to win the race.
➡ Oliver practiced hard to win the race.

I'll go to America so that I can improve my English.
나는 영어 실력을 향상시키기 위해 미국에 갈 것이다.
➡ I'll go to America in order to improve my English.
➡ I'll go to America so as to improve my English.
➡ I'll go to America ❼ ______ improve my English.

❶ 목적
❷ so
❸ that
❹ could
❺ could
❻ as
❼ to

Words and Phrases

☐ clearly 분명하게 ☐ allowance 용돈 ☐ practice 연습하다 ☐ race 경주 ☐ improve 향상시키다

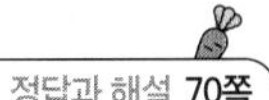

정답과 해설 70쪽

06 다음 빈칸에 들어갈 말로 알맞은 것은?

> Exercise regularly ________ you can stay healthy.

① to ② so that
③ that ④ so as to
⑤ in order to

07 괄호 안의 어구를 바르게 배열했을 때 세 번째로 오는 것은?

> Let's sit here ____________________.
> (can / that / take a rest / so / we)

① can ② that
③ take a rest ④ so
⑤ we

08 여학생의 말과 같은 뜻이 되도록 빈칸에 알맞은 말을 쓰시오.

➡ I'll save money in ________ ________ ________ a new bike.
➡ I'll save money so ________ ________ ________ a new bike.

09 다음 중 밑줄 친 부분의 쓰임이 어색한 것은?

① Study hard so as to get good grades.
② He took his glasses to read the newspaper.
③ I'll go to France so that I can learn French.
④ I wouldn't wake the baby so that I turned down the music.
⑤ I went to the market in order to buy some flowers.

10 우리말과 같은 뜻이 되도록 빈칸에 알맞은 말을 쓰시오.

> Emma는 훌륭한 농구선수가 되기 위해 열심히 연습했다.

➡ Emma practiced hard ________ ________ ________ ________ become a great basketball player.

Words and Phrases
□ regularly 규칙적으로 □ take a rest 휴식을 취하다 □ grade 성적

2일 내신 기출 베스트

대표 예제 1 so ~ that

다음 그림을 보고, 빈칸에 알맞은 말을 쓰시오.

➡ Yujin got up ________ late ________ she couldn't catch the bus.

개념 가이드

「so+형용사/부사+ ① ________ +주어+can't ~」는 '너무 ~해서 …할 수 없다'라는 의미로 원인과 그에 따른 ② ________ 를 나타낸다.

답 ① that ② 결과

대표 예제 2 too ~ to

우리말과 같은 뜻이 되도록 할 때 빈칸에 들어갈 말이 순서대로 짝 지어진 것은?

외출하기에는 날씨가 너무 추웠다.
➡ It was ________ cold ________ go out.

① too – to
② too – so
③ so – too
④ so – that
⑤ such – to

개념 가이드

'~하기에 너무 …한/하게'이라는 의미는 「③ ________ +형용사/부사+ ④ ________ 」로 나타낸다.

답 ③ too ④ to부정사

대표 예제 3 too ~ to / so ~ that

두 문장의 의미가 통하도록 할 때 빈칸에 들어갈 말이 순서대로 짝 지어진 것은?

The book is too difficult to read.
➡ The book is ________ difficult ________ I can't read it.

① so – to
② too – to
③ so – that
④ too – that
⑤ such – that

개념 가이드

「⑤ ________ +형용사/부사+to부정사」는 「so+형용사/부사+ ⑥ ________ +주어+동사」로 바꿔 쓸 수 있다.

답 ⑤ too ⑥ that

대표 예제 4 so ~ that

다음 문장을 so ~ that을 이용하여 바꿔 쓰시오.

Because the box was very heavy, he couldn't *lift it.
*들어 올리다

➡ The box ________________________.

개념 가이드

「so+형용사/부사+ ⑦ ________ +주어+can't ~」는 '너무 ~해서 …할 수 없다'라는 의미를 나타낸다.

답 ⑦ that

대표 예제 5 so that / (in order(so as)) to

다음 빈칸에 들어갈 말로 알맞은 것을 두 개 고르면?

I went to the library so that I could ˚return books. ˚반납하다

➡ I went to the library _______ return books.

① to ② so that
③ so ④ so as to
⑤ as to

개념 가이드

「so ⑧ [ ] +주어+동사」는 「(in order[so ⑨ [ ]]) to+동사원형」과 바꿔 쓸 수 있다.

답 ⑧ that ⑨ as

대표 예제 6 so that / (in order(so as)) to

다음 문장과 같은 뜻이 되도록 빈칸에 알맞은 말을 쓰시오.

I jump rope every day in order to lose some weight.

➡ I jump rope every day _______ _______ I can lose some weight.

➡ I jump rope every day _______ _______ _______ lose some weight.

개념 가이드

⑩ [ ] that, in order to, so as to는 모두 ⑪ [ ]을 나타내는 표현이다.

답 ⑩ so ⑪ 목적

대표 예제 7 so that / (in order(so as)) to

다음 중 빈칸에 so that이 들어갈 수 없는 것은?

① Talk ˚slowly _______ I can ˚˚follow you.
˚천천히 ˚˚이해하다, (내용을) 따라잡다

② I drove fast _______ I wouldn't be late.

③ I take English class _______ I can ˚improve my English.
˚향상시키다

④ He could catch the bus _______ he ran fast.

⑤ I saved money _______ I could buy a new car.

개념 가이드

「⑫ [ ] that+주어+동사」는 목적을 나타낸다.

답 ⑫ so

대표 예제 8 so that / (in order(so as)) to

우리말과 같은 뜻이 되도록 괄호 안의 어구를 바르게 배열하시오.

우리는 제시간에 그곳에 도착하기 위해 택시를 탈 것이다.

➡ We will take a taxi _______________ _______________.

(we / so / on time / can / arrive / there / that)

개념 가이드

「⑬ [ ] that+주어+동사」는 'that 이하를 위해'라는 의미이다.

답 ⑬ so

3일 간접의문문

생각 열기

공부할 내용

❶ 간접의문문의 형태와 쓰임
❷ 의문사가 있는 간접의문문
❸ 의문사가 없는 간접의문문

의문사가 없는 간접의문문

Quiz

1. 평서문 / 의문문 이 다른 문장의 일부로 포함된 것을 간접의문문이라고 합니다.
2. Tell me where the restroom is.와 같은 의문사가 있는 간접의문문의 어순은 의문사+주어+동사 / 의문사+동사+주어 입니다.

Answers

1. 의문문
2. 의문사+주어+동사

교과서 핵심 문법 ❶

핵심 1 간접의문문

1. 간접의문문의 쓰임

의문문을 다른 문장의 일부로 쓴 것을 말하며 주로 동사의 목적어 역할을 한다.

e.g. Do you know?+Who is the man?
너는 아니? 그 남자는 누구니?
➡ Do you know ❶ ______ the man is? 너는 그 남자가 누군지 아니?
(의문사 / 주어 / 동사)

I don't know.+Does she like cats?
나는 모른다. 그녀는 고양이를 좋아하니?
➡ I don't know ❷ ______ she likes cats. 나는 그녀가 고양이를 좋아하는지 모른다.
(주어 / 동사)

❶ who

❷ if(whether)

2. 간접의문문과 함께 자주 쓰이는 표현들

- Can you tell me ~? 내게 ~을 말해줄 수 있니?
- I don't know ~. 나는 ~을 모른다.
- I wonder ~. 나는 ~이 궁금하다.
- I want to know ~. 나는 ~을 알고 싶다.
- I'm not sure ~. 나는 ~을 잘 모르겠다.
- Do you know ~? 너는 ~을 아니?

핵심 2 의문사가 있는 간접의문문

1. 의문사를 포함하는 간접의문문은 「의문사 + ❸ ______ +동사」의 어순으로 쓴다.

e.g. Can you tell me ❹ ______ you were late?
네가 왜 늦었는지 내게 말해 줄 수 있니?

I want to know where the hospital ❺ ______.
나는 병원이 어디에 있는지 알고 싶다.

❸ 주어

❹ why

❺ is

2. 간접의문문이 동사 think, guess, suppose, believe 등의 목적어가 되면 의문사를 문장의 맨 앞에 쓴다.

e.g. Do you think?+Where is he from? 너는 생각하니? 그는 어디 출신이니?
➡ Where do you ❻ ______ he is from? 너는 그가 어디 출신이라고 생각하니?

❻ think

TIP 간접의문문에서 의문사가 주어이면 간접의문문과 직접의문문의 어순은 같다.
Do you know? + Who ate my cake?
너는 아니? 누가 내 케이크를 먹었니?
→ Do you know who ate my cake?
너는 누가 내 케이크를 먹었는지 아니?

Words and Phrases

☐ late 늦은 ☐ guess 추측하다 ☐ suppose 추측하다 ☐ believe 믿다

기초 확인 문제

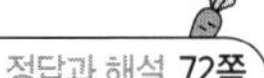

정답과 해설 72쪽

01 괄호 안에서 알맞은 것을 고르시오.

(1) Do you know (what this is / what is this)?

(2) I wonder (that / what) your phone number is.

(3) Can you tell me (where is Liam / where Liam is)?

(4) I don't know (why he likes the movie / why does he like the movie).

02 〈보기〉와 같이 두 문장을 한 문장으로 바꿔 쓰시오.

보기

I want to know.
+ When is your birthday?
➡ I want to know when your birthday is.

(1) Tell me. + What do you want?

➡ ______________________

(2) Henry wonders. + Who is that tall boy?

➡ ______________________

03 밑줄 친 부분 중 어법상 어색한 것은?

① I'm not sure where Brian lives.
② Do you know who did the dishes?
③ I don't know who wrote this song.
④ Can you tell me what food you need?
⑤ I want to know why did he tell me a lie.

04 다음 그림을 보고, 주어진 어구를 바르게 배열하시오.

➡ Do you know ______________________?
(your mom / food / likes / what)

05 다음 빈칸에 들어갈 말로 알맞은 것은?

I don't know ____________.
(나는 William이 왜 마음이 상했는지 모른다.)

① why upsets William
② why William is upset
③ why William does upset
④ why does William upset
⑤ why do William upsets

Words and Phrases

☐ tell a lie 거짓말하다 ☐ upset 속상한, 마음이 상한

교과서 핵심 문법 ❷

핵심 3 의문사가 없는 간접의문문

1. 의문사를 포함하지 않는 간접의문문은 if 또는 whether를 사용하여 「if (whether) + 주어 + ❶ ________」의 어순으로 쓴다. 이때 if (whether)는 '~인지 아닌지'라는 의미이다.

e.g. I wonder. + Are you hungry?
나는 궁금하다. 너는 배가 고프니?
➡ I wonder if (whether) you are hungry.
나는 네가 배가 고픈지 궁금하다.

I don't know. + Does she like summer?
나는 모르겠다. 그녀는 여름을 좋아하니?
➡ I don't know ❷ ________ she likes summer.
나는 그녀가 여름을 좋아하는지 모른다.

I want to know. + Can he speak Chinese?
나는 알고 싶다. 그는 중국어를 말할 수 있니?
➡ I want to know if (whether) he ❸ ________ speak Chinese.
나는 그가 중국어를 말할 수 있는지 알고 싶다.

2. **if절과 whether절의 차이점**

간접의문문에 whether를 사용할 경우, whether 바로 뒤나 문장 끝에 or not을 쓸 수 있다. whether 대신 if가 쓰인 간접의문문에서는 ❹ ________ 바로 뒤에 or not을 쓸 수 없다.

Do you know whether or not he has a dog? (○) 너는 그가 강아지를 키우는지 알고 있니?
Do you know whether he has a dog or not? (○)
Do you know if or not he has a dog? (×)
Do you know if he has a dog or not? (○)

3. **부사절 접속사 if와 명사절 접속사 if**

- 조건의 부사절을 이끄는 접속사 if는 '만약 ~라면'이라는 의미이다. 조건의 부사절에서는 미래의 일을 현재 시제로 나타낸다.

e.g. If she ❺ ________ us, we'll help her.
만약 그녀가 우리를 돕는다면, 우리도 그녀를 도울 것이다.

- 명사절을 이끄는 접속사 if는 '~인지 아닌지'라는 의미로, if가 이끄는 명사절이 문장의 목적어 역할을 한다.

e.g. I'm not sure ❻ ________ she will help us.
나는 그녀가 우리를 도울지 확신할 수 없다.

❶ 동사
❷ if (whether)
❸ can
❹ if
❺ helps
❻ if

정답과 해설 73쪽

06 다음 빈칸에 들어갈 말이 순서대로 짝 지어진 것은?

- I don't know ________ the show begins.
- I'm wondering ________ he will come to the party.

① what - if ② when - if
③ what - as ④ when - as
⑤ which - about

07 다음 빈칸에 들어갈 말로 알맞은 것은?

I wonder ________________.

① if likes cooking
② if likes he cooking
③ if he likes cooking
④ if he does like cooking
⑤ if does he like cooking

08 다음 중 밑줄 친 부분이 어법상 어색한 것은?

① I don't know if he will call me.
② Tell me whether the kids liked the story.
③ Can you tell me if you can make pizza?
④ They asked me whether the rumor true.
⑤ I want to know if he knows my phone number.

09 밑줄 친 if의 쓰임이 나머지 넷과 다른 하나는?

① I want to know if she loves me.
② Can you tell me if she drinks coffee?
③ I won't go out if it rains tomorrow.
④ Do you know if we have homework?
⑤ She doesn't care if he comes or not.

10 다음 그림을 보고, 주어진 어구를 바르게 배열하여 문장을 완성하시오.

(1)

➡ I wonder ________________.
(if / rain / likes / he)

(2)

➡ I wonder ________________.
(to / watch / a horror movie / you / want / whether)

Words and Phrases
□ rumor 소문 □ horror 공포

3일 내신 기출 베스트

대표 예제 1 의문사가 있는 간접의문문

다음 빈칸에 들어갈 수 없는 것은?

I don't know ____________.

① how long they'll stay
② what do I want to eat
③ who will lead the team
④ when the movie begins
⑤ where I can buy flowers

* stay 머무르다
* lead (앞장서서) 이끌다

개념 가이드

의문문의 동사가 일반동사인 의문사가 있는 간접의문문의 어순은 「의문사+ ① ______ +일반동사」이다.

답 ① 주어

대표 예제 2 의문사가 있는 간접의문문

다음 중 밑줄 친 부분이 어법상 어색한 것은?

① Let me know <u>where he lives</u>.
② <u>Who do you think</u> he loves?
③ I wonder <u>when the shop closes</u>.
④ <u>How old do you guess</u> he is?
⑤ Do you know <u>what day is it</u> today?

개념 가이드

동사의 목적어 역할을 하는 간접의문문의 어순은 「의문사+ ② ______ + ③ ______ 」이다.

답 ② 주어 ③ 동사

대표 예제 3 의문사가 있는 간접의문문

다음 그림을 보고, 주어진 어구를 바르게 배열하여 문장을 완성하시오.

➡ Do you know ____________?
(my wallet / is / where)

* wallet 지갑

개념 가이드

의문사가 있는 간접의문문의 어순은 「 ④ ______ +주어+동사」이다.

답 ④ 의문사

대표 예제 4 의문사가 있는 간접의문문

주어진 문장과 의미가 통하는 간접의문문을 완성하시오.

(1) What is love?

➡ I want to know ____________.

(2) Why was he late for school?

➡ I don't know ____________.

개념 가이드

의문사가 있는 의문문이 다른 문장의 일부로 쓰이면 「의문사+주어+ ⑤ ______ 」의 어순이 된다.

답 ⑤ 동사

정답과 해설 74쪽

대표 예제 5 의문사가 없는 간접의문문

주어진 문장과 의미가 통하도록 할 때 빈칸에 들어갈 말로 알맞은 것은?

Is there a bank near here?
➡ Do you know ____________________?

① there is a bank near here
② is there a bank near here
③ if there is a bank near here
④ if is there a bank near here
⑤ that there is a bank near here

개념 가이드

의문사가 없는 의문문이 간접의문문이 되면 if 또는 ⑥ ________ 가 절을 이끈다.

답 ⑥ whether

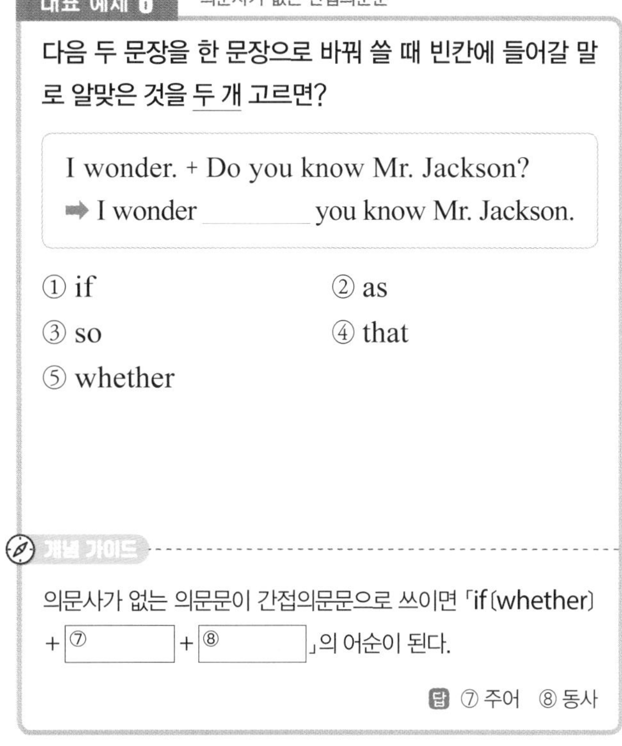

대표 예제 6 의문사가 없는 간접의문문

다음 두 문장을 한 문장으로 바꿔 쓸 때 빈칸에 들어갈 말로 알맞은 것을 두 개 고르면?

I wonder. + Do you know Mr. Jackson?
➡ I wonder ________ you know Mr. Jackson.

① if ② as
③ so ④ that
⑤ whether

개념 가이드

의문사가 없는 의문문이 간접의문문으로 쓰이면 「if(whether) + ⑦ ________ + ⑧ ________」의 어순이 된다.

답 ⑦ 주어 ⑧ 동사

대표 예제 7 의문사가 없는 간접의문문

밑줄 친 ①~⑤ 중 어법상 어색한 것은?

I don't know(①) if(②) is it(③) a good(④) idea(⑤).
(나는 그것이 좋은 생각인지 잘 모르겠다.)

개념 가이드

의문사가 없는 의문문에서는 의문사 대신에 ⑨ ________ 가 이끄는 절이 동사의 목적어 역할을 한다.

답 ⑨ if(whether)

대표 예제 8 의문사가 없는 간접의문문

여학생의 말과 뜻이 통하도록 빈칸에 알맞은 말을 쓰시오.

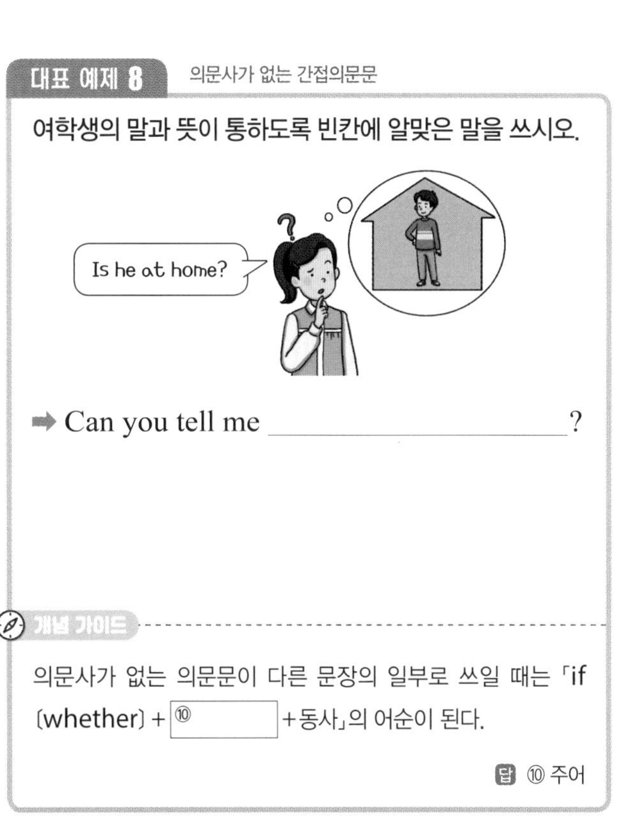

➡ Can you tell me ____________________?

개념 가이드

의문사가 없는 의문문이 다른 문장의 일부로 쓰일 때는 「if(whether) + ⑩ ________ + 동사」의 어순이 된다.

답 ⑩ 주어

4일 수동태

생각 열기

수동태의 의미와 형태
Jinho
painted
the house.
The house
was painted
by Jinho.
진호는 그 집을 페인트칠했다.
그 집은 진호에 의해 페인트칠되었다.
수동태의 의문문과 부정문
Wow, this picture is cool. Was it painted by a famous artist?
와, 이 그림 멋지다. 유명한 화가에 의해 그려진 거니?
No, it was not painted by a famous artist. It was painted by my 6-year-old sister.
아니, 그건 유명한 화가에 의해 그려진 게 아니야. 그건 내 6살 짜리 여동생에 의해 그려졌어.

공부할 내용

❶ 수동태의 의미와 형태
❷ 수동태의 시제
❸ 조동사를 포함하는 수동태
❹ by 이외의 전치사를 쓰는 수동태

by 이외의 전치사를 쓰는 수동태

Quiz

1. 수동태는 행위자 / 행위의 대상 을 강조할 때 사용합니다.
2. 수동태의 시제는 be동사 / 일반동사 의 형태 변화로 나타냅니다.

Answers

1. 행위의 대상
2. be동사

4일 교과서 핵심 문법 ❶

핵심 1 수동태의 의미와 형태

1. 수동태의 의미와 형태

수동태는 '동작을 하는 행위자'가 아니라 '행위의 ❶ [ ]'이 주어인 동사의 형태이다. 수동태는 「주어+be동사+과거분사(+by+행위자)」로 쓴다.

❶ 대상

2. 능동태의 수동태 전환

① 능동태의 목적어를 수동태의 주어로 쓴다.

② 동사는 「be동사+❷ [ ]」의 형태이다. be동사의 시제는 능동태의 동사 시제에 따른다.

❷ 과거분사

③ 능동태의 주어를 「by+행위자(목적격)」의 형태로 문장 마지막에 쓴다.

능동태 Most teens(주어) love this novel(목적어). 대부분의 십 대들은 이 소설을 아주 좋아한다.

수동태 This novel(주어) is loved(be동사+과거분사) by most teens(행위자).

TIP 「by+행위자」는 행위자가 분명하지 않거나 밝힐 필요가 없는 경우에는 생략할 수 있다.

3. 수동태의 부정문과 의문문

부정문	be동사+❸ [ ]+과거분사	The picture was not ❹ [ ] by Mia. 그 사진은 Mia에 의해 찍히지 않았다.
의문문	(의문사+)be동사+주어+과거분사 ~?	Is this shirt designed by your sister? 이 셔츠는 너의 여동생에 의해 디자인이 되었니?

❸ not
❹ taken

핵심 2 수동태의 시제

수동태의 시제는 be동사로 나타낸다. 뒤의 과거분사는 변하지 않는다.

현재	am / is / are+과거분사	The window is cleaned by Mr. Smith. 창문은 Smith 씨에 의해 청소된다.
과거	was / were+과거분사	The door was fixed by Ava. 그 문은 Ava에 의해 수리되었다.
미래	will ❺ [ ]+과거분사	The letter will be ❻ [ ] by Owen. 그 편지는 Owen에 의해 보내질 것이다.

❺ be
❻ sent

Words and Phrases

☐ most 대부분의 ☐ teen 십 대 ☐ novel 소설 ☐ design 디자인하다 ☐ fix 수리하다

기초 확인 문제

정답과 해설 75쪽

01 괄호 안에서 알맞은 것을 고르시오.

(1) When was the bridge (build / built)?

(2) The cake (was bake / was baked) by my mom.

(3) The window (is not cleaned / did not cleaned) by James.

02 다음 빈칸에 들어갈 말로 알맞은 것은?

The flowers are watered ________ Jacob every morning.

① of ② by
③ to ④ for
⑤ from

03 주어진 어구를 이용하여 우리말을 영어로 옮겨 쓰시오.

그 영화는 Nolan에 의해 감독되었다.

➡ ______________________________

(the movie, direct)

04 다음 문장을 수동태 문장으로 바꿀 때 빈칸에 들어갈 말로 알맞은 것은?

Thomas Edison invented the light bulb.
➡ The light bulb ____________ Thomas Edison.

① be invent by ② is invented from
③ be invented by ④ was invented from
⑤ was invented by

05 지시에 따라 주어진 문장을 바꿔 쓰시오.

(1) This novel was written by him. (부정문으로)
➡ ______________________________

(2) This house was built last year. (의문문으로)
➡ ______________________________

(3) The car is cleaned by my dad. (과거 시제로)
➡ ______________________________

(4) The table is set by Clara. (미래 시제로)
➡ ______________________________

Words and Phrases

□ bridge 다리 □ build 짓다 □ water (식물에) 물을 주다 □ direct 감독하다 □ invent 발명하다 □ light bulb 전구 □ set the table 밥상을 차리다

교과서 핵심 문법 ❷

핵심 3 조동사를 포함하는 수동태

1. 조동사를 포함하는 수동태의 형태

조동사(can, will, must, should, may 등)가 있을 때의 수동태는 「❶ ______ +be+과거분사」 형태로 쓴다.

e.g. The project should ❷ ______ finished by tomorrow.
그 프로젝트는 내일까지 완료되어야 한다.

The community center will be ❸ ______ next year.
주민 센터가 내년에 지어질 것이다.

❶ 조동사
❷ be
❸ built

2. 조동사를 포함하는 수동태의 부정문과 의문문

부정문	주어+조동사+not+be+과거분사 ~.
의문문	(의문사+)조동사+주어+be+과거분사 ~?

e.g. Children should ❹ ______ be allowed to watch this program.
아이들이 이 프로그램을 보도록 허락되어서는 안 된다.

When will the chair ❺ ______ delivered?
의자가 언제 배송될까요?

❹ not
❺ be

핵심 4 by 이외의 전치사를 쓰는 수동태

be tired of	~에 싫증이 나다	I'm tired of this work. 나는 이 일에 싫증이 난다.
be covered with	~으로 덮여 있다	The wall is covered with pictures. 벽이 그림들로 덮여 있다.
be satisfied with	~에 만족하다	I'm satisfied with the test result. 나는 시험 결과에 만족한다.
be interested in	~에 흥미가 있다	I'm interested in Asian history. 나는 아시아의 역사에 관심이 있다.
be pleased with	~에 기뻐하다	He was pleased with the news. 그는 그 소식에 기뻐했다.
be filled with	~으로 가득 차다	The cup is filled ❻ ______ coffee. 컵은 커피로 가득 차 있다.

❻ with

Words and Phrases

☐ project 프로젝트, 과제 ☐ community center 주민 센터 ☐ build 짓다 ☐ allow 허락하다
☐ deliver 배달하다

06 다음 빈칸에 들어갈 말로 알맞은 것은?

The letter should ________ before May 3.

① send　② sent
③ be sent　④ be sending
⑤ been sent

07 다음 빈칸에 공통으로 들어갈 말로 알맞은 것은?

• Her eyes were filled ________ tears.
• The floor is covered ________ lots of dust.

① of　② to
③ in　④ with
⑤ about

08 밑줄 친 ①~⑤ 중 어법상 어색한 것은?

A Will(①) the chair delivered(②) today?
B No, it(③) won't(④). It will be delivered(⑤) tomorrow.

09 밑줄 친 부분 중 어법상 어색한 것은?

① The bike will be fixed by Daniel.
② Cell phones can be charged for free.
③ Should the report be written in English?
④ The classroom should be cleaned every day.
⑤ Students cannot be used cell phones in class.

10 다음 표지판을 보고, 주어진 어구를 이용하여 문장을 완성하시오. (필요하면 동사의 형태를 바꿀 것)

(1)

➡ The light ______________________.
(must, turn off)

(2)

➡ Foods ______________________ into the library. (should, bring)

Words and Phrases
□ May 5월 □ tear 눈물 □ dust 먼지 □ charge 충전하다 □ turn off (불을) 끄다

4일 내신 기출 베스트

대표 예제 1 수동태의 형태

밑줄 친 raise의 형태로 알맞은 것은?

Two dogs are raise by my sister.

① raise ② raised
③ raising ④ be raised
⑤ to raise

개념 가이드

수동태는 「be동사+과거분사」로 쓰며 시제는 ① [ ] 의 형태로 나타낸다.

답 ① be동사

대표 예제 2 능동태의 수동태 전환

두 문장의 의미가 통하도록 빈칸에 알맞은 말을 쓰시오.

(1) Dean cooked dinner.
➡ Dinner ________ ________ ________ Dean.

(2) The children love this song.
➡ This song ________ ________ ________ the children.

개념 가이드

행위의 대상이 주어인 수동태는 「be동사+ ② [ ] 」의 형태이며 행위자는 「by+행위자」로 쓴다.

답 ② 과거분사

대표 예제 3 수동태의 부정문

다음 문장을 부정문으로 바꿔 쓸 때, not이 들어갈 위치로 알맞은 것은?

This writer's (①) new book (②) is (③) read (④) by (⑤) many people.

개념 가이드

수동태의 부정문은 「be동사+ ③ [ ] +과거분사」의 어순이다.

답 ③ not

대표 예제 4 수동태의 의문문

다음 문장과 의미가 통하는 것은?

Did Amber write the *poem? *시

① Did Amber be written the poem?
② Did the poem be written by Amber?
③ Was the poem write by Amber?
④ Was the poem written by Amber?
⑤ Was Amber written by the poem?

개념 가이드

수동태의 의문문은 「(의문사+)be동사+주어+ ④ [ ] ~?」로 쓴다.

답 ④ 과거분사

정답과 해설 77쪽

대표 예제 5 조동사를 포함하는 수동태

우리말과 같은 뜻이 되도록 주어진 어구를 바르게 배열하시오.

(1) 점심 식사 후에 바닥이 청소되어야 한다.

➡ The floor ____________ after lunch. (be / cleaned / should)

(2) 눈사람은 우리에 의해 만들어질 것이다.

➡ The snowman ____________. (be / will / by / built / us)

개념 가이드

조동사를 포함하는 수동태는 「⑤ ____ + be + 과거분사」 형태로 쓴다.

답 ⑤ 조동사

대표 예제 6 조동사를 포함하는 수동태

다음 빈칸에 들어갈 수 없는 것은?

The task ______ be done by tomorrow.

*task 과제

① will ② can
③ does ④ must
⑤ should

개념 가이드

can, will, must, should 등의 ⑥ ____ 를 포함하는 수동태는 「⑦ ____ + be + 과거분사」 형태로 쓴다.

답 ⑥, ⑦ 조동사

대표 예제 7 조동사를 포함하는 수동태

밑줄 친 부분 중 어법상 어색한 것은?

① The machine will be fixed soon. *machine 기계
② Plastic bottles must be recycled. *recycle 재활용하다
③ The problem can be not solved by you.
④ The movie will be loved for a long time.
⑤ The rule can be changed later.

개념 가이드

조동사를 포함하는 수동태의 부정은 조동사 뒤에 ⑧ ____ 을 쓴다.

답 ⑧ not

대표 예제 8 by 이외의 전치사를 쓰는 수동태

다음 빈칸에 들어갈 말로 알맞은 것은?

The car is covered ______ snow.

① of ② by
③ for ④ from
⑤ with

개념 가이드

by 이외의 ⑨ ____ 를 쓰는 수동태 중 be covered with는 '~로 덮여 있다'라는 의미이다.

답 ⑨ 전치사

5일 현재완료

생각 열기

현재완료의 형태와 쓰임

나는 열쇠를 잃어버렸다.

I lost my key.

나는 열쇠를 잃어버렸다. 나는 지금 열쇠를 가지고 있지 않다.

I have lost my key.
I don't have my key now.

과거 현재

현재완료 용법(1) 경험, 계속

공부할 내용

❶ 현재완료의 형태와 쓰임
❷ 현재완료 용법 (1) 경험, 계속
❸ 현재완료 용법 (2) 결과, 완료

현재완료 용법(2) 결과, 완료

My friend is a writer. He has written many books.
내 친구는 작가야. 그는 많은 책을 썼지.

What did he write?
그가 뭘 썼는데?

Good Times

One of his famous books is *Good Times*.
그의 유명한 책 중 하나는 'Good Times'야.

Good Times

Oh, I have just read the book!
아. 나 방금 그 책을 읽었어!

Quiz

1. 현재완료 시제는 과거의 일이 현재까지 / 현재의 일이 미래까지 영향을 미칠 때 사용합니다.
2. I have lost my key.와 같이 현재완료 시제는 「have(has) + 현재분사 / 과거분사」로 씁니다.

Answers

1. 과거의 일이 현재까지
2. 과거분사

5일 교과서 핵심 문법 ❶

핵심 1 현재완료의 형태와 쓰임

1. 현재완료는 과거의 경험을 말하거나 과거에 시작된 일이 ❶ [   ] 까지 영향을 미치는 것을 나타낼 때 쓴다.

e.g. Noah has lived in many countries. Noah는 여러 나라에서 살아 왔다.
I have ❷ [   ] my cell phone. 나는 나의 휴대전화를 잃어버렸다.

2. 현재완료의 형태

긍정문	have(has)+과거분사 ~.	Bill has stayed in Korea for a month. Bill은 한 달째 한국에 머물고 있다.
부정문	have(has)+not+과거분사 ~.	Karen has not been to Korea before. Karen은 전에 한국에 가본 적이 없다.
의문문	Have(has)+주어+❸ [ ] ~?	Has it rained all day? 종일 비가 내렸니?

TIP 현재완료는 과거의 특정한 때를 나타내는 부사(구)와 함께 쓰지 않는다.
I have met him last Friday. (×)

핵심 2 현재완료의 용법 (1)

1. 경험

과거부터 현재까지의 경험을 나타낸다. before, ever, never, once 등과 함께 자주 쓰인다.

e.g. I have ❹ [   ] to Sidney. 나는 시드니에 가 본 적이 있다.
I have not seen a French movie. 나는 프랑스 영화를 본 적이 없다.
❺ [   ] you ever traveled alone? 너는 혼자서 여행을 해 본 적이 있니?

2. 계속

과거에 시작된 일이 현재까지 계속되고 있음을 나타낸다. 기간을 나타내는 for나 since와 함께 자주 쓰인다.

e.g. I have known her for two years. 나는 그녀를 2년 동안 알아 왔다.
Minji has lived in Seoul ❻ [   ] 2000. 민지는 2000년 이후로 서울에서 살고 있다.

❶ 현재
❷ lost
❸ 과거분사
❹ been
❺ Have
❻ since

Words and Phrases

☐ country 국가, 나라 ☐ travel 여행하다 ☐ alone 혼자

기초 확인 문제

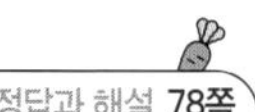

정답과 해설 78쪽

01 다음 동사의 과거분사형을 쓰시오.

(1) eat - ________ (2) send - ________
(3) bring - ________ (4) go - ________
(5) read - ________ (6) take - ________

02 다음 빈칸에 들어갈 말로 알맞은 것은?

I have known Emma ________ I was a little child.

① for ② when
③ after ④ since
⑤ during

03 다음 대화의 빈칸에 들어갈 말이 순서대로 짝 지어진 것은?

A Have you ever ________ to London?
B Yes, I ________.

① be - have ② been - have
③ be - had ④ been - haven't
⑤ seen - had

04 밑줄 친 부분 중 어법상 어색한 것은?

① I have just watched that movie before.
② Tom has been to Seoul many times.
③ How long have you played the piano?
④ I have used this computer since last year.
⑤ He has worked as a cook for three months.

05 다음 그림을 보고, 주어진 문장과 뜻이 통하도록 현재완료 시제를 이용하여 문장을 완성하시오.

• They moved in this house three years ago.
• They still live in the same house.

➡ They ________ ________ in this house ________ three years.

Words and Phrases

☐ send 보내다 ☐ cook 요리사 ☐ still 여전히

5일 교과서 핵심 문법 ❷

핵심 3 현재완료의 용법 (2)

1. 결과

과거에 일어난 일이 현재의 ❶ [ ] 를 가져온 것을 나타낸다.

e.g. I have ❷ [ ] my watch.
나는 시계를 잃어버렸다. (현재 가지고 있지 않음)

David ❸ [ ] already gone to China.
David는 벌써 중국에 가 버렸다. (현재 이곳에 없음)

I have ❹ [ ] his e-mail address.
나는 그의 이메일 주소를 잊어버렸다.

They have missed the bus.
그들은 버스를 놓쳤다.

2. 완료

과거에 시작한 일이 현재에 ❺ [ ] 되었음을 나타낸다. just, already, yet 등과 자주 쓰인다.

e.g. She has just ❻ [ ] her work.
그녀는 방금 그녀의 일을 마쳤다.

I ❼ [ ] not yet solved the problem.
나는 아직 그 문제를 해결하지 않았다.

I have already eaten lunch.
나는 벌써 점심을 먹었다.

We have just heard about the news.
우리는 방금 그 소식에 대해 들었다.

She has not ❽ [ ] the flowers yet.
그녀는 아직 꽃에 물을 주지 않았다.

❶ 결과
❷ lost
❸ has
❹ forgotten
❺ 완료
❻ finished
❼ have
❽ watered

Words and Phrases

☐ address 주소 ☐ miss 놓치다 ☐ solve 해결하다 ☐ water (식물에) 물을 주다

정답과 해설 79쪽

06 주어진 동사를 알맞은 형태로 고쳐 쓰시오.

(1) Jason has ________ his wallet. (lose)

(2) The movie just has ________. (start)

(3) I've ________ a lot from books. (learn)

(4) Matilda has already ________ at the restaurant. (arrive)

(5) I have not ________ my homework yet. (finish)

7~8 다음 빈칸에 들어갈 말로 알맞은 것을 고르시오.

07

He ________ just returned from his trip.

① is ② was
③ have ④ has
⑤ will

08

She has ________ an accident and she's in the hospital now.

① be ② been
③ have ④ has
⑤ had

09 다음 중 어법상 어색한 것은?

① Luna has gone to Mexico.
② We have missed the train.
③ Angela has bought a new boat.
④ You have been broken my watch.
⑤ Someone has eaten my sandwich.

10 다음 그림을 보고, 주어진 단어를 이용하여 문장을 완성하시오.

➡ Sam ________ ________ the dishes. (wash)

Words and Phrases

□ wallet 지갑 □ arrive 도착하다 □ yet (부정문에서) 아직 □ return 돌아오다 □ accident 사고

5일 내신 기출 베스트

대표 예제 1 현재완료 경험

다음 대화의 빈칸에 들어갈 말로 알맞은 것은?

A Jake, have you ever been to Jeju-do?
B __________ I have been there twice.

① Yes, I did. ② No, I have.
③ Yes, I am. ④ No, I haven't
⑤ Yes, I have.

개념 가이드

「Have you ever+ ① ______ ~?」는 '너는 ~해본 적이 있니?'라는 뜻의 경험을 묻는 표현이다.

답 ① 과거분사

대표 예제 2 현재완료 계속

다음 두 문장을 한 문장으로 바꿔 쓸 때 빈칸에 알맞은 말을 쓰시오.

• I started to learn French two years ago.
• I still learn it.

➡ I ________ ________ French for two years.

개념 가이드

과거에 시작된 일이 현재까지 계속되고 있음을 나타내는 현재완료 시제는 「have(has)+ ② ______」로 나타내며 '~해왔다'라고 해석한다.

답 ② 과거분사

대표 예제 3 현재완료 경험·계속

현재완료의 용법이 나머지 넷과 다른 하나는?

① We have never *fought before. *fight 싸우다
② I have not eaten Indian food.
③ Have you ever been to Spain?
④ How long have you known Sora?
⑤ I have never seen such a beautiful *scene. *풍경

개념 가이드

③ ______ 을 나타내는 현재완료 시제는 before, ever, never, once 등과 함께 자주 쓰인다.

답 ③ 경험

대표 예제 4 현재완료 계속

다음 그림을 보고, 주어진 어구를 바르게 배열하시오.

2015년 2020년

➡ They ______________________ five years. (each other / have / for / known)

개념 가이드

과거에 시작한 일이 ④ ______ 까지 계속되는 것을 나타내는 현재완료 시제는 ⑤ ______ 또는 since와 함께 자주 쓰인다.

답 ④ 현재 ⑤ for

대표 예제 5 현재완료의 형태

다음 중 어법상 어색한 것은?

① He has lost his diary.
② I have met Daniel twice.
③ Have you buy a new car?
④ I have spent all my money.
⑤ They have forgotten my birthday.

개념 가이드

현재완료 시제의 의문문은 「Have(has)+주어+ ⑥ ~?」로 쓴다.

답 ⑥ 과거분사

대표 예제 6 현재완료 완료

다음 그림을 보고, 주어진 단어를 이용하여 문장을 완성하시오.

➡ I ________ just ________ the picture. (paint)

개념 가이드

과거에 시작한 일이 현재 완료되었음을 나타내는 현재완료 시제는 「have(has)+ ⑦ 」 형태이며, just, already, yet 등과 함께 자주 쓰인다.

답 ⑦ 과거분사

대표 예제 7 현재완료 결과

다음 문장과 의미가 통하는 것은?

> I lost my passport* and I don't have it now.
> *여권

① I lost my passport.
② I had lost my passport.
③ I have lost my passport.
④ I have been lost my passport.
⑤ I have been losing my passport.

개념 가이드

과거의 일이 원인이 되어 현재의 ⑧ 를 가져왔음을 나타내는 현재완료 시제는 「have(has)+과거분사」 형태이다.

답 ⑧ 결과

대표 예제 8 현재완료 완료

다음 빈칸에 들어갈 말로 알맞은 것은?

> Don't send an e-mail to Ted. I've already ________ it.

① send
② sent
③ be send
④ be sending
⑤ been sent

개념 가이드

과거에 시작한 일이 현재에 ⑨ 되었음을 나타내는 현재완료 시제는 just, already, yet 등과 함께 자주 쓰인다.

답 ⑨ 완료

6일 누구나 100점 테스트 1회

가주어와 진주어

1~2 다음 빈칸에 들어갈 말로 알맞은 것을 고르시오.

01

It's a lie ________ she saw a UFO.
(그녀가 UFO를 봤다는 것은 거짓말이다.)

① to ② as
③ what ④ that
⑤ when

02

It is important ________ wash hands before a meal.
(식사 전에 손을 씻는 것은 중요하다.)

meal: 식사

① to ② as
③ for ④ that
⑤ with

가주어와 진주어

03 주어진 어구를 이용하여 다음 우리말을 영어로 옮겨 쓰시오. (단, 가주어 it과 to부정사를 포함할 것)

일기를 쓰는 것은 좋은 생각이다.

➡ ________________________________

(a good idea, keep a diary)

keep a diary: 일기를 쓰다

too~to / so~that

04 다음 문장과 의미가 통하는 것을 두 개 고르면?

Lucy is too tall to wear these pants.

① Lucy is not tall, so she can't wear these pants.
② Lucy is so tall that she can wear these pants.
③ Lucy is so tall that she can't wear these pants.
④ These pants are so short that Lucy can wear them.
⑤ Lucy can't wear these pants because she is too tall.

too~to

05 우리말과 같은 뜻이 되도록 주어진 어구를 바르게 배열하시오.

그는 롤러코스터를 타기에는 너무 키가 작다.

➡ ________________________________

(too/ride/he/short/is/to/a roller coaster)

가주어와 진주어

06 가주어 It을 이용하여 주어진 문장을 다시 쓰시오.

To swim across the river is dangerous.

➡ It ______________________________.

too~to

07 다음 문장과 뜻이 통하도록 빈칸에 알맞은 말을 쓰시오.

Ethan was very tired, so he couldn't walk anymore.

➡ Ethan was ________ tired ________ walk anymore.

too~to / so~that

08 다음 문장과 의미가 통하도록 빈칸에 알맞은 말을 쓰시오.

(1) The music is too loud to hear your voice.

➡ The music is ________ ________ ________ I can't hear your voice.

(2) It was so dark that we couldn't go out.

➡ It was ________ ________ ________ ________ out.

가주어와 진주어

09 밑줄 친 It[it]의 쓰임이 〈보기〉와 같은 것은?

보기

It is fun to play badminton.

① It is Monday today.

② What time is it now?

③ Was it nice to stay there?

④ It will rain a lot tomorrow.

⑤ How far is it from here to the station?

목적을 나타내는 구문

10 우리말과 같은 뜻이 되도록 빈칸에 알맞은 말을 쓰시오.

우리는 좋은 좌석을 얻기 위해 일찍 도착했다.

➡ We arrived early to get good seats.

➡ We arrived early ________ ________ we could get good seats.

➡ We arrived early so ________ ________ get good seats.

6일 누구나 100점 테스트 2회

현재완료

01 주어진 동사를 이용하여 빈칸에 알맞은 말을 쓰시오.

(1) I ________ ________ a kangaroo before. (see)

(2) Guests ________ already ________ home. (arrive)

(3) How long ________ you ________ him? (know)

의문사가 있는 간접의문문

02 다음 빈칸에 들어갈 말로 알맞은 것은?

A How old is your English teacher?
B I don't know ____________.

① how old he is
② how he is old
③ how he old is
④ he how old is
⑤ he old how is

간접의문문

03 다음 빈칸에 들어갈 말이 순서대로 짝 지어진 것은?

• I wonder ________ you are tired.
• I want to know ________ the answer is.

① if - if
② whether - which
③ if – what
④ whether - if
⑤ what - what

의문사가 있는 간접의문문

04 〈보기〉와 같이 두 문장을 한 문장으로 바꿔 쓰시오.

보기
• Do you know?
• Who is he?
➡ Do you know who he is?

• Tell me.
• Where did you buy that coat?

➡ ____________________________

현재완료 계속

05 다음 그림을 보고, 주어진 어구를 이용하여 문장을 완성하시오.

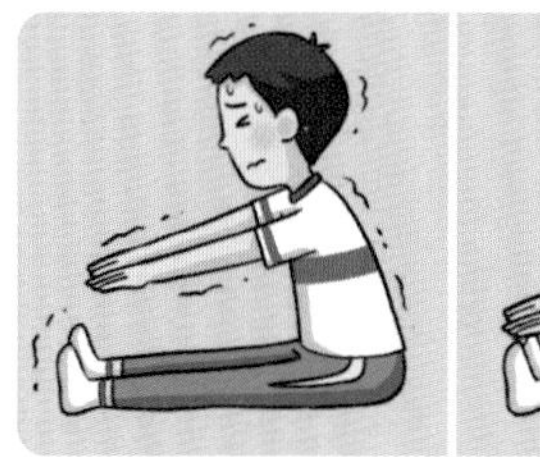
six months ago

now

➡ I ____________ for six months. (do yoga)

수동태의 부정문과 의문문

06 지시에 따라 다음 문장을 바꿔 쓰시오.

Yujin's birthday cake is baked by her dad every year.

➡ ______________________
(부정문)

➡ ______________________
(의문문)

수동태의 형태

07 다음 그림을 보고, 주어진 어구를 바르게 배열하시오.

➡ This muffler ______________.
(my mom / was / by / made)

조동사를 포함하는 수동태

08 두 문장이 같은 뜻이 되도록 할 때 빈칸에 들어갈 말로 알맞은 것은?

Students will know the news soon.
= The news ________ to the students soon.

① know ② knew
③ will know ④ be known
⑤ will be known

의문사가 없는 간접의문문

09 밑줄 친 if의 쓰임이 나머지 넷과 다른 하나는?

① I wonder if she will come.
② Do you know if she likes me?
③ I want to know if he likes his job.
④ I wonder if she knows the answer.
⑤ I will tell you if you keep it a secret.

by 이외의 전치사를 쓰는 수동태

10 다음 빈칸에 들어갈 말이 순서대로 짝 지어진 것은?

• I am interested ________ music.
• This desk is made ________ wood.
• My parents were pleased ________ my exam results.

① in – of – with ② with – of – of
③ in – with – of ④ with – in – with
⑤ of – in – with

6일 창의·융합·서술·코딩 테스트 1

too~to / so~that

01 다음 그림을 보고, 주어진 단어를 이용하여 문장을 완성하시오.

(1)

➡ The T-shirt is ______________________.
(too, big, wear)

(2)

➡ The man is ______________________ with his dog. (so, busy, play)

가주어와 진주어

02 다음 그림을 보고, 밑줄 친 부분을 어법에 맞게 고쳐 쓰시오.

It is hard that ride a bike.

➡ ______________________

의문사가 있는 간접의문문

03 다음 그림을 보고, 주어진 어구를 이용하여 사고에 관해 묻는 경찰관의 말을 완성하시오.

Can you tell me ______________________?
(when, the accident, happen)
The accident happened at 7 a.m.
Do you remember ______________________?
(what, the driver, do)
He was talking on the phone.

so~that

04 가장 어울리는 내용끼리 연결한 뒤, so~that을 이용하여 문장을 완성하시오.

(1) I got up early. •	• I am tired now.
(2) The place was very noisy. •	• We couldn't eat it all.
(3) The pizza was very big. •	• I couldn't read a book.

(1) I ______________________.
(2) The place ______________________.
(3) The pizza ______________________.

현재완료 계속

05 다음 그림을 보고, 주어진 단어를 이용하여 빈칸에 알맞은 말을 쓰시오.

Mia has to do a lot of things today. She _______ _______(be) in her room since 9 a.m. She _______ _______ _______ (eat) anything all day.

조동사를 포함하는 수동태

06 A와 B에서 각각 알맞은 단어를 골라 도서관 규칙을 완성하시오.

A	B
can	use
will	close
must	borrow

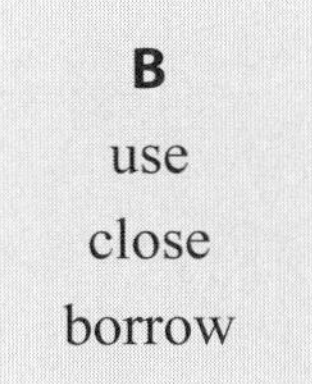

NOTICE

1 New books _______________ for 2 weeks.
2 Cell phones _______________ in the library.
3 The library _______________ next Monday.

수동태

07 다음 안내문을 읽고, 주어진 단어를 이용하여 문장을 완성하시오.

Dragon Bridge

- built in 1995
- destroyed by the flood
- repaired in 2000

A When (1) _______________? (this bridge, build)
B It was built in 1995, but it (2) _______ _______ by the flood. (destroy)
A When _______________? (repair)
B It was repaired in 2000.

목적을 나타내는 to부정사

08 다음 그림을 보고, 여학생의 말과 같은 뜻이 되도록 빈칸에 알맞은 말을 쓰시오.

➡ I waited for an hour _______ _______ _______ meet you.

6일 창의·융합·서술·코딩 테스트 2

융합 가주어와 진주어

01 다음 그림을 보고, 상자에서 알맞은 단어를 골라 주어진 표현을 이용하여 문장을 완성하시오.

(1) It is ______________________________.

(2) It is ______________________________.

(3) It is ______________________________.

(4) It is ______________________________.

hard important fun surprising

창의 융합 too~to / so~that

02 다음 그림을 보고, 주어진 표현을 이용하여 각 인물의 말을 완성하시오.

My computer ______________
______________________.
(so slow, do my homework)

I'm ______________
______________________.
(too sleepy, clean the house)

I'm ______________
______________________.
(so hungry, say a word)

My bike is ______________
______________________.
(too old, ride)

창의 융합 간접의문문

03 다음 박물관 안내문을 보고, 주어진 단어를 이용하여 문장을 완성하시오.

A I don't know ____________________.
(when)
B It opens 9 a.m.
A Can you tell me ____________________?
(where)
B It is located at Wilson Square.
A I wonder ____________________.
(how much)
B It is five dollars.
A Oh, do you know ____________________
____________________? (if)
B It closes on Sunday.

현재완료

04 다음 그림을 보고, 주어진 단어를 이용하여 문장을 완성하시오.

Hello, I'm Sumin. My most favorite thing to do is playing baseball. I ____________ (play) for 12 years. Also, I like to travel. I ____________ (be) to China twice. I ____________ (raise) a dog since 2018. Its name is Simba. I enjoy driving on weekends. I ____________ (drive) my car since 2020.

7일 중간·기말고사 기본 테스트 1회

목적을 나타내는 to부정사

01 다음 빈칸에 들어갈 말로 알맞은 것을 두 개 고르면?

He wakes up early ________ be on time for school.

① so
② so that
③ so as to
④ in order to
⑤ in order that

의문사가 없는 간접의문문

02 다음 두 문장을 한 문장으로 바꿔 쓸 때 빈칸에 들어갈 수 없는 것은?

Tell me. Do you like Mexican food?
➡ Tell me ____________________.

① if you like Mexican food
② if or not you like Mexican food
③ if you like Mexican food or not
④ whether or not you like Mexican food
⑤ whether you like Mexican food or not

신경향 가주어와 to부정사 진주어

3~4 다음 그림을 보고, 주어진 어구를 이용하여 가주어 It으로 시작하는 문장을 완성하시오.

03

➡ It ______________________________.
(rude, cut in line)

04

➡ It ______________________________.
(dangerous, swim here)

가주어와 that절 진주어

05 다음 문장을 가주어 It으로 시작하여 다시 쓰시오.

That he is a great writer is true.

➡ It ______________________________.

too~to / so~that

06 두 문장의 뜻이 같도록 할 때 밑줄 친 ①~⑤ 중 어법상 어색한 것은?

The weather was too hot to go hiking.
➡ The weather ①was ②so ③hot ④that I ⑤can't go hiking.

too~to / so~that

07 두 문장의 의미가 통하도록 할 때 빈칸에 들어갈 말이 순서대로 짝 지어진 것은?

He is too old to run a marathon.
➡ He is ________ old ________ he ________ run a marathon.

① so – that – can ② so – that – can't
③ too – that – can ④ too – that – can't
⑤ such – that – can't

의문사가 있는 간접의문문

08 다음 빈칸에 들어갈 수 없는 것은?

I don't know ________________.

① what her name is
② how much this is
③ if he likes summer
④ where does she live
⑤ why he wants to leave

신경향 의문사가 있는 간접의문문

09 다음 그림을 보고, 남자의 말과 의미가 통하도록 주어진 어구를 바르게 배열하시오.

➡ I wonder ________________________.
(you / to / become / why / an actress / wanted)

신경향 too~to

10 다음 그림을 보고, 상자에서 알맞은 단어를 2개씩 골라 'too ~ to'를 이용하여 문장을 완성하시오.

(1)

➡ They arrived ________________ the train.

(2)

➡ Her e-mail address is ________________.

late	remember	catch	difficult

목적을 나타내는 구문

11 우리말과 같은 뜻이 되도록 할 때 빈칸에 들어갈 말로 알맞은 것은?

I put on my glasses ________ I could watch TV better. (나는 TV를 더 잘 보기 위해 안경을 썼다.)

① to ② that
③ so that ④ such that
⑤ in order to

목적을 나타내는 구문

12 괄호 안의 어구와 so as to를 이용하여 우리말을 영어로 옮겨 쓰시오.

나는 좋은 점수를 받기 위해 열심히 공부했다.

➡ ________________________________
(study hard, get good grades)

가주어와 진주어

13 다음 중 밑줄 친 부분이 어법상 어색한 것은?

① It is dangerous to drive fast.
② It is easy to learn how to swim.
③ It is interesting that ants can swim.
④ It is certain that you'll win the race.
⑤ It is hard that find a good restaurant.

신경향 의문사가 있는 간접의문문

14 주어진 단어를 이용하여 다음 빈칸에 알맞은 말을 쓰시오.

Do you know ____________________?
(when)
Yes. Jihun's birthday is May 15.

so that

15 다음 중 빈칸에 so that을 쓸 수 없는 것은?

① Kate hurried ________ she wouldn't be late.
② Sally whispered ________ no one could hear her.
③ Benjamin left early ________ he could catch the bus.
④ I set an alarm ________ I could get up on time.
⑤ David won the dance contest ________ he practiced hard.

so~that

16 괄호 안에서 알맞은 것을 고르시오.

(1) He was (so worried that / so that worried) he couldn't sleep well.

(2) She is (busy so that / so busy that) she doesn't have time to rest.

too~to

17 다음 빈칸에 들어갈 수 있는 것을 두 개 고르면?

Kate was too ________ to stand.

① tired ② fast
③ weak ④ enough
⑤ dangerous

조건의 부사절 / 간접의문문

18 다음 빈칸에 공통으로 들어갈 말을 쓰시오.

• I will be very happy ________ she loves me.
• Stop asking me ________ I miss Korean food.

➡ ____________

신경향 의문사가 없는 간접의문문

19 다음 그림의 상황과 일치하도록 문장을 완성하시오.

➡ The man wants to know ____________ ____________ near here.

가주어와 to부정사 진주어

20 다음 밑줄 친 부분과 쓰임이 같은 것은?

It is hard <u>to make</u> new friends.

① I'm very sorry <u>to hear</u> that.
② I'm looking for something <u>to eat</u>.
③ It's fun <u>to ride</u> a roller coaster.
④ That book was easy <u>to understand</u>.
⑤ I went to the store <u>to buy</u> some fruits.

7일 중간·기말고사 기본 테스트 2회

동사의 과거분사형

01 동사의 과거형과 과거분사형이 잘못 연결된 것은?

① hit - hit - hit
② fall - fell - fallen
③ sleep - slept - slept
④ drink - drank - drank
⑤ become - became - become

수동태

02 다음 빈칸에 들어갈 말로 알맞은 것은?

Spanish __________ in many countries.

① speak
② spoke
③ spoken
④ be spoken
⑤ is spoken

수동태

03 다음 빈칸에 들어갈 수 없는 것은?

This photo was taken by ________.

① him
② his
③ Mina
④ me
⑤ one of my friends

신경향 수동태

04 다음 대화의 빈칸에 들어갈 말로 알맞은 것은?

 Wow, the flowers are beautiful!

 Thanks. The flowers ____________.

① plant with my mom
② planted for my mom
③ be planted by my mom
④ were planted by my mom
⑤ will plant by my mom

현재완료 계속

05 다음 밑줄 친 단어의 알맞은 형태끼리 짝 지어진 것은?

• Juho has take English class for ten months.
• My mom has drive her car since 2015.

① take - drive
② took - driven
③ taken - drove
④ took - drove
⑤ taken - driven

과거 / 현재완료 결과

06 다음 빈칸에 들어갈 말이 순서대로 짝지어진 것은?

• I ________ George at the bus stop yesterday.
• Has he already ________ to Paris?

① meet - go
② met - go
③ meet - gone
④ met - went
⑤ met - gone

능동태의 수동태 전환

07 두 문장이 같은 뜻이 되도록 빈칸에 알맞은 말을 쓰시오.

He didn't explain the rule.
➡ The rule ________________ by him.

능동태의 수동태 전환

08 다음 문장을 수동태로 바르게 고친 것은?

Someone stole my bike.

① My bike stole by someone.
② My bike was stolen by someone.
③ My bike be stolen by someone.
④ Someone was stolen my bike.
⑤ Someone was stolen by my bike.

능동태의 수동태 전환

09 능동태를 수동태로 잘못 고친 것은?

① Everyone loves her new novel.
→ Her new novel is loved with everyone.
② Smoke filled the whole room.
→ The whole room was filled with smoke.
③ They announced their marriage.
→ Their marriage was announced by them.
④ The dog attacked the little girl.
→ The little girl was attacked by the dog.
⑤ She wrote the letter.
→ The letter was written by her.

신경향 현재완료 완료

10 다음 그림을 보고, 주어진 어구를 이용하여 질문에 답하시오.

Q What has Suho just done?

➡ He ________________________.
(clean, his room)

신경향 수동태의 형태

11 다음 그림을 보고, 빈칸에 알맞은 말을 쓰시오.

This snowman ________ ________ ________ Samuel.

현재완료 의문문

12 다음 문장을 의문문으로 바꿔 쓸 때 빈칸에 들어갈 말로 알맞은 것은?

The clerk has worked at the store since 2013.
➡ ________________ at the store since 2013?

① Is the clerk working
② Has the clerk worked
③ Has the clerk working
④ Does the clerk worked
⑤ Does the clerk has worked

by 이외의 전치사를 쓰는 수동태

13 다음 빈칸에 들어갈 말이 순서대로 짝지어진 것은?

- I was surprised ________ the news.
- I'm concerned ________ your health.
- This ring is made ________ gold.

① at – about – of
② by – with – into
③ at – by – from
④ by – by – of
⑤ with – about – of

14~15 다음 두 문장을 한 문장으로 바꿔 쓰시오.

현재완료 계속

14

- Sarah started to study French five years ago.
- She still studies French.

➡ Sarah ________________.

현재완료 결과

15

- Alex lost his watch.
- He doesn't have it now.

➡ Alex ________________.

현재완료 계속

16 다음 대화의 빈칸에 들어갈 말로 알맞은 것은?

> **A** How long has Ann played chess?
> **B** ______________________________.

① At seven.
② Four times.
③ In two hours.
④ For two months.
⑤ Three years ago.

신경향 현재완료 경험

17 다음 그림을 보고, 상자에서 알맞은 단어를 골라 문장을 완성하시오.

> **A** ________ you ever ________ to New Zealand?
> **B** Yes. I ________ there two years ago. I saw a dolphin there.
> **A** I ________ ________ a dolphin, too.

go	be	see	have

과거 / 현재완료

18 다음 빈칸에 들어갈 말이 순서대로 짝 지어진 것은?

> • It rained all day long ________.
> • I haven't heard from him ________.

① yesterday – since 2020
② since yesterday – in months
③ for 5 hours – last month
④ since last year – for days
⑤ tomorrow – a year ago

조동사를 포함하는 수동태

19 우리말과 같은 뜻이 되도록 주어진 단어를 이용하여 문장을 완성하시오.

> 책들은 오늘 배달되어야 한다.

➡ The books ______________________ today.
(should, deliver)

현재완료 계속·경험

20 밑줄 친 부분 중 쓰임이 나머지 넷과 다른 것은?

① I have worked here for 2 years.
② It has rained since this morning.
③ Ethan has been to Australia before.
④ She has taken care of her cats for years.
⑤ I have been in Spain since last month.

RECESS TIME

Read the **Poem**

Read the poem and answer the questions.

다음 시를 읽고, 질문에 답해 보세요.

I **have done**, I **have done**,
I **have done** my homework,
I **have read** my book,
I **have cleaned** my room,

I am so glad
Now it's time to play!

- Has he done his homework?
- Has he read his book?
- Has he cleaned his room?

memo

정답과 해설

정답과 해설

기초 확인 문제

정답과 해설 66쪽

01 괄호 안에서 알맞은 것을 고르시오.

(1) (It / That) is hard to believe that she won the first prize.

(2) It is certain (to / that) he missed the train.

(3) It is exciting (watch / to watch) the soccer game.

02 〈보기〉와 같이 주어진 문장을 가주어 it으로 시작하여 다시 쓰시오.

> 보기
> To keep the school rules is important.
> ➡ It is important to keep the school rules.

(1) To book flights online is possible.
➡ It ___is possible to book flights online___.

(2) To eat too much sweets is not good.
➡ It ___is not good to eat too much sweets___.

03 다음 빈칸에 들어갈 말로 알맞은 것은?

> ________ is fun to play basketball.

① It ② This
③ That ④ What
⑤ There

4~5 우리말과 같은 뜻이 되도록 문장을 완성하시오.

04

➡ ___It___ ___is___ safe ___to___ ___drink___ this water. (이 물을 마시는 것은 안전하다.)

05

➡ ___It___ ___is___ important ___to___ ___wear___ a helmet for your safety.
(당신의 안전을 위해서 헬멧을 쓰는 것은 중요하다.)

9

01 to부정사구 또는 that절과 같이 긴 어구가 주어로 쓰일 때에는 가주어 it을 앞에 쓰고, to부정사구 또는 that절을 뒤에 쓸 수 있다.

(1) It이 가주어, to believe that she won the first prize가 진주어이다.

(2) It이 가주어, that he missed the train이 진주어이다.

(3) It이 가주어, to watch the soccer game이 진주어이다.

☐ **hard** 형 어려운
☐ **believe** 동 믿다
☐ **certain** 형 확실한
☐ **miss** 동 놓치다

해석

(1) 그녀가 일등상을 탔다는 것을 믿기 어렵다.
(2) 그는 기차를 놓친 것이 확실하다.
(3) 축구 경기를 보는 것은 흥미진진하다.

02 주어진 문장의 주어는 모두 긴 to부정사구이므로 가주어 it을 주어 자리에 쓰고 원래 주어인 to부정사구를 뒤로 보낼 수 있다.

(1) It이 가주어, to book flights online이 진주어이다.

(2) It이 가주어, to eat too much sweets가 가주어이다.

☐ **keep** 동 (규칙 등을) 따르다
☐ **book** 동 예약하다
☐ **flight** 명 항공편
☐ **possible** 형 가능한
☐ **sweet** 명 단 것

해석

〈보기〉 학교 규칙을 지키는 것은 중요하다.
(1) 온라인으로 항공편을 예약하는 것은 가능하다.
(2) 단 것을 너무 많이 먹는 것은 좋지 않다.

03 뒤의 to play basketball이 문장의 진주어이다. 빈칸에는 가주어 It이 오는 것이 알맞다.

해석

농구를 하는 것은 재미있다.

04 It이 가주어이고 뒤의 to부정사구 to drink this water가 진주어인 문장을 완성한다.

☐ **safe** 형 안전한

05 It이 가주어이고 뒤의 to부정사구 to wear a helmet for your safety가 진주어인 문장을 완성한다.

☐ **safety** 명 안전

기초 확인 문제

정답과 해설 67쪽

06 다음 빈칸에 들어갈 말로 알맞은 것은?

It is true ________ she is friendly.
(그녀가 다정하다는 것은 사실이다.)

① to ② that
③ what ④ who
⑤ which

07 우리말과 같은 뜻이 되도록 주어진 어구를 바르게 배열하시오.

그가 3개 언어를 말할 수 있다는 것은 거짓말이다.

➡ It is a lie that he can speak three languages.
(speak / that / can / he / three languages)

08 다음 빈칸에 들어갈 말이 나머지 넷과 다른 하나는?

① It is clear ________ she likes you.
② It is a pity ________ he can't join us.
③ It is certain ________ the man is alive.
④ It is impossible ________ get there in time.
⑤ It is natural ________ his parents feel proud.

09 우리말과 같은 뜻이 되도록 주어진 어구를 이용하여 문장을 완성하시오.

Kate가 책을 잃어버린 것이 분명하다.
(lost the book, clear)

(1) That Kate lost the book is clear.
(2) It is clear that Kate lost the book.

10 다음 문장과 같은 뜻이 되도록 빈칸에 알맞은 말을 쓰시오.

That he is a good actor is well-known.

➡ It is well-known that he is a good actor.

11

06 주어 자리에 가주어 It이 쓰인 문장으로 빈칸 뒤에 주어와 동사가 있는 것으로 보아 빈칸에는 that이 알맞다. that she is friendly가 문장의 진주어이다.

☐ **friendly** 형 다정한

07 앞의 It은 가주어이다. 주어진 어구 중 that과 주어 he가 있으므로 진주어 역할을 하는 that절을 완성한다.

☐ **lie** 명 거짓말
☐ **language** 명 언어

08 모두 가주어 It이 주어 역할을 하고 진주어가 뒤에 쓰인 문장이다. ④를 제외한 나머지는 모두 빈칸 뒤에 주어와 동사가 이어지는 것으로 보아 that이 알맞다. ④는 빈칸 뒤에 동사가 있는 것으로 보아 to가 알맞다.

☐ **pity** 명 유감, 애석한 일
☐ **alive** 형 살아 있는
☐ **impossible** 형 불가능한
☐ **natural** 형 당연한
☐ **proud** 형 자랑스러운

해석
① 그녀가 너를 좋아하는 것이 분명하다.
② 그가 우리와 함께 할 수 없다는 것은 안타까운 일이다.
③ 그 남자가 살아있다는 것은 확실하다.
④ 그곳에 제시간에 도착하는 것은 불가능하다.
⑤ 그의 부모님이 자랑스러워하는 것은 당연하다.

09 (1) 접속사 that이 이끄는 절이 주어인 문장을 완성한다. that절은 「that + 주어 + 동사 ~」 형태이므로 That 뒤에 주어인 Kate와 lost the book을 차례로 쓴다. that절은 단수 취급하므로 단수 동사인 is가 와야 한다.
(2) 가주어 it으로 시작하고 진주어 that절이 뒤에 오는 문장을 완성한다. that절은 「that + 주어 + 동사 ~」 형태이므로 that 뒤에 주어인 Kate와 lost the book을 차례로 쓴다.

☐ **lose** 동 잃어버리다
☐ **clear** 형 분명한

10 긴 that절을 뒤로 보내고 가주어 it으로 시작하는 문장으로 바꿔 쓸 수 있다.

☐ **actor** 명 배우
☐ **well-known** 형 잘 알려진

해석
그가 훌륭한 배우라는 것은 잘 알려져 있다.

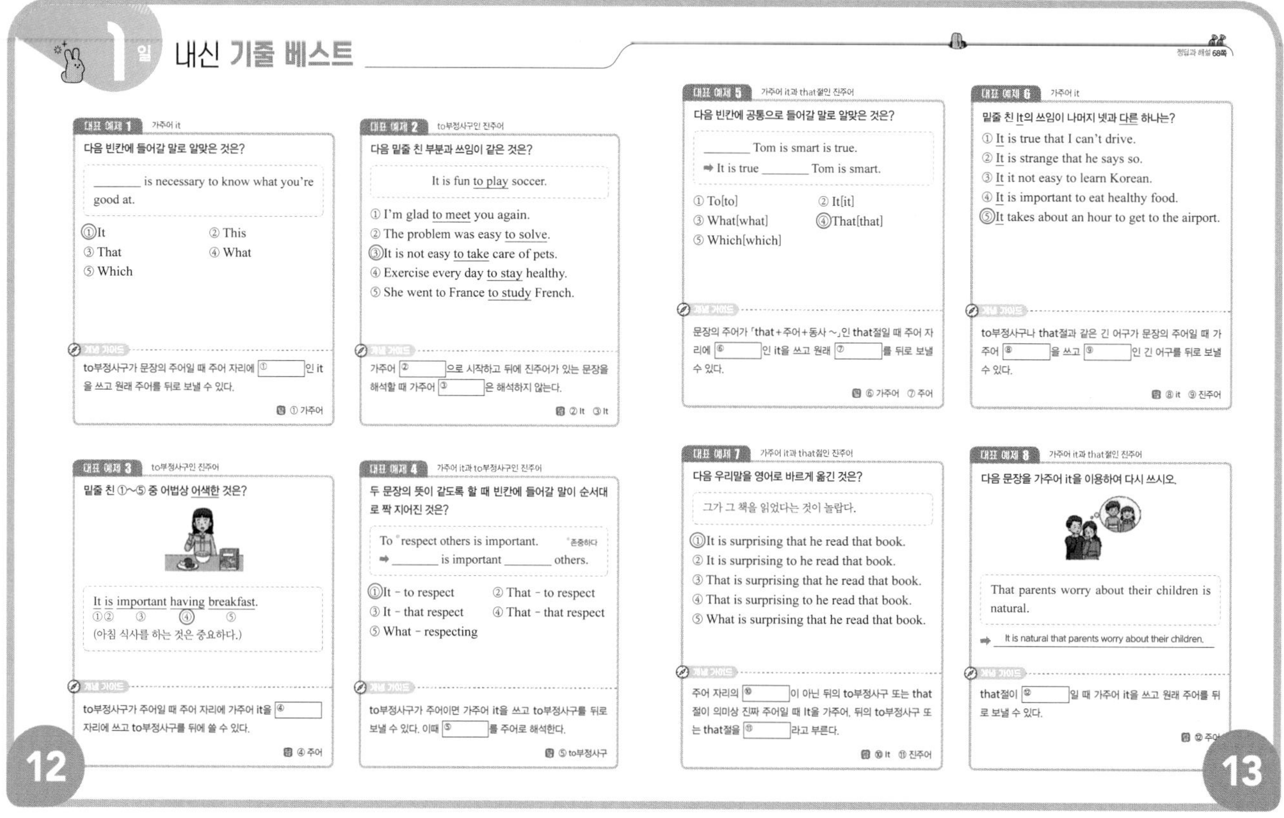

1일 내신 기출 베스트

대표 예제 1 가주어 it

다음 빈칸에 들어갈 말로 알맞은 것은?

_______ is necessary to know what you're good at.

①It ② This
③ That ④ What
⑤ Which

개념 가이드
to부정사구가 문장의 주어일 때 주어 자리에 ① [ ] 인 it을 쓰고 원래 주어를 뒤로 보낼 수 있다.

답 ① 가주어

대표 예제 2 to부정사구인 진주어

다음 밑줄 친 부분과 쓰임이 같은 것은?

It is fun to play soccer.

① I'm glad to meet you again.
② The problem was easy to solve.
③It is not easy to take care of pets.
④ Exercise every day to stay healthy.
⑤ She went to France to study French.

개념 가이드
가주어 ② [ ] 으로 시작하고 뒤에 진주어가 있는 문장을 해석할 때 가주어 ③ [ ] 은 해석하지 않는다.

답 ② It ③ It

대표 예제 3 to부정사구인 진주어

밑줄 친 ①~⑤ 중 어법상 어색한 것은?

It is important having breakfast.
(아침 식사를 하는 것은 중요하다.)

개념 가이드
to부정사구가 주어일 때 주어 자리에 가주어 it을 ④ [ ] 자리에 쓰고 to부정사구를 뒤에 쓸 수 있다.

답 ④ 주어

대표 예제 4 가주어 it과 to부정사구인 진주어

두 문장의 뜻이 같도록 할 때 빈칸에 들어갈 말이 순서대로 짝 지어진 것은?

To respect others is important. *존중하다
➡ _______ is important _______ others.

①It - to respect ② That - to respect
③ It - that respect ④ That - that respect
⑤ What - respecting

개념 가이드
to부정사구가 주어이면 가주어 it을 쓰고 to부정사구를 뒤로 보낼 수 있다. 이때 ⑤ [ ] 를 주어로 해석한다.

답 ⑤ to부정사구

대표 예제 5 가주어 it과 that절인 진주어

다음 빈칸에 공통으로 들어갈 말로 알맞은 것은?

_______ Tom is smart is true.
➡ It is true _______ Tom is smart.

① To[to] ② It[it]
③ What[what] ④That[that]
⑤ Which[which]

개념 가이드
문장의 주어가 「that+주어+동사 ~」인 that절일 때 주어 자리에 ⑥ [ ] 인 it을 쓰고 원래 ⑦ [ ] 를 뒤로 보낼 수 있다.

답 ⑥ 가주어 ⑦ 주어

대표 예제 6 가주어 it

밑줄 친 It의 쓰임이 나머지 넷과 다른 하나는?

① It is true that I can't drive.
② It is strange that he says so.
③ It it not easy to learn Korean.
④ It is important to eat healthy food.
⑤It takes about an hour to get to the airport.

개념 가이드
to부정사구나 that절과 같은 긴 어구가 문장의 주어일 때 가주어 ⑧ [ ] 을 쓰고 ⑨ [ ] 인 긴 어구를 뒤로 보낼 수 있다.

답 ⑧ it ⑨ 진주어

대표 예제 7 가주어 it과 that절인 진주어

다음 우리말을 영어로 바르게 옮긴 것은?

그가 그 책을 읽었다는 것이 놀랍다.

①It is surprising that he read that book.
② It is surprising to he read that book.
③ That is surprising that he read that book.
④ That is surprising to he read that book.
⑤ What is surprising that he read that book.

개념 가이드
주어 자리의 ⑩ [ ] 이 아닌 뒤의 to부정사구 또는 that절이 의미상 진짜 주어일 때 It을 가주어, 뒤의 to부정사구 또는 that절을 ⑪ [ ] 라고 부른다.

답 ⑩ It ⑪ 진주어

대표 예제 8 가주어 it과 that절인 진주어

다음 문장을 가주어 it을 이용하여 다시 쓰시오.

That parents worry about their children is natural.

➡ It is natural that parents worry about their children.

개념 가이드
that절이 ⑫ [ ] 일 때 가주어 it을 쓰고 원래 주어를 뒤로 보낼 수 있다.

답 ⑫ 주어

12 13

1 to부정사구가 진주어이므로 가주어 It이 알맞다.
네가 무엇을 잘하는지 아는 것이 필요하다.

2 축구를 하는 것은 재미있다.
① 너를 다시 만나서 기쁘다. (감정의 원인을 나타내는 부사적 용법)
② 그 문제는 풀기 쉬웠다. (형용사를 수식하는 부사적 용법)
③ 애완동물을 돌보는 것은 쉽지 않다. (가주어 it과 진주어인 to부정사구)
④ 건강을 유지하기 위해 매일 운동해라. (목적을 나타내는 부사적 용법)
⑤ 그녀는 프랑스어를 공부하기 위해 프랑스에 갔다. (목적을 나타내는 부사적 용법)

3 ④ It이 가주어인 문장이므로 to have가 알맞다.

4 to부정사구가 주어일 때 주어 자리에 가주어 it을 쓰고 to부정사구를 뒤로 보낼 수 있다.
다른 사람들을 존중하는 것은 중요하다.

5 that절이 주어일 때 주어 자리에 가주어 it을 쓰고 that절을 뒤로 보낼 수 있다.
Tom이 똑똑한 것은 사실이다.

6 ① 내가 운전을 못하는 것은 사실이다. (가주어)
② 그가 그렇게 말하다니 이상하다. (가주어)
③ 한국어를 배우는 것은 쉽지 않다. (가주어)
④ 몸에 좋은 음식을 먹는 것이 중요하다. (가주어)
⑤ 공항까지 가는 데 약 한 시간이 걸린다. (비인칭 주어)

7 가주어 it이 문장의 주어로 쓰이고 진주어인 that절이 뒤에 있는 문장을 찾는다.

8 that절을 뒤로 보내고 주어 자리에 가주어 it을 쓴다.
부모님이 그들의 자녀를 걱정하는 것은 당연하다.

기초 확인 문제

정답과 해설 69쪽

01 다음 빈칸에 들어갈 말로 알맞은 것은?

He was ______ tired to take a walk.

① a ② to
③ so ④too
⑤ such

02 다음 중 어법상 어색한 것은?

①I'm too sleepy that drive.
② He was too busy to go to the movies.
③ The cake is so sweet that I can't eat it.
④ It was so hot that I couldn't fall asleep.
⑤ She was so weak that she couldn't carry the bags.

03 두 문장이 같은 뜻이 되도록 빈칸에 알맞은 말을 쓰시오.

Jiho is too short to reach the shelf.
➡ Jiho is __so__ short __that__ she can't reach the shelf.

04 다음 그림을 보고, 주어진 단어와 so~that을 이용하여 빈칸에 알맞은 말을 쓰시오.

A How was the movie?
B It was __so__ __boring__ __that__ __I__ __couldn't__ stay awake. (boring)

05 다음 문장과 의미가 통하는 것은?

David is too young to drink coffee.

① David is not so young to drink coffee.
② David is so young that he can drink coffee.
③David is so young that he can't drink coffee.
④ David is not so young that he can drink coffee.
⑤ David is not so young that he can't drink coffee.

Words and Phrases
□take a walk 산책을 하다 □fall asleep 잠이 들다 □carry 나르다, 운반하다 □shelf 선반 □boring 지루한

17

2일

01 「too + 형용사 + to부정사」가 되어야 한다.

해석
그는 너무 피곤해서 산책을 할 수 없었다.

02 ①「too + 형용사 + to부정사」의 어순이 되도록 that을 to로 고쳐 써야 한다.

해석
① 나는 운전을 하기에는 너무 졸리다. ② 그는 영화를 보러 가기에는 너무 바빴다. ③ 그 케이크는 너무 달아서 나는 그것을 먹을 수 없다. ④ 너무 더워서 나는 잠들 수 없었다. ⑤ 그녀는 너무 약해서 그 가방들을 나를 수 없었다.

03 「too + 형용사 + to부정사」는 '~하기에 너무 …한'이라는 뜻이고, 이는 「so + 형용사 + that + 주어 + can't ~」로 바꿔 쓸 수 있다.

해석
지호는 선반에 닿기에는 너무 키가 작다.
→ 지호는 너무 키가 작아서 선반에 닿을 수 없다.

04 앞 동사 was가 과거시제이므로 「so + 형용사 + that + 주어 + couldn't ~」가 되도록 문장을 완성한다.

해석
A 영화 어땠니?
B 그것은 너무 지루해서 나는 깨어있을 수 없었어.

05 '~하기에 너무 …한'이라는 뜻의 「too + 형용사 + to부정사」는 「so + 형용사 + that + 주어 + can't ~」로 바꿔 쓸 수 있다.

해석
David은 커피를 마시기에는 너무 어리다.

기초 확인 문제

정답과 해설 70쪽

06 다음 빈칸에 들어갈 말로 알맞은 것은?

Exercise regularly _______ you can stay healthy.

① to ②so that
③ that ④ so as to
⑤ in order to

07 괄호 안의 어구를 바르게 배열했을 때 세 번째로 오는 것은?

Let's sit here _________________.
(can / that / take a rest / so / we)

① can ② that
③ take a rest ④ so
⑤we

08 여학생의 말과 같은 뜻이 되도록 빈칸에 알맞은 말을 쓰시오.

➡ I'll save money in __order__ __to__ __buy__ a new bike.
➡ I'll save money so __as__ __to__ __buy__ a new bike.

09 다음 중 밑줄 친 부분의 쓰임이 어색한 것은?

① Study hard so as to get good grades.
② He took his glasses to read the newspaper.
③ I'll go to France so that I can learn French.
④I wouldn't wake the baby so that I turned down the music.
⑤ I went to the market in order to buy some flowers.

10 우리말과 같은 뜻이 되도록 빈칸에 알맞은 말을 쓰시오.

Emma는 훌륭한 농구선수가 되기 위해 열심히 연습했다.

➡ Emma practiced hard __so__ __that__ __she__ __could(would)__ become a great basketball player.

Words and Phrases
□regularly 규칙적으로 □take a rest 휴식을 취하다 □grade 성적

19

06 「so that + 주어 + 동사」는 'that 이하를 위해'라는 의미로 목적을 나타낸다.

해석
건강을 유지하기 위해 규칙적으로 운동해라.

07 '우리가 휴식을 취하기 위해서'라는 목적을 나타내는 표현이 되도록 「so that + 주어 + 동사」의 순서대로 어구를 배열하면 so that we can take a rest이다.

해석
우리가 휴식을 취할 수 있도록 여기에 앉자.

08 so that, in order to, so as to는 모두 '~하기 위해서'라는 뜻의 목적을 나타내는 표현이다.

해석
나는 새 자전거를 사기 위해 돈을 모을 것이다.

09 ④ 아기를 깨우지 않기 위해 음악 소리를 낮춘 것이므로 I turned down the music so that I wouldn't wake the baby.가 되어야 한다.

해석
① 좋은 점수를 받기 위해 공부를 열심히 해라.
② 그는 신문을 읽기 위해 안경을 썼다.
③ 나는 프랑스어를 배우기 위해 프랑스에 갈 것이다.
④ 나는 아기를 깨우지 않기 위해 음악 소리를 낮췄다.
⑤ 나는 꽃을 좀 사기 위해 시장에 갔다.

10 「so that + 주어 + 동사」가 되도록 문장을 완성한다.

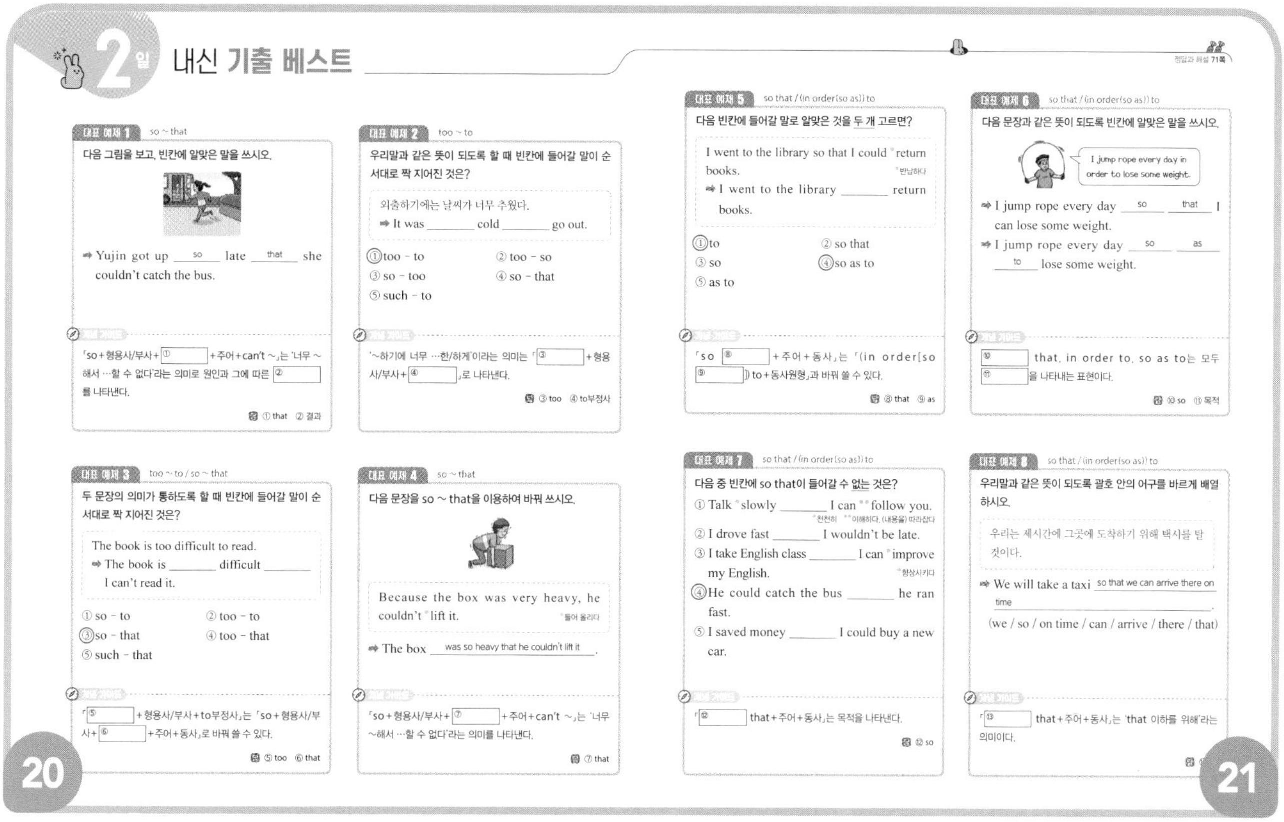

2일 내신 기출 베스트

정답과 해설 71쪽

대표 예제 1 so ~ that

다음 그림을 보고, 빈칸에 알맞은 말을 쓰시오.

➡ Yujin got up __so__ late __that__ she couldn't catch the bus.

개념 가이드: 「so+형용사/부사+① ☐ +주어+can't ~」는 '너무 ~해서 …할 수 없다'라는 의미로 원인과 그에 따른 ② ☐ 를 나타낸다.

답 ① that ② 결과

대표 예제 2 too ~ to

우리말과 같은 뜻이 되도록 할 때 빈칸에 들어갈 말이 순서대로 짝 지어진 것은?

외출하기에는 날씨가 너무 추웠다.
➡ It was ______ cold ______ go out.

①too – to ② too – so
③ so – too ④ so – that
⑤ such – to

개념 가이드: '~하기에 너무 …한/하게'라는 의미는 「③ ☐ +형용사/부사+④ ☐ 」로 나타낸다.

답 ③ too ④ to부정사

대표 예제 3 too ~ to / so ~ that

두 문장의 의미가 통하도록 할 때 빈칸에 들어갈 말이 순서대로 짝 지어진 것은?

The book is too difficult to read.
➡ The book is ______ difficult ______ I can't read it.

① so – to ② too – to
③so – that ④ too – that
⑤ such – that

개념 가이드: 「⑤ ☐ +형용사/부사+to부정사」는 「so+형용사/부사+⑥ ☐ +주어+동사」로 바꿔 쓸 수 있다.

답 ⑤ too ⑥ that

대표 예제 4 so ~ that

다음 문장을 so ~ that을 이용하여 바꿔 쓰시오.

Because the box was very heavy, he couldn't *lift it. *들어 올리다

➡ The box __was so heavy that he couldn't lift it__.

개념 가이드: 「so+형용사/부사+⑦ ☐ +주어+can't ~」는 '너무 ~해서 …할 수 없다'라는 의미를 나타낸다.

답 ⑦ that

대표 예제 5 so that / (in order(so as)) to

다음 빈칸에 들어갈 말로 알맞은 것을 두 개 고르면?

I went to the library so that I could *return books. *반납하다
➡ I went to the library ______ return books.

①to ② so that
③ so ④so as to
⑤ as to

개념 가이드: 「so ⑧ ☐ +주어+동사」는 「(in order[so ⑨ ☐]) to+동사원형」과 바꿔 쓸 수 있다.

답 ⑧ that ⑨ as

대표 예제 6 so that / (in order(so as)) to

다음 문장과 같은 뜻이 되도록 빈칸에 알맞은 말을 쓰시오.

➡ I jump rope every day __so__ __that__ I can lose some weight.
➡ I jump rope every day __so__ __as__ __to__ lose some weight.

개념 가이드: ⑩ ☐ that, in order to, so as to는 모두 ⑪ ☐ 을 나타내는 표현이다.

답 ⑩ so ⑪ 목적

대표 예제 7 so that / (in order(so as)) to

다음 중 빈칸에 so that이 들어갈 수 없는 것은?

① Talk *slowly ______ I can **follow you. *천천히 **이해하다, (내용을) 따라잡다
② I drove fast ______ I wouldn't be late.
③ I take English class ______ I can *improve my English. *향상시키다
④He could catch the bus ______ he ran fast.
⑤ I saved money ______ I could buy a new car.

개념 가이드: 「⑫ ☐ that+주어+동사」는 목적을 나타낸다.

답 ⑫ so

대표 예제 8 so that / (in order(so as)) to

우리말과 같은 뜻이 되도록 괄호 안의 어구를 바르게 배열하시오.

우리는 제시간에 그곳에 도착하기 위해 택시를 탈 것이다.

➡ We will take a taxi __so that we can arrive there on time__.
(we / so / on time / can / arrive / there / that)

개념 가이드: 「⑬ ☐ that+주어+동사」는 'that 이하를 위해'라는 의미이다.

20 21

2일

1 유진이는 너무 늦게 일어나서 버스를 탈 수 없었다.

2 too + 형용사 + to부정사: ~하기엔 너무 …한

3 so + 형용사 + that + 주어 + can't ~: 너무 ~해서 …할 수 없는
그 책은 읽기에 너무 어렵다.
→ 그 책은 너무 어려워서 나는 그것을 읽을 수 없다.

4 so + 형용사 + that + 주어 + can't ~: 너무 ~해서 …할 수 없다
☐ **lift** 동 들어 올리다
그 상자는 매우 무거웠기 때문에 그는 그것을 들어 올릴 수 없었다.
→ 그 상자는 너무 무거워서 그는 그것을 들어 올릴 수 없었다.

5 ☐ **return** 동 반납하다
나는 책들을 반납하기 위해 도서관에 갔다.

6 나는 몸무게를 좀 줄이기 위해 매일 줄넘기를 한다.

7 ④ 빈칸 뒤가 앞부분의 원인에 해당하는 내용이므로 이유를 나타내는 접속사 because 등이 어울린다.
☐ **slowly** 부 천천히
☐ **follow** 동 이해하다, (내용을) 따라잡다
☐ **improve** 동 향상시키다
① 내가 네 말을 이해할 수 있도록 천천히 말해.
② 나는 늦지 않기 위해 빠르게 운전했다.
③ 나는 내 영어 실력을 향상시키기 위해서 영어 수업을 듣는다.
⑤ 나는 새 차를 사기 위해 돈을 모았다.

01 의문사가 있는 간접의문문은 「의문사 + 주어 + 동사」의 어순이다.

해석
(1) 너는 이게 무엇인지 아니?
(2) 나는 너의 전화번호가 무엇인지 궁금하다.
(3) 너는 나에게 Liam이 어디에 있는지 말해줄 수 있니?
(4) 나는 그가 왜 그 영화를 좋아하는지 모르겠다.

02 의문사가 있는 간접의문문은 「의문사 + 주어 + 동사」의 어순이다. 의문문의 동사가 be동사이면 「의문사 + 주어 + be동사」로 쓰고, 의문문의 동사가 일반동사이면 「의문사 + 주어 + 일반동사」로 쓴다.

해석
〈보기〉 나는 알고 싶다. + 너의 생일이 언제니?
→ 나는 너의 생일이 언제인지 알고 싶다.
(1) 나에게 말해 줘.
+ 너는 무엇을 원하니?
→ 네가 무엇을 원하는지 나에게 말해 줘.
(2) Henry는 궁금해 한다.
+ 저 키가 큰 소년은 누구니?
→ Henry는 저 키가 큰 소년이 누구인지 궁금해 한다.

03 ⑤ 간접의문문의 어순인 「의문사 + 주어 + 동사」로 밑줄 친 부분을 바르게 배열하면 why he told me a lie이다.

☐ **do the dishes** 설거지를 하다
☐ **tell a lie** 거짓말을 하다

해석
① 나는 Brian이 어디 사는지 확신할 수 없다.
② 너는 누가 설거지를 했는지 아니?
③ 나는 누가 이 노래를 썼는지 모른다.
④ 네가 무슨 음식이 필요한지 나에게 말해줄 수 있니?
⑤ 나는 그가 왜 나에게 거짓말을 했는지 알고 싶다.

기초 확인 문제

정답과 해설 72쪽

25

01 괄호 안에서 알맞은 것을 고르시오.
(1) Do you know (what this is / what is this)?
(2) I wonder (that / what) your phone number is.
(3) Can you tell me (where is Liam / where Liam is)?
(4) I don't know (why he likes the movie / why does he like the movie).

02 〈보기〉와 같이 두 문장을 한 문장으로 바꿔 쓰시오.

보기
I want to know.
+ When is your birthday?
➡ I want to know when your birthday is.

(1) Tell me. + What do you want?
➡ Tell me what you want.
(2) Henry wonders. + Who is that tall boy?
➡ Henry wonders who that tall boy is.

03 밑줄 친 부분 중 어법상 어색한 것은?
① I'm not sure where Brian lives.
② Do you know who did the dishes?
③ I don't know who wrote this song.
④ Can you tell me what food you need?
⑤ I want to know why did he tell me a lie.

04 다음 그림을 보고, 주어진 어구를 바르게 배열하시오.

➡ Do you know what food your mom likes?
(your mom / food / likes / what)

05 다음 빈칸에 들어갈 말로 알맞은 것은?

I don't know ______________.
(나는 William이 왜 마음이 상했는지 모른다.)

① why upsets William
② why William is upset
③ why William does upset
④ why does William upset
⑤ why do William upsets

04 동사 know의 목적어인 간접의문문을 완성한다. what food는 하나의 의문사로 취급하여 맨 앞에 쓰고, 주어 your mom과 동사 likes를 차례로 배열한다.

해석
너는 너의 엄마가 무슨 음식을 좋아하시는지 아니?

05 동사 know의 목적어인 간접의문문을 완성한다. 의문사가 있는 간접의문문은 「의문사 + 주어 + 동사」의 어순이므로 why William is upset가 알맞다.

☐ **upset** 형 속상한, 마음이 상한

기초 확인 문제

정답과 해설 73쪽

06 다음 빈칸에 들어갈 말이 순서대로 짝 지어진 것은?

- I don't know _______ the show begins.
- I'm wondering _______ he will come to the party.

① what - if ②when - if ③ what - as ④ when - as ⑤ which - about

07 다음 빈칸에 들어갈 말로 알맞은 것은?

I wonder _________________.

① if likes cooking
② if likes he cooking
③if he likes cooking
④ if he does like cooking
⑤ if does he like cooking

08 다음 중 밑줄 친 부분이 어법상 어색한 것은?

① I don't know if he will call me.
② Tell me whether the kids liked the story.
③ Can you tell me if you can make pizza?
④They asked me whether the rumor true.
⑤ I want to know if he knows my phone number.

09 밑줄 친 if의 쓰임이 나머지 넷과 다른 하나는?

① I want to know if she loves me.
② Can you tell me if she drinks coffee?
③I won't go out if it rains tomorrow.
④ Do you know if we have homework?
⑤ She doesn't care if he comes or not.

10 다음 그림을 보고, 주어진 어구를 바르게 배열하여 문장을 완성하시오.

(1)

➡ I wonder if he likes rain.
(if / rain / likes / he)

(2)

➡ I wonder whether you want to watch a horror movie.
(to / watch / a horror movie / you / want / whether)

27

06 의문사가 있는 간접의문문의 어순은 「의문사 + 주어 + 동사」이고, 의문사가 없는 간접의문문의 어순은 「if〔whether〕+ 주어 + 동사」이다. 첫 번째 빈칸에는 '언제'라는 뜻의 의문사 when이, 두 번째 빈칸에는 '~인지 아닌지'라는 뜻의 접속사 if가 알맞다.

해석
- 나는 언제 쇼가 시작되는지 모른다.
- 나는 그가 파티에 올지 궁금하다.

07 의문사가 없는 의문문의 간접의문문은 「if〔whether〕+ 주어 + 동사」의 어순이다.

해석
나는 그가 요리를 좋아하는지 궁금하다.

08 ④ 밑줄 친 부분은 동사 ask의 목적어인 간접의문문이다. 의문사가 없는 간접의문문의 어순은 「if〔whether〕+ 주어 + 동사」이므로 주어 the rumor 뒤에 be동사 is가 와야 한다.

□ **rumor** 명 소문

해석
① 나는 그가 나에게 전화를 할지 모르겠다.
② 나에게 아이들이 그 이야기를 좋아했는지 말해 줘.
③ 네가 피자를 만들 수 있는지 나에게 말해줄 수 있니?
④ 그들은 나에게 그 소문이 사실인지 물어봤다.
⑤ 나는 그가 내 전화번호를 아는지 알고 싶다.

09 ③을 제외한 나머지는 모두 '~인지 아닌지'라는 의미의 명사절을 이끄는 접속사 if이다. ③의 if는 '만약 ~라면'이라는 의미의 부사절을 이끄는 접속사이다.

□ **care** 동 신경쓰다

해석
① 나는 그녀가 나를 사랑하는지 알고 싶다.
② 그녀가 커피를 마시는지 나에게 말해줄 수 있니?
③ 나는 내일 비가 내리면 외출하지 않을 것이다.
④ 너는 우리가 숙제가 있는지 알고 있니?
⑤ 그녀는 그가 오든지 안 오든지 신경쓰지 않는다.

10 의문사가 없는 의문문의 간접의문문의 어순은 「if〔whether〕+ 주어 + 동사」이다.
(1) 의문사가 없는 간접의문문이므로 if 뒤에 주어 he와 동사 likes가 차례로 오도록 문장을 완성한다.
(2) 의문사가 없는 간접의문문이므로 whether 뒤에 주어 you와 동사 want가 차례로 오도록 문장을 완성한다.

□ **horror movie** 공포 영화

해석
(1) 나는 그가 비를 좋아하는지 궁금하다.
(2) 나는 네가 공포 영화를 보고 싶은지 궁금하다.

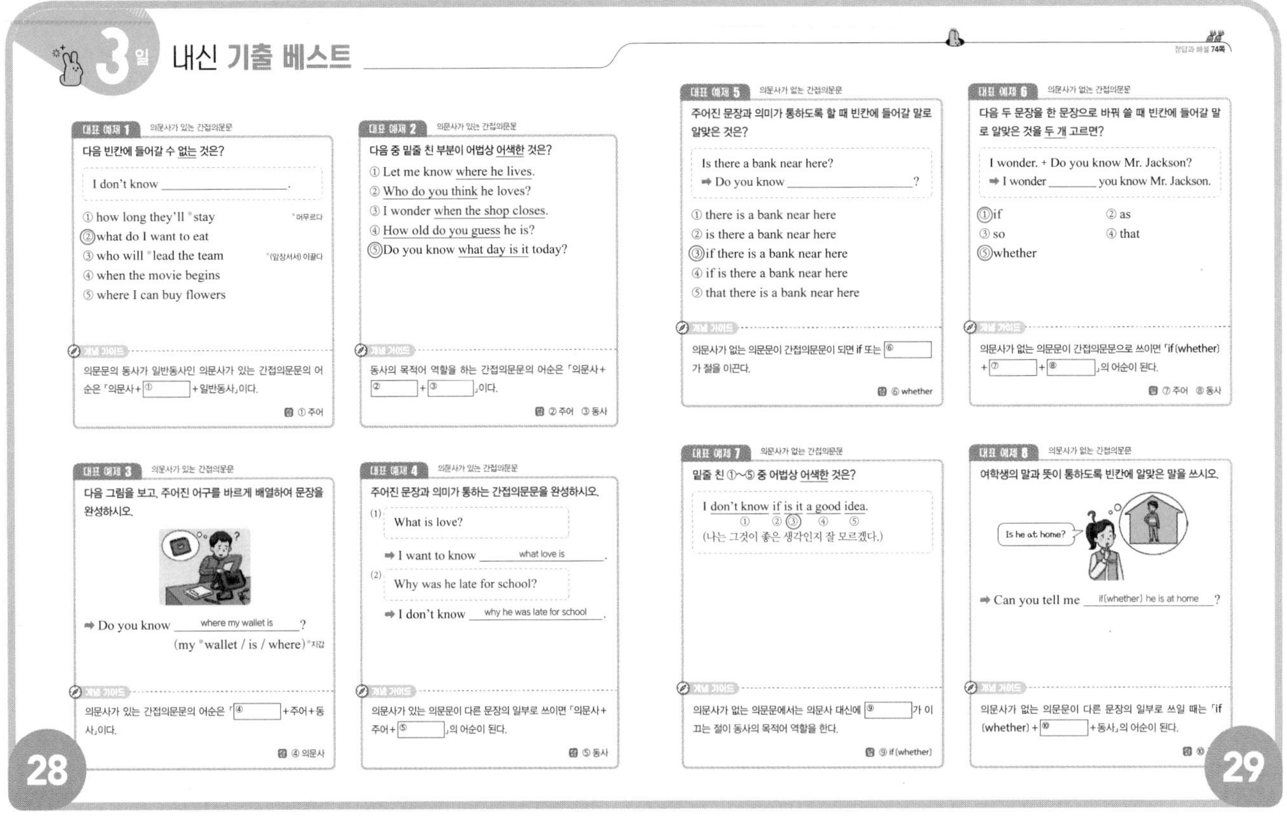

3일 내신 기출 베스트

대표 예제 1 의문사가 있는 간접의문문

다음 빈칸에 들어갈 수 없는 것은?

I don't know ______________.

① how long they'll *stay
② what do I want to eat
③ who will *lead the team
④ when the movie begins
⑤ where I can buy flowers

*머무르다 *(앞장서서) 이끌다

개념 가이드 의문문의 동사가 일반동사인 의문사가 있는 간접의문문의 어순은 「의문사 + ① + 일반동사」이다. 답 ① 주어

대표 예제 2 의문사가 있는 간접의문문

다음 중 밑줄 친 부분이 어법상 어색한 것은?

① Let me know where he lives.
② Who do you think he loves?
③ I wonder when the shop closes.
④ How old do you guess he is?
⑤ Do you know what day is it today?

개념 가이드 동사의 목적어 역할을 하는 간접의문문의 어순은 「의문사 + ② + ③」이다. 답 ② 주어 ③ 동사

대표 예제 3 의문사가 있는 간접의문문

다음 그림을 보고, 주어진 어구를 바르게 배열하여 문장을 완성하시오.

➡ Do you know where my wallet is?
(my *wallet / is / where) *지갑

개념 가이드 의문사가 있는 간접의문문의 어순은 「④ + 주어 + 동사」이다. 답 ④ 의문사

대표 예제 4 의문사가 있는 간접의문문

주어진 문장과 의미가 통하는 간접의문문을 완성하시오.

(1) What is love?
➡ I want to know what love is.
(2) Why was he late for school?
➡ I don't know why he was late for school.

개념 가이드 의문사가 있는 의문문이 다른 문장의 일부로 쓰이면 「의문사 + 주어 + ⑤」의 어순이 된다. 답 ⑤ 동사

대표 예제 5 의문사가 없는 간접의문문

주어진 문장과 의미가 통하도록 할 때 빈칸에 들어갈 말로 알맞은 것은?

Is there a bank near here?
➡ Do you know ______________?

① there is a bank near here
② is there a bank near here
③ if there is a bank near here
④ if is there a bank near here
⑤ that there is a bank near here

개념 가이드 의문사가 없는 의문문이 간접의문문이 되면 if 또는 ⑥ 가 절을 이끈다. 답 ⑥ whether

대표 예제 6 의문사가 없는 간접의문문

다음 두 문장을 한 문장으로 바꿔 쓸 때 빈칸에 들어갈 말로 알맞은 것을 두 개 고르면?

I wonder. + Do you know Mr. Jackson?
➡ I wonder ______ you know Mr. Jackson.

① if ② as
③ so ④ that
⑤ whether

개념 가이드 의문사가 없는 의문문이 간접의문문으로 쓰이면 「if(whether) + ⑦ + ⑧」의 어순이 된다. 답 ⑦ 주어 ⑧ 동사

대표 예제 7 의문사가 없는 간접의문문

밑줄 친 ①~⑤ 중 어법상 어색한 것은?

I don't know if is it a good idea.
(나는 그것이 좋은 생각인지 잘 모르겠다.)

개념 가이드 의문사가 없는 의문문에서는 의문사 대신에 ⑨ 가 이끄는 절이 동사의 목적어 역할을 한다. 답 ⑨ if(whether)

대표 예제 8 의문사가 없는 간접의문문

여학생의 말과 뜻이 통하도록 빈칸에 알맞은 말을 쓰시오.

➡ Can you tell me if(whether) he is at home?

개념 가이드 의문사가 없는 의문문이 다른 문장의 일부로 쓰일 때는 「if (whether) + ⑩ + 동사」의 어순이 된다.

28 29

1 나는 ① 얼마나 오래 그들이 머무를지 ③ 누가 팀을 이끌지 ④ 영화가 언제 시작하는지 ⑤ 내가 어디에서 꽃을 살 수 있는지 모르겠다. (② → what I want to eat)

□ **stay** 동 머무르다
□ **lead** 동 (앞장서서) 이끌다

2 ① 그가 어디에 사는지 나에게 알려 줘.
② 너는 그가 누구를 사랑한다고 생각하니?
③ 나는 상점이 언제 문을 닫는지 궁금하다.
④ 너는 그가 몇 살이라고 추측하니?
⑤ 너는 오늘이 무슨 요일인지 아니?
(→ what day it is)

3 너는 내 지갑이 어디에 있는지 아니?

□ **wallet** 명 지갑

4 (1) 사랑이 무엇이니?
→ 나는 사랑이 무엇인지 알고 싶다.
(2) 그는 왜 학교에 늦었니?
→ 나는 그가 왜 학교에 늦었는지 모르겠다.

□ **late** 형 늦은

5 이 근처에 은행이 있니?
→ 너는 이 근처에 은행이 있는지 아니?

6 나는 궁금하다. + 너는 Jackson 씨를 아니?
→ 나는 네가 Jackson 씨를 아는지 궁금하다.

7 의문사가 없는 간접의문문의 어순은 「if〔whether〕+ 주어 + 동사」이므로 ③ is it을 it is로 고쳐 써야 한다.

8 그는 집에 있니?
→ 그가 집에 있는지 나에게 말해줄 수 있니?

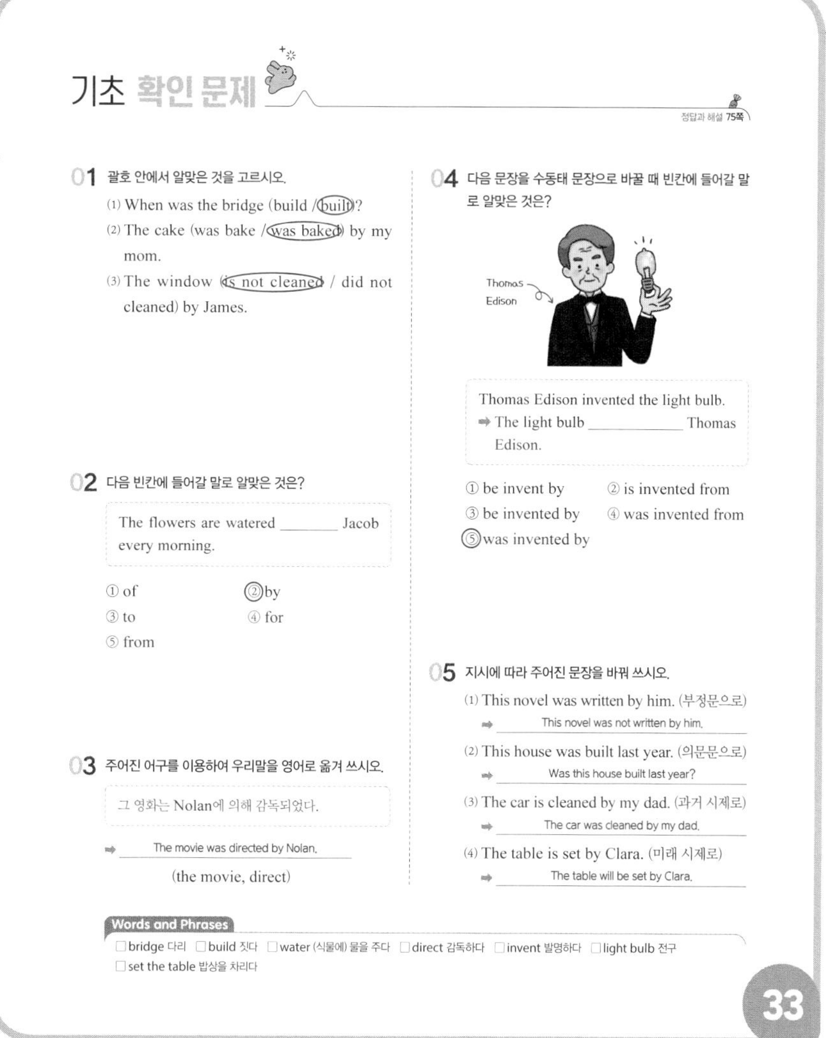

기초 확인 문제

정답과 해설 75쪽

01 괄호 안에서 알맞은 것을 고르시오.

(1) When was the bridge (build / built)?

(2) The cake (was bake / was baked) by my mom.

(3) The window (is not cleaned / did not cleaned) by James.

02 다음 빈칸에 들어갈 말로 알맞은 것은?

The flowers are watered ______ Jacob every morning.

① of ② by ③ to ④ for ⑤ from

03 주어진 어구를 이용하여 우리말을 영어로 옮겨 쓰시오.

그 영화는 Nolan에 의해 감독되었다.

➡ The movie was directed by Nolan.

(the movie, direct)

04 다음 문장을 수동태 문장으로 바꿀 때 빈칸에 들어갈 말로 알맞은 것은?

Thomas Edison invented the light bulb.
➡ The light bulb ______ Thomas Edison.

① be invent by ② is invented from ③ be invented by ④ was invented from ⑤ was invented by

05 지시에 따라 주어진 문장을 바꿔 쓰시오.

(1) This novel was written by him. (부정문으로)
➡ This novel was not written by him.

(2) This house was built last year. (의문문으로)
➡ Was this house built last year?

(3) The car is cleaned by my dad. (과거 시제로)
➡ The car was cleaned by my dad.

(4) The table is set by Clara. (미래 시제로)
➡ The table will be set by Clara.

Words and Phrases

□bridge 다리 □build 짓다 □water (식물에) 물을 주다 □direct 감독하다 □invent 발명하다 □light bulb 전구 □set the table 밥상을 차리다

33

01 수동태는 「be동사 + 과거분사」, 수동태 부정문은 「be동사 + not + 과거분사」, 수동태 의문문은 「(의문사 +) be동사 + 주어 + 과거분사 ~?」로 나타낸다.

해석

(1) 그 다리는 언제 지어졌니?

(2) 그 케이크는 나의 엄마에 의해 구워졌다.

(3) 창문은 James에 의해 청소되지 않는다.

02 수동태 문장의 행위자 앞에는 전치사 by를 쓴다.

해석

꽃은 매일 아침 Jacob에 의해 물이 주어진다.

03 「was + 과거분사」 형태의 수동태 과거 시제 문장을 완성한다. 행위자 앞에 전치사 by를 쓰는 것에 유의한다.

04 수동태는 「be동사 + 과거분사(+ by + 행위자)」로 쓴다. 능동태 문장의 시제가 과거이므로 be동사로는 was가 알맞다.

해석

Thomas Edison은 전구를 발명했다.
→ 전구는 Thomas Edison에 의해 발명되었다.

05 (1) 수동태의 부정문은 「be동사 + not + 과거분사」이다.

(2) 수동태의 의문문은 「(의문사 +)be동사 + 주어 + 과거분사 ~?」로 나타낸다.

(3) 과거 시제 수동태는 「was/were + 과거분사」로 쓴다.

(4) 미래 시제 수동태는 「will be + 과거분사」로 쓴다.

해석

(1) 이 소설은 그에 의해 쓰여졌다.

(2) 이 집은 작년에 지어졌다.

(3) 그 차는 나의 아빠에 의해 세차된다.

(4) Clara에 의해 상이 차려진다.

기초 확인 문제

정답과 해설 76쪽

06 다음 빈칸에 들어갈 말로 알맞은 것은?

The letter should ______ before May 3.

① send ② sent
③be sent ④ be sending
⑤ been sent

07 다음 빈칸에 공통으로 들어갈 말로 알맞은 것은?

• Her eyes were filled ______ tears.
• The floor is covered ______ lots of dust.

① of ② to
③ in ④with
⑤ about

08 밑줄 친 ①~⑤ 중 어법상 어색한 것은?

A Will(①) the chair delivered(②) today?
B No, it(③) won't(④). It will be delivered(⑤) tomorrow.

09 밑줄 친 부분 중 어법상 어색한 것은?

① The bike will be fixed by Daniel.
② Cell phones can be charged for free.
③ Should the report be written in English?
④ The classroom should be cleaned every day.
⑤Students cannot be used cell phones in class.

10 다음 표지판을 보고, 주어진 어구를 이용하여 문장을 완성하시오. (필요하면 동사의 형태를 바꿀 것)

(1)

OFF

➡ The light must be turned off.
(must, turn off)

(2)

➡ Foods should not be brought into the library. (should, bring)

Words and Phrases
□May 5월 □tear 눈물 □dust 먼지 □charge 충전하다 □turn off (불을) 끄다

35

06 「조동사 + be + 과거분사」가 되어야 한다.

해석
그 편지는 5월 3일 전에 보내져야 한다.

07 be filled with: ~으로 가득 차다
be covered with: ~으로 덮여 있다

해석
• 그녀의 눈은 눈물로 가득 찼다.
• 바닥은 많은 먼지로 덮여 있다.

08 조동사를 포함하는 수동태의 의문문은 「(의문사 +)조동사 + 주어 + be + 과거분사 ~?」로 나타낸다.

해석
A 의자가 오늘 배달되나요?
B 아니요, 그렇지 않습니다. 그것은 내일 배달될 것입니다.

09 학생들이 행위자이고, 휴대전화가 행위의 대상이므로 Students cannot use cell phones in class. 또는 Cell phones cannot be used in class by students.가 되어야 한다.

해석
① 자전거는 Daniel에 의해 수리될 것이다. ② 휴대전화는 무료로 충전될 수 있다. ③ 그 보고서는 영어로 쓰여야 합니까? ④ 교실은 매일 청소되어야 한다.

10 조동사를 포함하는 수동태는 「조동사 + be + 과거분사」 형태로 쓰고, 부정문은 「주어 + 조동사 + not + be + 과거분사」로 쓴다.

해석
(1) 전등은 꺼져야 한다.
(2) 도서관에 음식을 가져와서는 안 된다.

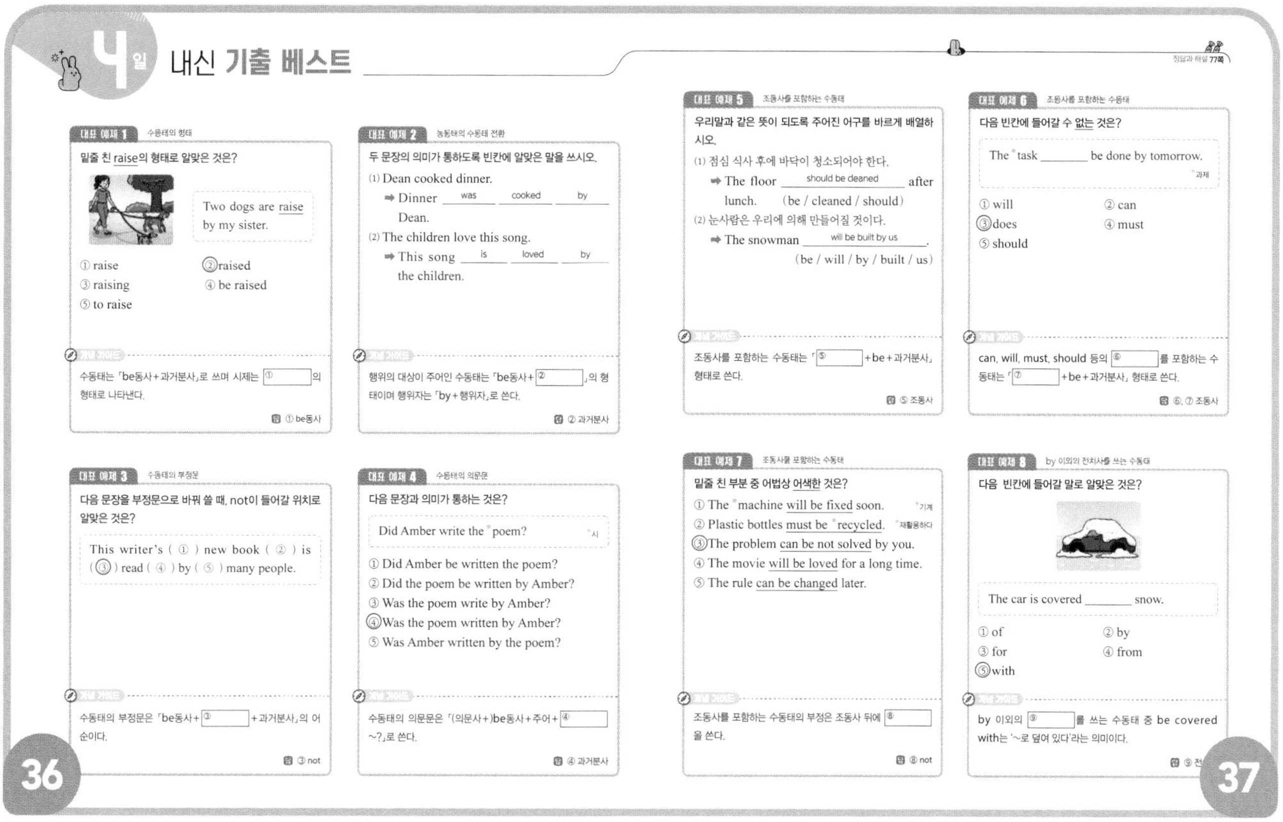

4일 내신 기출 베스트

정답과 해설 77쪽

대표 예제 1 수동태의 형태

밑줄 친 raise의 형태로 알맞은 것은?

Two dogs are raise by my sister.

① raise ②raised ③ raising ④ be raised ⑤ to raise

개념 가이드: 수동태는 「be동사+과거분사」로 쓰며 시제는 ① ___의 형태로 나타낸다.

답 ① be동사

대표 예제 2 능동태의 수동태 전환

두 문장의 의미가 통하도록 빈칸에 알맞은 말을 쓰시오.

(1) Dean cooked dinner.
➡ Dinner was cooked by Dean.

(2) The children love this song.
➡ This song is loved by the children.

개념 가이드: 행위의 대상이 주어인 수동태는 「be동사+② ___」의 형태이며 행위자는 「by+행위자」로 쓴다.

답 ② 과거분사

대표 예제 3 수동태의 부정문

다음 문장을 부정문으로 바꿔 쓸 때, not이 들어갈 위치로 알맞은 것은?

This writer's (①) new book (②) is (③) read (④) by (⑤) many people.

개념 가이드: 수동태의 부정문은 「be동사+③ ___+과거분사」의 어순이다.

답 ③ not

대표 예제 4 수동태의 의문문

다음 문장과 의미가 통하는 것은?

Did Amber write the poem? (*시)

① Did Amber be written the poem?
② Did the poem be written by Amber?
③ Was the poem write by Amber?
④Was the poem written by Amber?
⑤ Was Amber written by the poem?

개념 가이드: 수동태의 의문문은 「(의문사+)be동사+주어+④ ___ ~?」로 쓴다.

답 ④ 과거분사

대표 예제 5 조동사를 포함하는 수동태

우리말과 같은 뜻이 되도록 주어진 어구를 바르게 배열하시오.

(1) 점심 식사 후에 바닥이 청소되어야 한다.
➡ The floor should be cleaned after lunch. (be / cleaned / should)

(2) 눈사람은 우리에 의해 만들어질 것이다.
➡ The snowman will be built by us. (be / will / by / built / us)

개념 가이드: 조동사를 포함하는 수동태는 「⑤ ___+be+과거분사」 형태로 쓴다.

답 ⑤ 조동사

대표 예제 6 조동사를 포함하는 수동태

다음 빈칸에 들어갈 수 없는 것은?

The task ______ be done by tomorrow. (*과제)

① will ② can ③does ④ must ⑤ should

개념 가이드: can, will, must, should 등의 ⑥ ___를 포함하는 수동태는 「⑦ ___+be+과거분사」 형태로 쓴다.

답 ⑥, ⑦ 조동사

대표 예제 7 조동사를 포함하는 수동태

밑줄 친 부분 중 어법상 어색한 것은?

① The machine will be fixed soon. (*기계)
② Plastic bottles must be recycled. (*재활용하다)
③The problem can be not solved by you.
④ The movie will be loved for a long time.
⑤ The rule can be changed later.

개념 가이드: 조동사를 포함하는 수동태의 부정은 조동사 뒤에 ⑧ ___을 쓴다.

답 ⑧ not

대표 예제 8 by 이외의 전치사를 쓰는 수동태

다음 빈칸에 들어갈 말로 알맞은 것은?

The car is covered ______ snow.

① of ② by ③ for ④ from ⑤with

개념 가이드: by 이외의 ⑨ ___를 쓰는 수동태 중 be covered with는 '~로 덮여 있다'라는 의미이다.

답 ⑨ 전치사

36 37

1 두 마리의 개가 나의 언니에 의해 길러진다.

☐ **raise** 동 (동물을) 기르다

2 (1) Dean은 저녁 식사를 요리했다.
→ 저녁 식사는 Dean에 의해 요리되었다.
(2) 어린이들은 이 노래를 사랑한다.
→ 이 노래는 어린이들에게 사랑받는다.

3 이 작가의 새로운 책은 많은 사람들에게 읽히지 않는다.

4 Amber가 그 시를 썼니?
→ 그 시가 Amber에 의해 쓰여졌니?

☐ **poem** 명 시

6 그 과제는 내일까지 ① 마쳐질 것이다 ② 마쳐질 수 있다 ④, ⑤ 마쳐져야 한다.

☐ **task** 명 과제

7 ① 그 기계는 곧 수리될 것이다.
② 플라스틱 병들은 재활용되어야 한다.
③ 그 문제는 너에 의해 해결될 수 없다.
(→ cannot be solved)
④ 그 영화는 오랫동안 사랑받을 것이다.
⑤ 규칙은 나중에 변경될 수 있다.

☐ **machine** 명 기계
☐ **fix** 동 수리하다
☐ **recycle** 동 재활용하다
☐ **solve** 동 해결하다

8 그 차는 눈으로 덮여 있다.

☐ **be covered with** ~으로 덮여 있다

4일

정답과 해설

01 각 동사의 알맞은 과거분사형을 쓴다. 동사 read의 과거형과 과거분사형이 모두 read로 형태가 동일한 것에 유의한다.

해석

(1) 먹다 (eat - ate - eaten)
(2) 보내다 (send - sent - sent)
(3) 가지고 오다 (bring - brought - brought)
(4) 가다 (go - went - gone)
(5) 읽다 (read - read - read)
(6) 가지고 가다 (take - took - taken)

02 과거의 특정 시점부터 현재까지 계속되는 일을 설명하는 현재완료 시제이므로 '~ 이후로'라는 의미를 나타내는 접속사 since가 알맞다.

해석

나는 내가 어린 아이였을 때부터 Emma를 알아 왔다.

03 첫 번째 문장은 경험을 묻는 현재완료 의문문이므로 be동사의 과거분사인 been이 와야 한다. 경험을 나타내는 현재완료 시제의 문장은 before, ever, never와 함께 자주 쓰인다. 두 번째 문장은 가 본적이 있다는 긍정의 답이므로 have가 알맞다.

해석

A 너는 런던에 가본 적이 있니?
B 응, 있어.

04 ① 전에 그 영화를 본 적이 있다는 내용의 경험을 나타내는 현재완료 시제 문장으로, '방금'이라는 뜻의 just와 함께 쓰일 수 없다. (→ have watched)

해석

① 나는 전에 그 영화를 봤다.
② Tom은 서울을 여러 번 가 보았다.
③ 너는 얼마나 오랫동안 피아노를 쳤니?
④ 나는 작년부터 이 컴퓨터를 사용해 왔다.
⑤ 그는 석 달 동안 요리사로 일해 왔다.

기초 확인 문제

정답과 해설 78쪽

01 다음 동사의 과거분사형을 쓰시오.

(1) eat - eaten　　(2) send - sent
(3) bring - brought　　(4) go - gone
(5) read - read　　(6) take - taken

02 다음 빈칸에 들어갈 말로 알맞은 것은?

I have known Emma _______ I was a little child.

① for　② when
③ after　④since (정답)
⑤ during

03 다음 대화의 빈칸에 들어갈 말이 순서대로 짝 지어진 것은?

A Have you ever _______ to London?
B Yes, I _______.

① be - have　②been - have (정답)
③ be - had　④ been - haven't
⑤ seen - had

04 밑줄 친 부분 중 어법상 어색한 것은?

①I have just watched that movie before. (정답)
② Tom has been to Seoul many times.
③ How long have you played the piano?
④ I have used this computer since last year.
⑤ He has worked as a cook for three months.

05 다음 그림을 보고, 주어진 문장과 뜻이 통하도록 현재완료 시제를 이용하여 문장을 완성하시오.

3 years a go

now

• They moved in this house three years ago.
• They still live in the same house.

➡ They have lived in this house for three years.

41

05 과거의 특정 시점에 시작된 일이 현재까지 계속되고 있음을 나타내는 현재완료 시제의 문장을 완성한다. '계속'을 나타내는 현재완료 시제의 문장은 기간을 나타내는 for와 함께 자주 쓰인다.

☐ **move in** 이사를 오다
☐ **still** 부 여전히

해석

• 그들은 3년 전에 이 집으로 이사 왔다.
• 그들은 여전히 같은 집에 산다.
→ 그들은 3년 동안 이 집에 살고 있다.

기초 확인 문제

정답과 해설 79쪽

06 주어진 동사를 알맞은 형태로 고쳐 쓰시오.

(1) Jason has __lost__ his wallet. (lose)
(2) The movie just has __started__. (start)
(3) I've __learned__ a lot from books. (learn)
(4) Matilda has already __arrived__ at the restaurant. (arrive)
(5) I have not __finished__ my homework yet. (finish)

7~8 다음 빈칸에 들어갈 말로 알맞은 것을 고르시오.

07

He ______ just returned from his trip.

① is ② was
③ have ④has
⑤ will

08

She has ______ an accident and she's in the hospital now.

① be ② been
③ have ④ has
⑤had

09 다음 중 어법상 어색한 것은?

① Luna has gone to Mexico.
② We have missed the train.
③ Angela has bought a new boat.
④You have been broken my watch.
⑤ Someone has eaten my sandwich.

10 다음 그림을 보고, 주어진 단어를 이용하여 문장을 완성하시오.

➡ Sam __has__ __washed__ the dishes. (wash)

43

06 결과 또는 완료를 나타내는 현재완료 시제의 문장이다. 현재완료 시제는 「have[has] + 과거분사」로 나타내므로 주어진 단어의 알맞은 과거분사형을 쓴다.

(1) lose-lost-lost (잃어버리다)
(2) start-started-started (시작하다)
(3) learn-learned-learned (배우다)
(4) arrive-arrived-arrived (도착하다)
(5) finish-finished-finished (마치다)

☐ **wallet** 명 지갑
☐ **yet** 부 (부정문에서) 아직

해석

(1) Jason은 그의 지갑을 잃어버렸다.
(2) 그 영화는 방금 시작했다.
(3) 나는 책으로부터 많은 것을 배웠다.
(4) Matilda는 벌써 식당에 도착했다.
(5) 나는 아직 숙제를 마치지 못했다.

07 완료를 나타내는 현재완료 시제(have[has] + 과거분사)의 문장이다. 주어가 3인칭 단수이므로 has가 알맞다.

☐ **return** 동 돌아오다
☐ **trip** 명 여행

해석

그는 막 여행에서 돌아왔다.

08 결과를 나타내는 현재완료 시제(have[has] + 과거분사)의 문장이다. 동사 have의 과거분사형 had가 알맞다.

☐ **accident** 명 사고

해석

그녀는 사고를 당했고, 지금 병원에 있다.

09 ④ 결과를 나타내는 현재완료 시제(have[has] + 과거분사)의 문장이다. (have been broken → have broken)

해석

① Luna는 멕시코에 가 버렸다.
② 우리는 기차를 놓쳤다.
③ Angela는 새 보트를 샀다.
④ 너는 내 시계를 망가트렸다.
⑤ 누군가가 내 샌드위치를 먹었다.

10 완료를 나타내는 현재완료 시제(have[has] + 과거분사)의 문장을 완성한다. 동사 wash의 과거분사는 washed이다.

☐ **wash the dishes** 설거지를 하다

해석

Sam은 설거지를 마쳤다.

5일

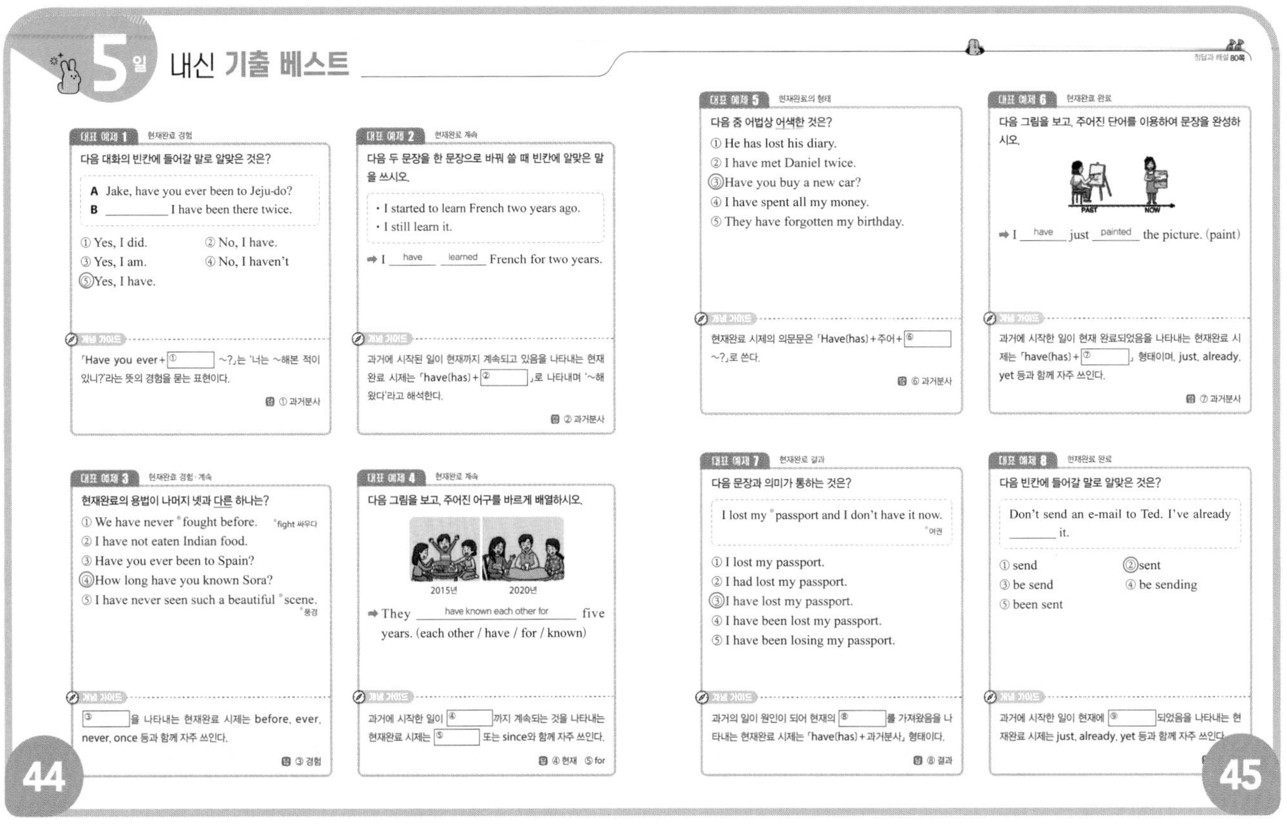

1 **A** Jake, 너는 제주도에 가본 적이 있니?
B 응, 있어. 나는 그곳에 두 번 가 봤어.

2 나는 2년 전에 프랑스어를 배우기 시작했다.
나는 여전히 그것을 배운다.
→ 나는 2년 동안 프랑스어를 배우고 있다.

3 ① 우리는 전에 싸운 적이 없다. (경험)
② 나는 인도 음식을 먹어 본 적이 없다. (경험)
③ 너는 스페인에 가본 적이 있니? (경험)
④ 너는 얼마나 오랫동안 소라를 알아 왔니? (계속)
⑤ 나는 이렇게 아름다운 풍경을 본 적이 없다. (경험)
□ **fight** 동 싸우다
□ **scene** 명 풍경

4 그들은 5년 동안 서로를 알아 왔다.

5 ① 그는 그의 일기장을 잃어버렸다.
② 나는 Daniel을 두 번 만났다.
③ 너는 새 차를 샀니? (→ Have you bought a new car?)
④ 나는 내 돈을 다 써버렸다.
⑤ 그들은 내 생일을 잊어버렸다.
□ **diary** 명 일기장

6 나는 방금 그림을 그렸다.

7 나는 내 여권을 잃어버렸고, 지금 그것을 가지고 있지 않다.
→ 나는 내 여권을 잃어버렸다 (현재완료 시제: 현재 가지고 있지 않음)

8 Ted에게 이메일을 보내지 마. 내가 벌써 그것을 보냈어.

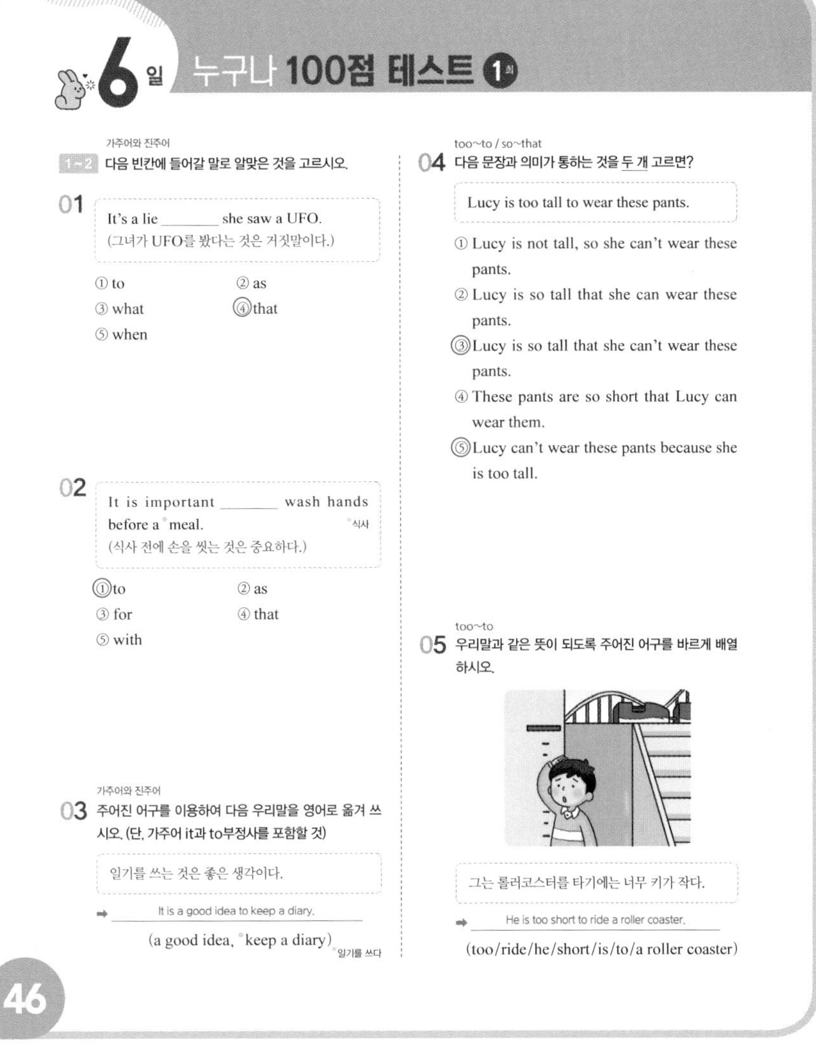

6일 누구나 100점 테스트 1회

가주어와 진주어

1~2 다음 빈칸에 들어갈 말로 알맞은 것을 고르시오.

01 It's a lie _______ she saw a UFO.
(그녀가 UFO를 봤다는 것은 거짓말이다.)

① to ② as
③ what ④ that
⑤ when

02 It is important _______ wash hands before a meal.
(식사 전에 손을 씻는 것은 중요하다.)

① to ② as
③ for ④ that
⑤ with

가주어와 진주어

03 주어진 어구를 이용하여 다음 우리말을 영어로 옮겨 쓰시오. (단, 가주어 it과 to부정사를 포함할 것)

일기를 쓰는 것은 좋은 생각이다.

➡ It is a good idea to keep a diary.

(a good idea, keep a diary)

too~to / so~that

04 다음 문장과 의미가 통하는 것을 두 개 고르면?

Lucy is too tall to wear these pants.

① Lucy is not tall, so she can't wear these pants.
② Lucy is so tall that she can wear these pants.
③ Lucy is so tall that she can't wear these pants.
④ These pants are so short that Lucy can wear them.
⑤ Lucy can't wear these pants because she is too tall.

too~to

05 우리말과 같은 뜻이 되도록 주어진 어구를 바르게 배열하시오.

그는 롤러코스터를 타기에는 너무 키가 작다.

➡ He is too short to ride a roller coaster.

(too/ride/he/short/is/to/a roller coaster)

46

01 It이 가주어이고 뒤의 명사절이 진주어인 문장이다. 빈칸 뒤에 완전한 절이 나오는 것으로 보아 빈칸에는 that이 알맞다.

☐ **lie** 명 거짓말

02 It이 가주어이고 뒤의 to부정사구가 진주어인 문장이다. 빈칸 뒤에 동사원형이 나오는 것으로 보아 빈칸에는 to가 알맞다.

☐ **important** 형 중요한

☐ **meal** 명 식사

03 It이 가주어이고 to부정사구가 진주어인 문장을 완성한다.

☐ **keep a diary** 일기를 쓰다

04 「so + 형용사 + that + 주어 + can't ~」는 '너무 ~해서 …할 수 없다'라는 의미로 원인과 결과를 나타낸다. 이는 「too + 형용사 + to부정사」로 바꿔 쓸 수 있다.

해석

Lucy는 그 바지를 입기에는 키가 너무 크다.

① Lucy는 키가 크지 않아서 이 바지를 입을 수 없다.
② Lucy는 키가 너무 커서 이 바지를 입을 수 있다.
③ Lucy는 키가 너무 커서 이 바지를 입을 수 없다.
④ 그 바지는 너무 짧아서 Lucy는 그것을 입을 수 있다.
⑤ Lucy는 키가 너무 커서 이 바지를 입을 수 없다.

05 「too + 형용사 + to부정사」 구문이 되도록 어구를 배열한다.

가주어와 진주어
06 가주어 It을 이용하여 주어진 문장을 다시 쓰시오.

To swim across the river is dangerous.

➡ It ___is dangerous to swim across the river___.

too~to
07 다음 문장과 뜻이 통하도록 빈칸에 알맞은 말을 쓰시오.

Ethan was very tired, so he couldn't walk anymore.

➡ Ethan was ___too___ tired ___to___ walk anymore.

too~to / so~that
08 다음 문장과 의미가 통하도록 빈칸에 알맞은 말을 쓰시오.

(1) The music is too loud to hear your voice.
➡ The music is ___so___ ___loud___ ___that___ I can't hear your voice.

(2) It was so dark that we couldn't go out.
➡ It was ___too___ ___dark___ ___to___ ___go___ out.

가주어와 진주어
09 밑줄 친 It[it]의 쓰임이 〈보기〉와 같은 것은?

보기
It is fun to play badminton.

① It is Monday today.
② What time is it now?
③ Was it nice to stay there?
④ It will rain a lot tomorrow.
⑤ How far is it from here to the station?

목적을 나타내는 구문
10 우리말과 같은 뜻이 되도록 빈칸에 알맞은 말을 쓰시오.

우리는 좋은 좌석을 얻기 위해 일찍 도착했다.
➡ We arrived early to get good seats.
➡ We arrived early ___so___ ___that___ we could get good seats.
➡ We arrived early so ___as___ ___to___ get good seats.

06 진주어인 to부정사구를 뒤로 보내고 주어 자리에 가주어 It을 쓴 문장을 완성한다.

해석
헤엄쳐서 강을 건너는 것은 위험하다.

07 너무 피곤하기 때문에 더 걸을 수 없었다는 원인과 결과를 나타내는 문장이다. '~하기에 너무 …한'은 「too + 형용사 + to부정사」로 나타낸다.

해석
Ethan은 매우 피곤해서 더 걸을 수 없었다.
→ Ethan은 더 걷기에는 너무 피곤했다.

08 「too + 형용사 + to부정사」는 '~하기에 너무 …한'이라는 뜻이고, 이는 「so + 형용사 + that + 주어 + can't ~」로 바꿔 쓸 수 있다.

해석
(1) 음악이 너무 시끄러워서 나는 너의 목소리를 들을 수 없다.
(2) 너무 어두워서 우리는 외출할 수 없었다.

09 보기와 ③의 It[it]은 가주어이다. 나머지는 모두 비인칭 주어이다.

해석
〈보기〉 배드민턴을 치는 것은 재미있다.
① 오늘은 월요일이다. ② 지금 몇 시니? ③ 그곳에 머무르는 것은 좋았니? ④ 내일 비가 많이 내릴 것이다. ⑤ 여기에서 역까지 얼마나 머니?

10 so that과 so as to는 '~하기 위해서'라는 뜻의 목적을 나타내는 표현이다.

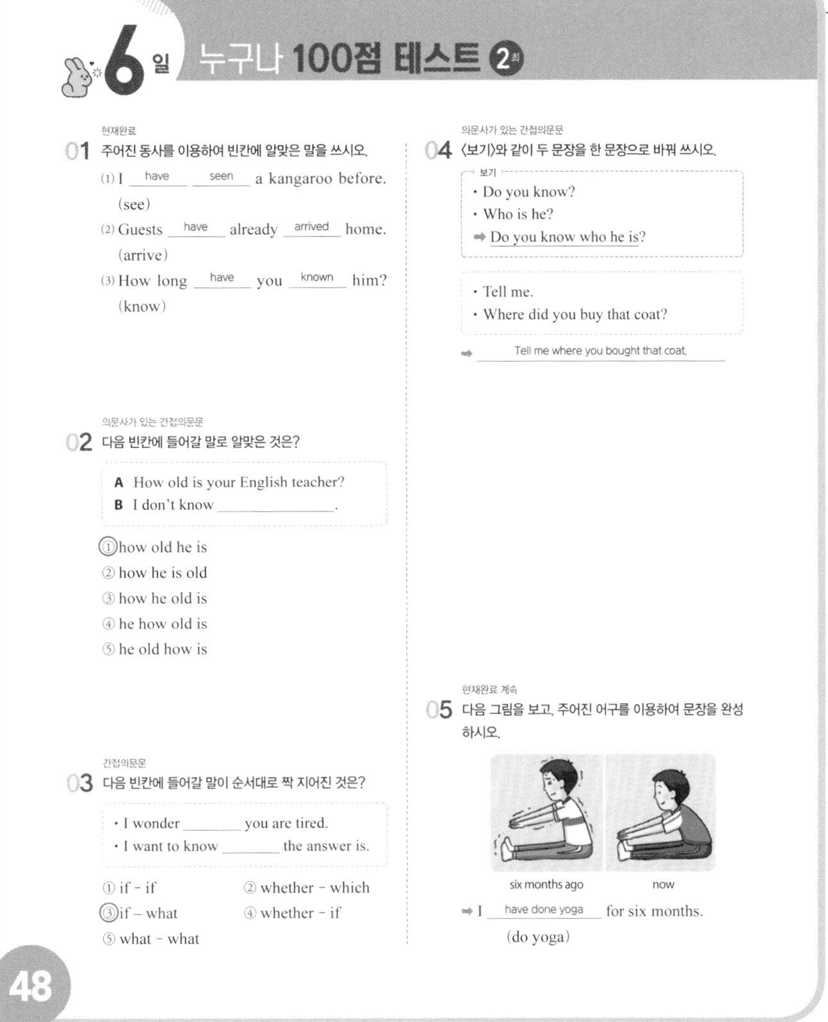

01 「have[has] + 과거분사」의 현재완료 시제의 문장을 완성한다.

해석

(1) 나는 캥커루를 전에 본 적이 있다.

(2) 손님들이 벌써 집에 도착했다.

(3) 너는 얼마나 오래 그를 알아왔니?

02 의문사가 있는 간접의문문은 「의문사 + 주어 + 동사」로 쓴다. how old는 하나의 의문사로 취급한다.

해석

A 너의 영어 선생님은 몇 살이시니?

B 나는 그가 몇 살인지 모르겠어.

03 • 명사절을 이끄는 접속사 if가 알맞다.

• 간접의문문을 이끄는 의문사 what이 알맞다.

해석

• 나는 네가 피곤한지 궁금하다.

• 나는 답이 무엇인지 알고 싶다.

04 Tell me 다음에 「의문사 + 주어 + 동사」의 간접의문문을 쓴다.

해석

〈보기〉 • 너는 아니? • 그는 누구니?

→ 너는 그가 누군지 아니?

• 내게 말해 줘. • 너는 그 코트를 어디에서 샀니?

→ 네가 그 코트를 어디에서 샀는지 내게 말해 줘.

05 현재완료(have[has] + 과거분사) 시제의 문장을 완성한다. 동사 do의 과거분사형은 done이다.

해석

나는 6개월 동안 요가를 해 왔다.

6일

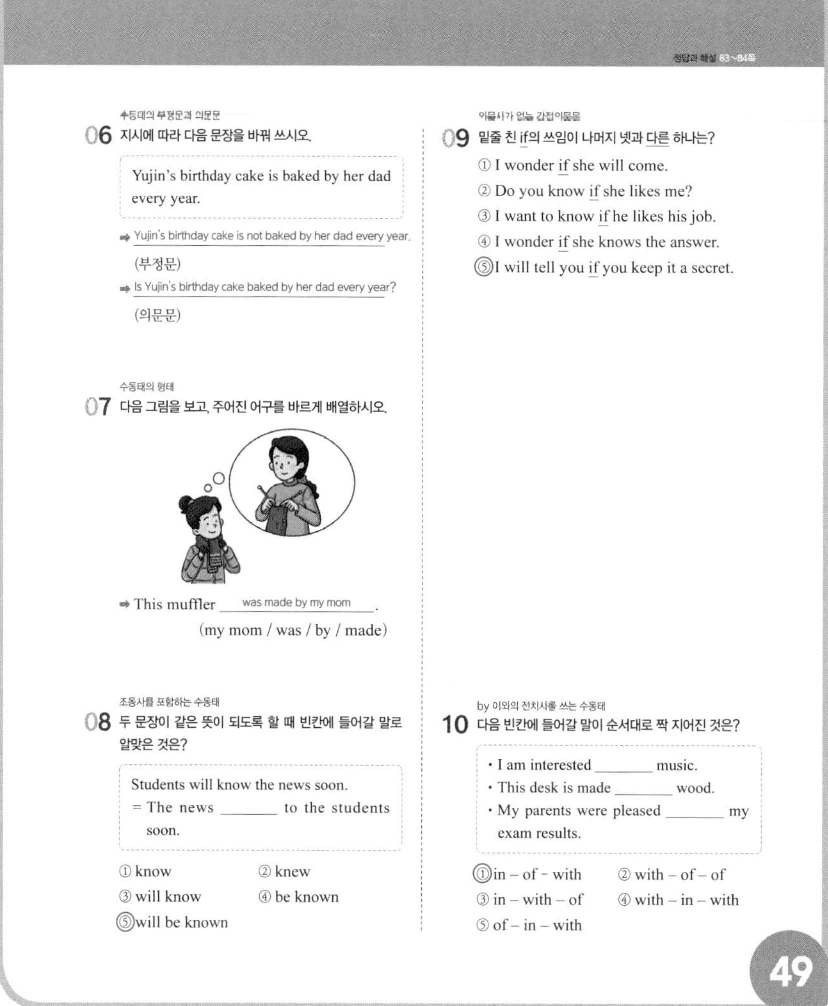

수동태의 부정문과 의문문

06 지시에 따라 다음 문장을 바꿔 쓰시오.

> Yujin's birthday cake is baked by her dad every year.

➡ Yujin's birthday cake is not baked by her dad every year. (부정문)

➡ Is Yujin's birthday cake baked by her dad every year? (의문문)

수동태의 형태

07 다음 그림을 보고, 주어진 어구를 바르게 배열하시오.

➡ This muffler was made by my mom.
(my mom / was / by / made)

조동사를 포함하는 수동태

08 두 문장이 같은 뜻이 되도록 할 때 빈칸에 들어갈 말로 알맞은 것은?

> Students will know the news soon.
> = The news _______ to the students soon.

① know ② knew
③ will know ④ be known
⑤ will be known

의문사가 없는 간접의문문

09 밑줄 친 if의 쓰임이 나머지 넷과 다른 하나는?

① I wonder if she will come.
② Do you know if she likes me?
③ I want to know if he likes his job.
④ I wonder if she knows the answer.
⑤ I will tell you if you keep it a secret.

by 이외의 전치사를 쓰는 수동태

10 다음 빈칸에 들어갈 말이 순서대로 짝 지어진 것은?

> • I am interested _______ music.
> • This desk is made _______ wood.
> • My parents were pleased _______ my exam results.

① in – of – with ② with – of – of
③ in – with – of ④ with – in – with
⑤ of – in – with

49

06 수동태의 부정문은 「be동사 + not + 과거분사」, 수동태 의문문은 「(의문사 +)be동사 + 주어 + 과거분사 ~?」로 쓴다.

해석

유진이의 생일 케이크는 매년 그녀의 아빠에 의해 구워진다.

07 「be동사 + 과거분사」의 수동태 문장을 완성한다. 수동태 문장의 행위자 앞에는 전치사 by를 쓴다.

해석

이 목도리는 나의 엄마에 의해 만들어졌다.

08 조동사를 포함하는 수동태는 「조동사 + be + 과거분사」 형태이다.

해석

학생들은 곧 그 소식을 알게 될 것이다.
→ 그 소식은 곧 학생들에게 알려질 것이다.

09 ⑤를 제외한 나머지는 모두 '~인지 아닌지'라는 뜻의 명사절을 이끄는 접속사 if이다. ⑤는 '만약 ~라면'이라는 뜻의 부사절을 이끄는 접속사 if이다.

해석

① 나는 그녀가 올지 궁금하다.
② 너는 그녀가 나를 좋아하는지 알고 있니?
③ 나는 그가 자신의 직업을 좋아하는지 알고 싶다.
④ 나는 그녀가 답을 알고 있는지 궁금하다.
⑤ 만약 네가 그것을 비밀로 지킨다면 말해 줄게.

10 be interested in: ~에 관심이 있다
be made of: ~으로 만들어지다
be pleased with: ~에 기뻐하다

해석

• 나는 음악에 관심이 있다.
• 이 책상은 나무로 만들어졌다.
• 나의 부모님은 나의 시험 결과에 기뻐하셨다.

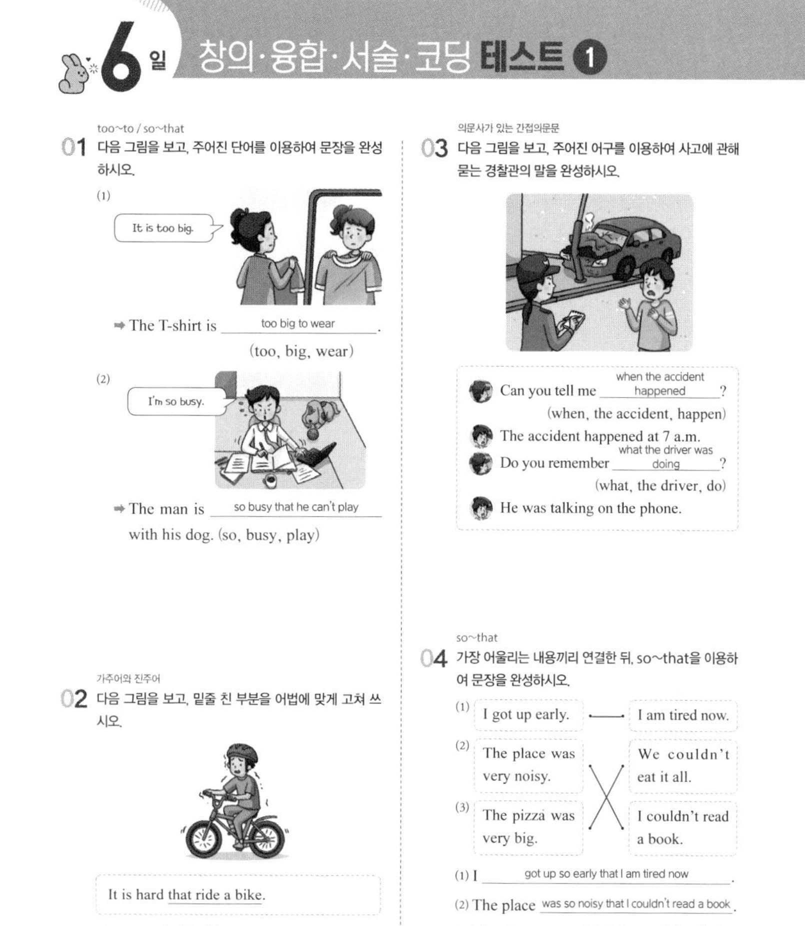

6일 창의·융합·서술·코딩 테스트 ①

too~to / so~that
01 다음 그림을 보고, 주어진 단어를 이용하여 문장을 완성하시오.

(1)

➡ The T-shirt is too big to wear.
(too, big, wear)

(2)

➡ The man is so busy that he can't play with his dog. (so, busy, play)

가주어와 진주어
02 다음 그림을 보고, 밑줄 친 부분을 어법에 맞게 고쳐 쓰시오.

It is hard that ride a bike.

➡ to ride a bike

의문사가 있는 간접의문문
03 다음 그림을 보고, 주어진 어구를 이용하여 사고에 관해 묻는 경찰관의 말을 완성하시오.

Can you tell me when the accident happened?
(when, the accident, happen)
The accident happened at 7 a.m.
Do you remember what the driver was doing?
(what, the driver, do)
He was talking on the phone.

so~that
04 가장 어울리는 내용끼리 연결한 뒤, so~that을 이용하여 문장을 완성하시오.

(1) I got up early. — I am tired now.
(2) The place was very noisy. — We couldn't eat it all.
(3) The pizza was very big. — I couldn't read a book.

(1) I got up so early that I am tired now.
(2) The place was so noisy that I couldn't read a book.
(3) The pizza was so big that we couldn't eat it all.

50

01 (1) '~하기에 너무 …한'이라는 의미를 나타낼 때 「too + 형용사 + to부정사」를 사용한다.
(2) '너무 ~해서 …할 수 없다'라는 의미는 「so + 형용사 + that + 주어 + can't ~」로 나타낸다.

해석
(1) 너무 크네. → 이 티셔츠는 입기에는 너무 크다.
(2) 나는 무척 바빠. → 그 남자는 너무 바빠서 그의 개와 놀아줄 수 없다.

02 It이 가주어이고 to부정사가 진주어인 문장으로 고쳐 쓴다.

해석
자전거를 타는 것은 어렵다.

03 이어지는 응답을 읽고, 「의문사 + 주어 + 동사」의 간접의문문을 완성한다.

해석
사고가 언제 일어났는지 말씀해 주실 수 있나요?
사고는 아침 7시에 일어났습니다.
운전자가 무엇을 하고 있었는지 기억나시나요?
그는 전화 통화를 하고 있었습니다.

04 '너무 ~해서 …할 수 없다'라는 의미는 「so + 형용사 + that + 주어 + can't ~」로 나타낸다.

해석
(1) 나는 너무 일찍 일어나서 지금 피곤하다.
(2) 그 장소는 너무 시끄러워서 나는 책을 읽을 수 없었다.
(3) 그 피자는 너무 커서 우리는 그것을 다 먹을 수 없었다.

현재완료 계속

05 다음 그림을 보고, 주어진 단어를 이용하여 빈칸에 알맞은 말을 쓰시오.

Mia has to do a lot of things today. She has been (be) in her room since 9 a.m. She has not eaten (eat) anything all day.

조동사를 포함하는 수동태

06 A와 B에서 각각 알맞은 단어를 골라 도서관 규칙을 완성하시오.

A	B
can will must	use close borrow

NOTICE

1 New books can be borrowed for 2 weeks.

2 Cell phones must not be used in the library.

3 The library will be closed next Monday.

수동태

07 다음 안내문을 읽고, 주어진 단어를 이용하여 문장을 완성하시오.

Dragon Bridge

- built in 1995
- destroyed by the flood
- repaired in 2000

A When (1) was this bridge built? (this bridge, build)

B It was built in 1995, but it (2) was destroyed by the flood. (destroy)

A When was it repaired? (repair)

B It was repaired in 2000.

목적을 나타내는 to부정사

08 다음 그림을 보고, 여학생의 말과 같은 뜻이 되도록 빈칸에 알맞은 말을 쓰시오.

I waited for an hour in order to meet you.

➡ I waited for an hour so as to meet you.

51

05 과거에 시작된 일이 현재까지 지속되고 있음을 나타내는 현재완료(have〔has〕+ 과거분사) 시제의 문장을 완성한다.

해석

Mia는 오늘 많은 일을 해야 한다. 그녀는 오전 9시부터 그녀의 방 안에 있다. 그녀는 종일 아무것도 먹지 못했다.

06 조동사를 포함하는 수동태는 「조동사 + be + 과거분사」로 쓴다.

해석

공지

1 신간은 2주 동안 대출될 수 있습니다.

2 도서관 안에서 휴대전화는 사용될 수 없습니다.

3 도서관은 다음주 월요일에 문을 닫습니다.

07 주어진 단어를 이용하여 「be동사 + 과거분사」의 수동태 문장을 완성한다. 의문사가 있는 수동태 문장의 의문문은 「의문사 + be동사 + 주어 + 과거분사 ~?」이다.

해석

드래곤 다리

- 1995년에 지어짐
- 홍수로 인해 파괴됨
- 2000년에 수리됨

A 이 다리는 언제 지어졌니?

B 그것은 1995년에 지어졌지만 홍수에 의해 파괴되었어.

A 그것은 언제 수리되었니?

B 그것은 2000년에 수리되었어.

08 목적을 나타내는 in order to는 so as to와 바꿔 쓸 수 있다.

해석

저는 당신을 만나기 위해 1시간 동안 기다렸어요.

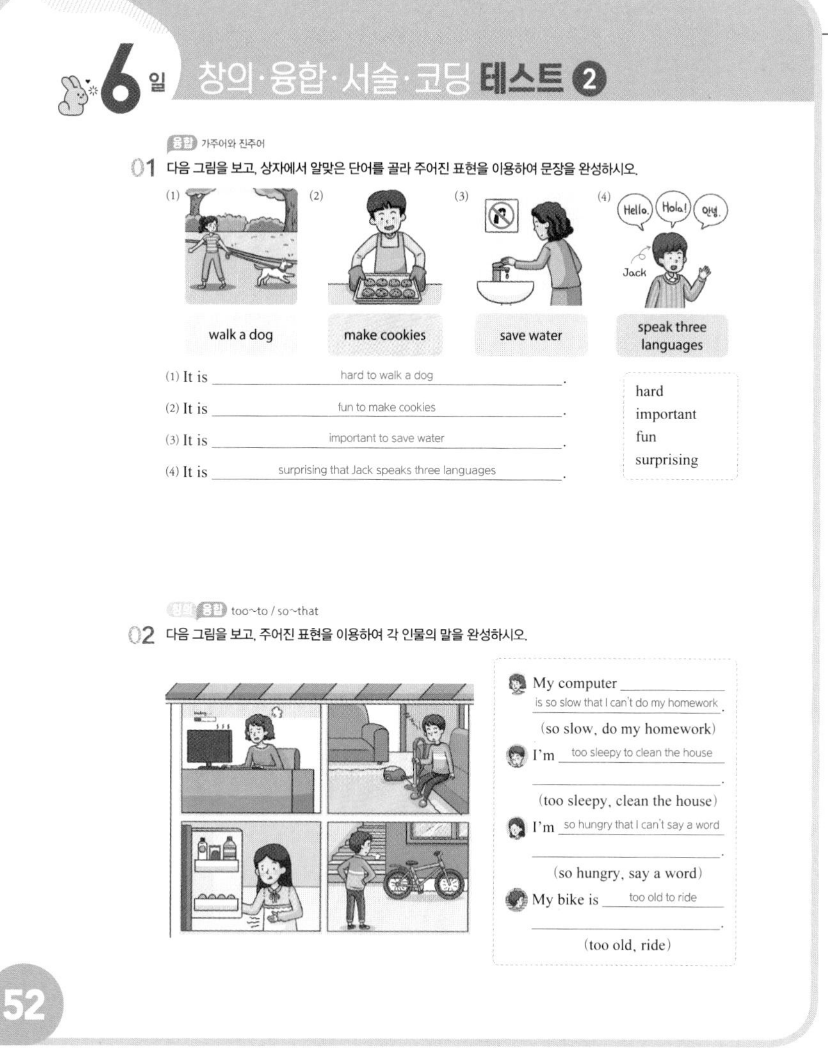

6일 창의·융합·서술·코딩 테스트 2

융합 가주어와 진주어

01 다음 그림을 보고, 상자에서 알맞은 단어를 골라 주어진 표현을 이용하여 문장을 완성하시오.

(1) walk a dog (2) make cookies (3) save water (4) speak three languages

(1) It is hard to walk a dog.

(2) It is fun to make cookies.

(3) It is important to save water.

(4) It is surprising that Jack speaks three languages.

hard
important
fun
surprising

창의 융합 too~to / so~that

02 다음 그림을 보고, 주어진 표현을 이용하여 각 인물의 말을 완성하시오.

My computer is so slow that I can't do my homework.
(so slow, do my homework)

I'm too sleepy to clean the house.
(too sleepy, clean the house)

I'm so hungry that I can't say a word.
(so hungry, say a word)

My bike is too old to ride.
(too old, ride)

52

6일

01 가주어가 It이고, to부정사구 또는 that절이 진주어인 문장을 완성한다. that절의 that 뒤에는 완전한 절이 온다.

- ☐ **hard** 형 어려운
- ☐ **walk a dog** 개를 산책시키다
- ☐ **important** 형 중요한
- ☐ **save** 동 절약하다
- ☐ **surprising** 형 놀라운
- ☐ **language** 명 언어

해석

(1) 개를 산책시키는 것은 어렵다.
(2) 쿠키를 만드는 것은 재미있다.
(3) 물을 절약하는 것은 중요하다.
(4) Jack이 세 가지 언어를 말하는 것은 놀랍다.

02 '~하기에 너무 …한'이라는 뜻은 「too + 형용사 + to부정사」로 나타내고 '너무 ~해서 …할 수 없다'라는 뜻은 「so + 형용사 + that + 주어 + can't ~」로 나타낸다.

해석

내 컴퓨터는 너무 느려서 나는 숙제를 할 수 없다.
나는 집을 청소하기에 너무 졸리다.
나는 너무 배가 고파서 한 마디도 할 수 없다.
내 자전거는 타기에 너무 낡았다.

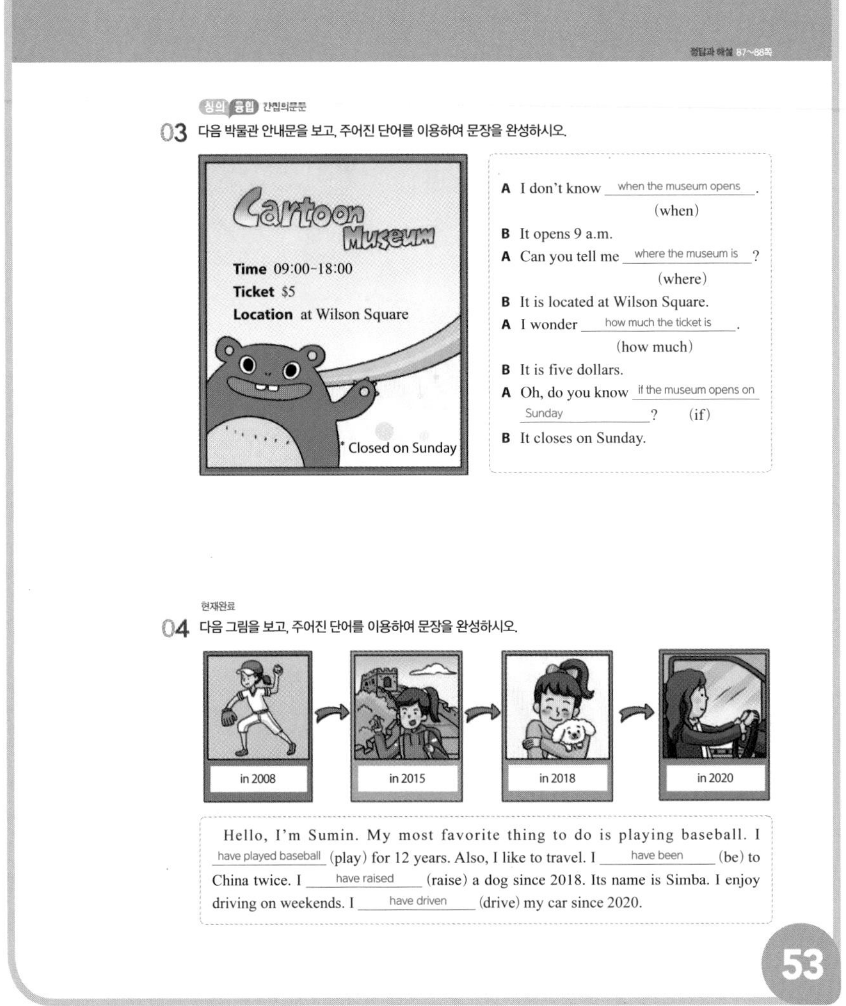

03 의문사가 있는 간접의문문은 어순은 「의문사 + 주어 + 동사」이고 의문사가 없는 간접의문문의 어순은 「if〔whether〕+ 주어 + 동사」이다. how much는 하나의 의문사로 취급한다.

해석

만화 박물관

시간: 09:00-18:00　　표: $5

위치: Wilson 광장　　*일요일에 문을 닫습니다.

A 나는 박물관이 언제 여는지 모르겠어.

B 오전 9시에 열어.

A 박물관이 어디에 있는지 나에게 말해줄 수 있니?

B 그것은 Wilson 광장에 있어.

A 나는 표가 얼마인지 궁금해.

B 5달러야.

A 아, 박물관이 일요일에 여는지 아니?

B 일요일에는 문을 닫아.

04 과거에 시작된 일이 현재까지 지속되고 있음을 나타내거나 과거부터 현재까지의 경험을 나타내는 「have〔has〕+ 과거분사」의 현재완료 시제의 문장을 완성한다.

해석

안녕, 나는 수민이야. 내가 가장 하기 좋아하는 것은 야구를 하는 거야. 나는 12년 동안 야구를 해 왔어. 또한, 나는 여행하는 것을 좋아해. 나는 중국에 2번 가 봤어. 나는 2018년부터 개를 키우고 있어. 그것의 이름은 심바야. 나는 주말마다 운전하는 것을 즐겨. 나는 2020년부터 내 차를 운전해 왔어.

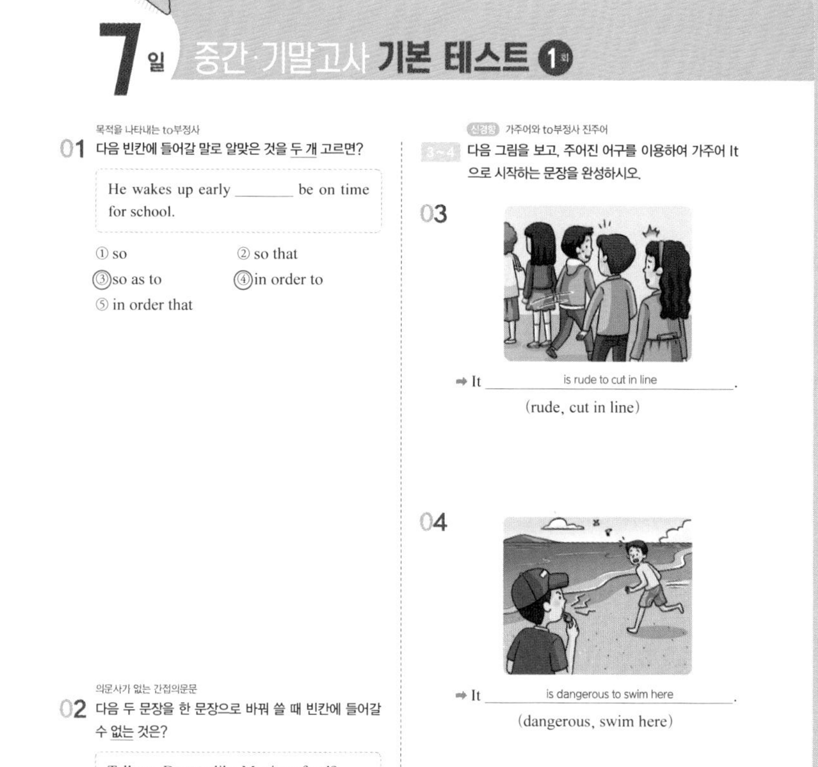

01 '제시간에 도착하기 위해'라는 의미가 되어야 자연스럽다. so as to와 in order to는 '~하기 위해'라는 뜻의 목적을 나타내는 표현으로 뒤에 동사원형이 온다.

해석

그는 학교에 제시간에 도착하기 위해 일찍 일어난다.

02 명사절 접속사 if 바로 뒤에는 or not을 쓸 수 없다.

해석

나에게 말해 줘. 너는 멕시코 음식을 좋아하니?
→ 네가 멕시코 음식을 좋아하는지 내게 말해 줘.

03 가주어 It으로 시작하고 진주어인 to부정사구가 뒤에 오는 문장을 완성한다.

☐ **cut in line** 새치기하다

해석

새치기를 하는 것은 무례하다.

04 가주어 It으로 시작하고 진주어인 to부정사구가 뒤에 오는 문장을 완성한다.

해석

이곳에서 수영하는 것은 위험하다.

05 It은 특별한 뜻이 없는 가주어이다. 진주어인 that절이 뒤에 오도록 문장을 완성한다.

해석

그가 위대한 작가라는 것은 사실이다.

7일

too~to / so~that
06 두 문장의 뜻이 같도록 할 때 밑줄 친 ①~⑤ 중 어법상 어색한 것은?

The weather was too hot to go hiking.
➡ The weather was so hot that I can't go hiking.
(① was ② so ③ hot ④ that ⑤ can't) — ⑤

too~to / so~that
07 두 문장의 의미가 통하도록 할 때 빈칸에 들어갈 말이 순서대로 짝 지어진 것은?

He is too old to run a marathon.
➡ He is _______ old _______ he _______ run a marathon.

① so – that – can ②so – that – can't
③ too – that – can ④ too – that – can't
⑤ such – that – can't

의문사가 있는 간접의문문
08 다음 빈칸에 들어갈 수 없는 것은?

I don't know ____________________.

① what her name is
② how much this is
③ if he likes summer
④where does she live
⑤ why he wants to leave

신경향 의문사가 있는 간접의문문
09 다음 그림을 보고, 남자의 말과 의미가 통하도록 주어진 어구를 바르게 배열하시오.

Why did you want to become an actress?

➡ I wonder why you wanted to become an actress.
(you / to / become / why / an actress / wanted)

신경향 too~to
10 다음 그림을 보고, 상자에서 알맞은 단어를 2개씩 골라 'too ~ to'를 이용하여 문장을 완성하시오.

(1)
➡ They arrived too late to catch the train.

(2)
sdw8d29shv @English.co.kr
➡ Her e-mail address is too difficult to remember.

late remember catch difficult

55

06 「too + 형용사 + to부정사」는 「so + 형용사 + that + 주어 + can't ~」로 바꿔 쓸 수 있다. ⑤ 주어진 문장의 be 동사가 과거 시제이므로 couldn't로 고쳐 써야 한다.

해석
등산을 가기에는 날씨가 너무 더웠다.
→ 날씨가 너무 더워서 나는 등산을 갈 수 없었다.

07 「too + 형용사 + to부정사」는 「so + 형용사 + that + 주어 + can't ~」로 바꿔 쓸 수 있다.

해석
그는 마라톤을 뛰기에는 나이가 너무 많다.
→ 그는 나이가 너무 많아서 마라톤을 뛸 수 없다.

08 ④ 「의문사 + 주어 + 동사」 어순의 간접의문문이 와야 한다. (→ where she lives)

해석
나는 ① 그녀의 이름이 무엇인지 ② 이것이 얼마인지 ③ 그가 여름을 좋아하는지 ④ 그녀가 어디에 사는지 ⑤ 그가 왜 떠나기를 원하는지 모른다.

09 「의문사 + 주어 + 동사」의 어순이 되어야 한다.

해석
왜 배우가 되기를 원하셨나요?
→ 나는 당신이 왜 배우가 되기를 원했는지 궁금합니다.

10 '~하기에 너무 …한/하게'라는 의미를 나타낼 때 「too + 형용사/부사 + to부정사」를 사용한다.

해석
(1) 그들은 기차를 잡기에는 너무 늦게 도착했다.
(2) 그녀의 이메일 주소는 외우기에는 너무 어렵다.

7일 중간·기말고사 기본 테스트 1회

목적을 나타내는 구문

11 우리말과 같은 뜻이 되도록 할 때 빈칸에 들어갈 말로 알맞은 것은?

I put on my glasses ______ I could watch TV better. (나는 TV를 더 잘 보기 위해 안경을 썼다.)

① to ② that
③ so that ④ such that
⑤ in order to

목적을 나타내는 구문

12 괄호 안의 어구와 so as to를 이용하여 우리말을 영어로 옮겨 쓰시오.

나는 좋은 점수를 받기 위해 열심히 공부했다.

➡ I studied hard so as to get good grades.

(study hard, get good grades)

가주어와 진주어

13 다음 중 밑줄 친 부분이 어법상 어색한 것은?

① It is dangerous to drive fast.
② It is easy to learn how to swim.
③ It is interesting that ants can swim.
④ It is certain that you'll win the race.
⑤ It is hard that find a good restaurant.

신경향 의문사가 있는 간접의문문

14 주어진 단어를 이용하여 다음 빈칸에 알맞은 말을 쓰시오.

Do you know when Jihun's birthday is ?
(when)
Yes. Jihun's birthday is May 15.

so that

15 다음 중 빈칸에 so that을 쓸 수 없는 것은?

① Kate hurried ______ she wouldn't be late.
② Sally whispered ______ no one could hear her.
③ Benjamin left early ______ he could catch the bus.
④ I set an alarm ______ I could get up on time.
⑤ David won the dance contest ______ he practiced hard.

56

11 so that은 '~하기 위해서'라는 의미로 목적을 나타내며 뒤에 「주어 + 동사」가 온다.

12 좋은 점수를 받는 것은 열심히 공부하는 것의 목적이다. so as to는 목적을 나타내는 표현이다.

13 명사절을 이끄는 that 바로 뒤에 동사원형이 올 수 없으므로 that을 to로 고쳐 써야 한다.
① 빠르게 운전하는 것은 위험하다.
② 수영하는 법을 배우는 것은 쉽다.
③ 개미가 수영을 할 수 있다는 것은 흥미롭다.
④ 네가 경주에서 이길 것이 확실하다
⑤ 좋은 식당을 찾는 것은 어렵다.

14 의문사가 있는 간접의문문의 어순은 「의문사 + 주어 + 동사」이다.

해석

너는 지훈이의 생일이 언제인지 아니?

응. 지훈이의 생일은 5월 15일이야.

15 so that은 '~하기 위해서'라는 의미로 목적을 나타낸다. ⑤는 빈칸 뒤의 내용이 앞 내용의 이유이므로 이유를 나타내는 접속사 because 등이 알맞다.

해석

① Kate는 늦지 않기 위해 서둘렀다.
② Sally는 아무도 그녀의 목소리를 듣지 못하도록 속삭였다.
③ Benjamin은 버스를 잡기 위해 일찍 떠났다.
④ 나는 제시간에 일어나기 위해 알람을 설정했다.

7일

so~that
16 괄호 안에서 알맞은 것을 고르시오.
(1) He was (so worried that / so that worried) he couldn't sleep well.
(2) She is (busy so that / so busy that) she doesn't have time to rest.

too~to
17 다음 빈칸에 들어갈 수 있는 것을 두 개 고르면?

Kate was too _______ to stand.

① tired ② fast
③ weak ④ enough
⑤ dangerous

조건의 부사절 / 간접의문문
18 다음 빈칸에 공통으로 들어갈 말을 쓰시오.

• I will be very happy _______ she loves me.
• Stop asking me _______ I miss Korean food.

➡ if

신경향 의문사가 없는 간접의문문
19 다음 그림의 상황과 일치하도록 문장을 완성하시오.

Tourist Information Office
Excuse me. Is there a Tourist Information Office near hear?

➡ The man wants to know if(whether) there is a Tourist Information Office near here.

가주어와 to부정사 진주어
20 다음 밑줄 친 부분과 쓰임이 같은 것은?

It is hard to make new friends.

① I'm very sorry to hear that.
② I'm looking for something to eat.
③ It's fun to ride a roller coaster.
④ That book was easy to understand.
⑤ I went to the store to buy some fruits.

57

16 「so + 형용사 + that + 주어 + can't ~」는 '너무 ~해서 …할 수 없다'라는 의미이다.
해석
(1) 그는 너무 걱정스러워서 잠을 잘 자지 못했다.
(2) 그녀는 너무 바빠서 쉴 시간이 없다.

17 '~하기에 너무 …한'이라는 의미를 나타낼 때 「too + 형용사 + to부정사」를 사용한다. 주어진 보기가 모두 형용사이므로 내용상 자연스러운 것을 찾는다.
해석
Kate는 너무 ① 피곤해서 ③ 약해서 서 있을 수 없었다.

18 • '만약 ~라면'이라는 뜻의 부사절 접속사 if가 알맞다.
• '~인지 아닌지'라는 뜻의 명사절 접속사 if가 알맞다.
해석
• 만약 그녀가 나를 사랑한다면 나는 매우 행복할 것이다.
• 내가 한국 음식을 그리워하는지 그만 물어 봐.

19 의문사가 없는 간접의문문의 어순은 「if[whether] + 의문사 + 주어 + 동사」이다.
해석
실례합니다. 이 근처에 관광 안내소가 있나요?
→ 남자는 이 근처에 관광 안내소가 있는지 알고 싶어 한다.

20 주어진 문장과 ③은 진주어인 to부정사가 뒤에 있고, 가주어인 It이 주어 자리에 쓰인 문장이다.
해석
새 친구를 사귀는 것은 어렵다.
① 그 말을 듣게 되어 유감이다.
② 나는 먹을 것을 찾고 있다.
③ 롤러코스터를 타는 것은 재미있다.
④ 그 책은 이해하기 쉬웠다.
⑤ 나는 과일을 좀 사기 위해 가게에 갔다.

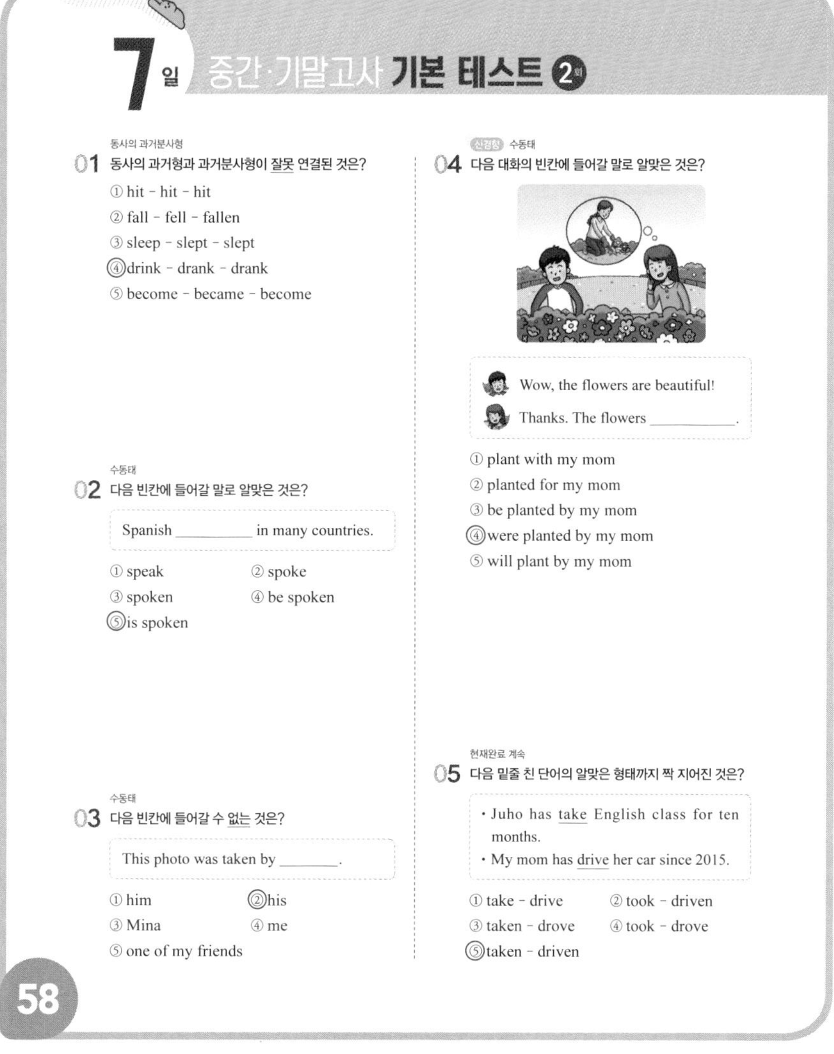

7일 중간·기말고사 기본 테스트 2회

동사의 과거분사형

01 동사의 과거형과 과거분사형이 잘못 연결된 것은?

① hit - hit - hit
② fall - fell - fallen
③ sleep - slept - slept
④ drink - drank - drank
⑤ become - became - become

수동태

02 다음 빈칸에 들어갈 말로 알맞은 것은?

Spanish ________ in many countries.

① speak ② spoke
③ spoken ④ be spoken
⑤ is spoken

수동태

03 다음 빈칸에 들어갈 수 없는 것은?

This photo was taken by _______.

① him ② his
③ Mina ④ me
⑤ one of my friends

신경향 수동태

04 다음 대화의 빈칸에 들어갈 말로 알맞은 것은?

Wow, the flowers are beautiful!
Thanks. The flowers ___________.

① plant with my mom
② planted for my mom
③ be planted by my mom
④ were planted by my mom
⑤ will plant by my mom

현재완료 계속

05 다음 밑줄 친 단어의 알맞은 형태끼리 짝 지어진 것은?

• Juho has take English class for ten months.
• My mom has drive her car since 2015.

① take - drive ② took - driven
③ taken - drove ④ took - drove
⑤ taken - driven

58

01 ④ 동사 drink(마시다)의 과거분사형은 drunk이다.

02 스페인어가 말해지는 것이므로 「be동사 + 과거분사」의 수동태 문장이 되어야 한다.

해석

스페인어는 많은 나라에서 말해진다.

03 수동태 문장에서 행위자는 전치사 by뒤에 쓴다. by 뒤에 소유격은 올 수 없다.

해석

이 사진은 ① 그 ③ 미나 ④ 나 ⑤ 내 친구들 중 한 명에 의해 찍혔다.

04 꽃이 엄마에 의해 심어졌으므로 「be동사 + 과거분사 + by + 행위자」의 수동태 문장이 되어야 한다. 꽃이 심어진 것은 과거의 일이므로 be동사는 were가 쓰여야 한다.

☐ **plant** 동 (식물을) 심다

해석

 와, 꽃들이 아름답다!

 고마워. 꽃들은 나의 엄마에 의해 심어졌어.

05 과거에 시작한 일이 현재까지 지속되고 있음을 나타내는 현재완료(have[has] + 과거분사) 시제의 문장이 되어야 한다.

해석

• 주호는 열 달째 영어 수업을 듣고 있다.
• 엄마는 2015년부터 자신의 자동차를 운전하신다.

과거 / 현재완료 결과

06 다음 빈칸에 들어갈 말이 순서대로 짝지어진 것은?

• I _______ George at the bus stop yesterday.
• Has he already _______ to Paris?

① meet - go ② met - go
③ meet - gone ④ met - went
⑤ met - gone

능동태의 수동태 전환

07 두 문장이 같은 뜻이 되도록 빈칸에 알맞은 말을 쓰시오.

He didn't explain the rule.
➡ The rule ___was not explained___ by him.

능동태의 수동태 전환

08 다음 문장을 수동태로 바르게 고친 것은?

Someone stole my bike.

① My bike stole by someone.
② My bike was stolen by someone.
③ My bike be stolen by someone.
④ Someone was stolen my bike.
⑤ Someone was stolen by my bike.

능동태의 수동태 전환

09 능동태를 수동태로 잘못 고친 것은?

① Everyone loves her new novel.
→ Her new novel is loved with everyone.
② Smoke filled the whole room.
→ The whole room was filled with smoke.
③ They announced their marriage.
→ Their marriage was announced by them.
④ The dog attacked the little girl.
→ The little girl was attacked by the dog.
⑤ She wrote the letter.
→ The letter was written by her.

신경향 현재완료 완료

10 다음 그림을 보고, 주어진 어구를 이용하여 질문에 답하시오.

Q What has Suho just done?

➡ He ___has just cleaned his room___.
(clean, his room)

59

06 각각 과거 시제, 현재완료 시제의 문장이다.

해석

• 나는 어제 버스 정류장에서 George를 만났다.
• 그는 벌써 파리에 갔니?

07 규칙이 그에 의해 설명되지 않은 것이므로 「be동사 + not + 과거분사」의 수동태 부정문을 완성한다.

해석

그는 규칙을 설명하지 않았다.
→ 규칙은 그에 의해 설명되지 않았다.

08 능동태 문장의 목적어를 주어로, 동사는 「be + 과거분사」로 쓴 다음 행위자 someone을 by 뒤에 쓴다.

해석

누군가가 나의 자전거를 훔쳐갔다.
② 나의 자전거가 누군가에 의해 도둑맞았다.

09 ① 수동태 문장의 행위자 앞에는 전치사 by를 쓴다.

해석

① 모든 사람들이 그녀의 새 소설을 사랑한다.
→ 그녀의 새 소설은 모든 사람들에게 사랑받는다.
② 연기가 방 전체를 채웠다.
→ 방 전체가 연기로 가득 찼다.
③ 그들은 그들의 결혼을 발표했다.
→ 그들의 결혼이 그들에 의해서 발표되었다.
④ 그 개가 어린 소녀를 공격했다.
→ 어린 소녀가 그 개에 의해 공격을 당했다.
⑤ 그녀가 그 편지를 썼다.
→ 그 편지는 그녀에 의해 쓰여졌다.

10 과거에 시작한 일이 현재 완료되었음을 나타내는 현재완료 시제(have[has] + 과거분사) 문장을 완성한다.

해석

Q 수호는 방금 무엇을 했는가?
→ 그는 방금 그의 방을 청소했다.

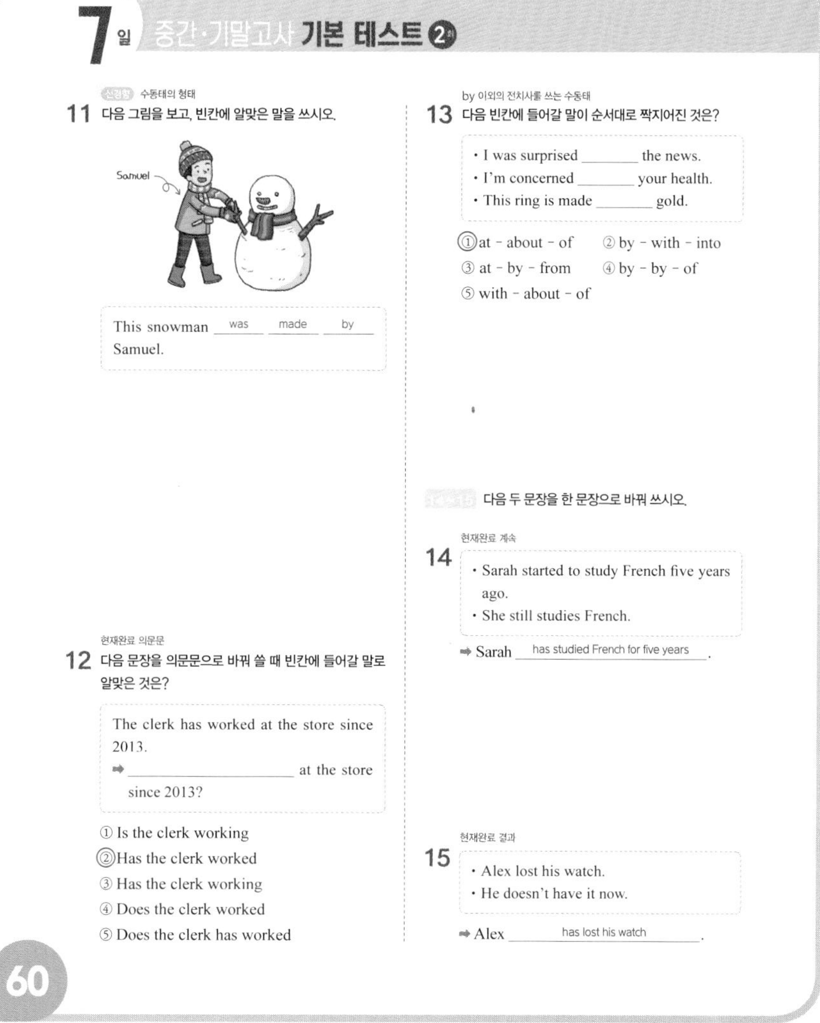

11 눈사람은 Samuel에 의해 만들어진 것이므로 「be + 과거분사 + by + 행위자」의 수동태 문장을 완성한다.

해석

이 눈사람은 Samuel에 의해 만들어졌다.

12 현재완료 시제의 의문문은 「Have〔Has〕+ 주어 + 과거분사 ~?」로 쓴다.

해석

그 점원은 2013년 이후로 그 상점에서 일해 왔다.
→ 그 점원은 2013년 이후로 그 상점에서 일해 왔니?

13 be surprised at: ~에 놀라다
be concerned about: ~에 대해 걱정하다
be made of: ~으로 만들어지다

해석

• 나는 그 소식에 놀랐다.
• 나는 너의 건강에 대해 걱정한다.
• 이 반지는 금으로 만들어졌다.

14 과거에 시작한 일을 현재까지 계속하는 것이므로 「have〔has〕+과거분사」의 현재완료 시제 문장을 완성한다.

해석

• Sarah는 5년 전에 프랑스어를 공부하기 시작했다.
• 그녀는 여전히 프랑스어를 공부한다.
→ Sarah는 5년 동안 프랑스어를 공부하고 있다.

15 과거의 일이 현재의 결과를 가져온 것을 나타내는 현재완료(have〔has〕+과거분사) 시제 문장을 완성한다

해석

• Alex는 그의 시계를 잃어버렸다.
• 그는 그것을 지금 가지고 있지 않다.
→ Alex는 그의 시계를 잃어버렸다.

현재완료 계속

16 다음 대화의 빈칸에 들어갈 말로 알맞은 것은?

A How long has Ann played chess?
B ______________.

① At seven.
② Four times.
③ In two hours.
④ For two months.
⑤ Three years ago.

신경향 현재완료 경험

17 다음 그림을 보고, 상자에서 알맞은 단어를 골라 문장을 완성하시오.

A Have you ever been to New Zealand?
B Yes. I went there two years ago. I saw a dolphin there.
A I have seen a dolphin, too.

go be see have

과거 / 현재완료

18 다음 빈칸에 들어갈 말이 순서대로 짝 지어진 것은?

• It rained all day long ________.
• I haven't heard from him ________.

① yesterday – since 2020
② since yesterday – in months
③ for 5 hours – last month
④ since last year – for days
⑤ tomorrow – a year ago

조동사를 포함하는 수동태

19 우리말과 같은 뜻이 되도록 주어진 단어를 이용하여 문장을 완성하시오.

책들은 오늘 배달되어야 한다.

➡ The books should be delivered today. (should, deliver)

현재완료 계속·경험

20 밑줄 친 부분 중 쓰임이 나머지 넷과 다른 것은?

① I have worked here for 2 years.
② It has rained since this morning.
③ Ethan has been to Australia before.
④ She has taken care of her cats for years.
⑤ I have been in Spain since last month.

61

16 기간을 나타내는 말은 for나 since를 이용해서 한다.

해석
A Ann은 얼마나 오래 체스를 두었니?
B 두 달 동안.

17 「Have you ever + 과거분사 ~?」는 경험을 묻는 표현이다. 명백히 과거를 나타내는 부사구는 현재완료 시제와 함께 쓰일 수 없다.

해석
A 너는 뉴질랜드에 가 본 적이 있니?
B 응, 나는 그곳에 2년 전에 갔어. 나는 그곳에서 돌고래를 보았어.
A 나도 돌고래를 본 적이 있어.

18 • 과거 시제 문장으로 과거를 나타내는 부사가 알맞다.
• 「have + 과거분사」의 현재완료 시제의 문장이다.

해석
• 어제는 종일 비가 내렸다.
• 나는 그에게서 2020년 이후로 소식을 듣지 못했다.

19 조동사를 포함하는 수동태는 「조동사 + be + 과거분사」의 어순으로 쓴다.

20 ③은 과거부터 현재까지의 경험을 나타내는 현재완료의 용법이다. 나머지는 모두 과거에 시작한 일이 현재까지 계속되고 있음을 나타내는 현재완료의 용법이다.

해석
① 나는 이곳에서 2년 동안 일하고 있다.
② 오늘 아침부터 비가 내리고 있다.
③ Ethan은 전에 호주에 가 본 적이 있다.
④ 그녀는 수 년 동안 고양이를 돌봐 왔다.
⑤ 나는 지난 달 이후로 스페인에 있다.

부록 핵심 정리 총집합

핵심 정리 01 가주어 it과 to부정사구 주어

주어가 to부정사구처럼 같이 긴 어구일 때, it을 주어 자리에 쓰고 원래 주어를 문장 뒤로 보낼 수 있다. 주어 자리에 쓴 it을 가주어, 뒤에 있는 원래의 주어를 진주어라고 하는데, 가주어 it은 특별한 뜻이 없으므로 해석하지 않는다.

- To learn English is important.
  (영어를 배우는 것은 중요하다.)
  ➡ ❶ [ ] (가주어) is important **to learn English**. (진주어)
- To find the things I want to buy is hard.
  (내가 사고 싶은 것들을 찾는 것은 어렵다.)
  ➡ **It** (가주어) is hard ❷ [ ] **find things I want to buy**. (진주어)

답 ❶ It ❷ to

핵심 정리 02 가주어 it과 that절 주어

주어가 that절과 같이 긴 어구일 때, it을 주어 자리에 쓰고 원래 주어를 문장 뒤로 보낼 수 있다. 주어 자리에 쓴 it을 가주어, 뒤에 있는 원래의 주어를 진주어라고 하는데, 가주어 it은 특별한 뜻이 없으므로 해석하지 않는다.

- ❶ [ ] he likes Jessica is certain.
  (그가 Jessica를 좋아하는 것이 확실하다.)
  ➡ **It** (가주어) is certain **that he likes Jessica**. (진주어)
- That the price is high ❷ [ ] true.
  (가격이 비싼 것은 사실이다.)
  ➡ **It** (가주어) is true **that the price is high**. (진주어)

답 ❶ That ❷ is

핵심 정리 03 too ~ to부정사

「too＋형용사/부사＋to부정사」는 '…하기에 너무 ~한'이라는 뜻을 나타낸다.

He was ❶ [ ] busy **to play** with his dog.
(그는 그의 강아지와 놀기에는 너무 바빴다.)

I'm **too** tired ❷ [ ] **do** the dishes.
(나는 설거지를 하기에는 너무 피곤하다.)

The boy is **too** ❸ [ ] **to read** the newspaper.
(그 소년은 신문을 읽기에는 너무 어리다.)

답 ❶ too ❷ to ❸ young

핵심 정리 04 so ~ that ... can't

「too＋❶ [ ]/부사＋to부정사」는 「so＋형용사/부사＋that＋주어＋can't ~」로 바꿔 쓸 수 있다.

It is ❷ [ ] noisy **that** I **can't sleep**.
(너무 시끄러워서 나는 잠을 잘 수 없다.)

He was **so** sick **that** he **couldn't go** to school.
(그는 너무 아파서 학교에 갈 수 없었다.)

It is **so** dark **that** I ❸ [ ] **read** the letters.
(너무 어두워서 나는 글자를 읽을 수 없다.)

답 ❶ 형용사 ❷ so ❸ can't

절취선에 따라 카드를 잘라서 활용하세요.

핵심 예문 01

e.g. ❶ ______ isn't easy **to exercise every day**.
매일 운동하는 것은 쉽지 않다.

It was easy ❷ ______ **answer all the questions**.
모든 질문에 대답하는 것은 쉬웠다.

❸ ______ is fun **to dance in the rain**.
빗속에서 춤을 추는 것은 재미있다.

It is important ❹ ______ **drink plenty of water**.
충분한 물을 마시는 것은 중요하다.

답 ❶ It ❷ to ❸ It ❹ to

핵심 예문 02

e.g. **It** is natural **that you thought so**.
네가 그렇게 생각한 것은 당연하다.

❶ ______ is certain **that he will agree with that**.
그가 그것에 동의할 것이라는 것은 확실하다.

It is surprising ❷ ______ **she does not know Jane**.
그녀가 Jane을 모른다니 놀랍다.

답 ❶ It ❷ that

핵심 예문 03

e.g. I was ❶ ______ busy **to have** dinner.
나는 저녁을 먹기에는 너무 바빴다.

This bike is **too** expensive ❷ ______ **buy**.
이 자전거는 사기에는 너무 비싸다.

Susan was **too** ❸ ______ **to lift** the box.
Susan은 그 상자를 들어올리기에는 너무 약했다.

It is **too** cold **to play** outside.
밖에서 놀기에는 너무 춥다.

답 ❶ too ❷ to ❸ weak

핵심 예문 04

e.g. I was **so** busy ❶ ______ **I couldn't have** dinner.
나는 너무 바빠서 저녁을 먹을 수 없었다.

This bike is **so** expensive **that** I ❷ ______ **buy**.
이 자전거는 너무 비싸서 나는 살 수 없다.

Susan was ❸ ______ weak **that** she **couldn't lift** the box.
Susan은 너무 약해서 그 상자를 들어 올릴 수 없었다.

It is **so** cold **that** I **can't play** outside.
너무 추워서 나는 밖에서 놀 수 없다.

답 ❶ that ❷ can't ❸ so

핵심 정리 05 목적을 나타내는 so that

「so ❶ ______ + 주어 + 동사」는 'that 이하를 위해'라는 뜻으로 목적을 나타낸다. so that 다음에는 보통 조동사가 온다. (주절의 동사가 과거이면 조동사도 과거로 씀)

We will take a taxi **so** ❷ ______ we can arrive there in time.
(우리는 그곳에 제시간에 도착하기 위해 택시를 탈 것이다.)

We should recycle plastic bottles ❸ ______ **that** we can save the planet.
(우리는 지구를 보호하기 위해 플라스틱 병을 재활용해야 한다.)

Stacey practiced hard **so that** she could become a great basketball player.
(Stacey는 훌륭한 농구선수가 되기 위해 열심히 연습했다.)

답 ❶ that ❷ that ❸ so

핵심 정리 06 목적을 나타내는 다른 표현

목적을 나타내는 so that은 in order to, so as to, 또는 to부정사로 바꿔 쓸 수 있다.

He opened the door ❶ ______ **that** he could enter the room.
그는 방에 들어가려고 문을 열었다.

= He opened the door **in** ❷ ______ **to** enter the room.
= He opened the door ❸ ______ **as to** enter the room.
= He opened the door **to** enter the room.

답 ❶ so ❷ order ❸ so

핵심 정리 07 의문사가 있는 간접의문문

1. **간접의문문**
   의문문이 다른 문장의 일부로 쓰인 것을 말한다. 명사절인 간접의문문은 보통 동사의 ❶ ______ 역할을 한다.
2. 의문사가 있는 간접의문문의 어순은 「❷ ______ + 주어 + 동사」이다.

   I want to know. + Where does she live?

   ➡ I want to know ❸ ______ (의문사) **she** (주어) **lives** (동사).
   (나는 그녀가 어디에 사는지 알고 싶다.)
3. 간접의문문이 think, guess, suppose 등의 목적어일 때 의문사를 문장의 맨 앞에 쓴다.

   Do you think? + When should I call her?

   ➡ **When** do you think I should call her?
   (너는 내가 언제 그녀에게 전화해야 한다고 생각하니?)

답 ❶ 목적어 ❷ 의문사 ❸ where

핵심 정리 08 의문사가 없는 간접의문문

1. 의문사가 없는 간접의문문의 어순은 「if(whether) + 주어 + 동사」이다.

   I wonder. + Does he like dogs?

   ➡ I wonder ❶ ______ **he** (주어) **likes** (동사) dogs.
2. **if가 이끄는 절 *vs.* whether가 이끄는 절**
   ① if가 이끄는 절: ❷ ______ 역할을 하며 if가 '~인지 아닌지'라는 의미를 나타낸다. or not이 문장 끝에만 올 수 있다.

   I wonder **if** the rumor is true (or not).
   (나는 그 소문이 사실인지 궁금하다.)

   ② whether가 이끄는 절: 주어, 보어, 목적어 역할을 하며 '~인지 아닌지'라는 의미를 나타낸다. or not이 whether 바로 뒤나 문장 끝에 올 수 있다.

   ❸ ______ she can do it is not certain. [주어]
   (그녀가 그것을 할 수 있을지는 확실하지 않다.)

답 ❶ if(whether) ❷ 목적어 ❸ Whether

핵심 예문 06

I came home early **so that** I can have dinner with my family.
나는 가족과 저녁 식사를 하기 위해 일찍 집에 왔다.

➡ I came home early **in** ❶ ______ **to** have dinner with my family.
➡ I came home early **so as** ❷ ______ have dinner with my family.
➡ I came home early **to** have dinner with my family.

답 ❶order ❷to

핵심 예문 05

e.g. Hurry up **so** ❶ ______ we can get there in time.
우리가 그곳에 제시간에 도착할 수 있도록 서둘러라.

Turn around **so that** ❷ ______ can see your face.
네가 너의 얼굴을 볼 수 있도록 돌아서라.

I made breakfast ❸ ______ **that** I could make my mom happy.
나는 엄마를 행복하게 만들기 위해 아침 식사를 만들었다.

Gina started running **so that** she could catch the train.
지나는 기차를 잡기 위해 뛰기 시작했다.

답 ❶that ❷I ❸so

핵심 예문 08

Do you know ❶ ______ he has a key?
너는 그가 열쇠를 가지고 있는지 아니?

He asked ❷ ______ I want to eat a hamburger.
그는 나에게 햄버거가 먹고 싶은지 물었다.

I wonder **if〔whether〕** there is a bank near here.
나는 이 근처에 은행이 있는지 궁금하다.

cf. **If** it ❸ ______, we won't go to the park.
만약 ~라면 [조건을 나타내는 부사절 접속사]
만약에 비가 내린다면 우리는 공원에 가지 않을 것이다.

답 ❶if〔whether〕 ❷if〔whether〕 ❸rains

핵심 예문 07

e.g.

• Can you tell me? + Where is the key?
➡ Can you tell me ❶ ______ **the key is**?
나에게 열쇠가 어디에 있는지 말해줄 수 있니?

• I don't know. + Why did he leave?
➡ I don't know **why he** ❷ ______.
나는 그가 왜 떠났는지 모른다.

답 ❶where ❷left

핵심 정리 09 수동태의 의미와 형태

1. **수동태의 의미**: '행위의 대상'이 주어인 동사의 형태를 말한다.

2. **수동태의 형태**: 수동태는 「❶ ＿＿＿ +과거분사(+by +행위자)」로 쓴다.

Hangeul **was made** ❷ ＿＿＿ King Sejong.
(한글은 세종대왕에 의해 만들어졌다.)

The card **was** ❸ ＿＿＿ by him.
(그 카드는 그에 의해 쓰여졌다.)

* 행위자가 분명하지 않거나 밝힐 필요가 없는 경우에는 생략할 수 있다.

My key **was stolen.**
(내 열쇠를 도난당했다.)

답 ❶ be동사 ❷ by ❸ written

핵심 정리 10 능동태의 수동태 전환

능동태를 수동태로 바꾸는 방법은 아래와 같다.

① 능동태의 목적어를 수동태의 ❶ ＿＿＿로 쓴다.
② 동사를 「be동사+❷ ＿＿＿」의 형태로 바꾼다. be동사는 능동태의 동사 시제에 따른다.
③ 능동태의 주어를 「by+목적격」의 형태로 문장 끝에 덧붙인다.

Jake [주어] cleaned the room. [목적어]
(Jake가 그 방을 청소했다.)

The room [주어] was cleaned [be동사+과거분사] by Jake. [by+행위자(목적격)]
(그 방은 Jake에 의해 청소되었다.)

답 ❶ 주어 ❷ 과거분사

핵심 정리 11 수동태 부정문과 의문문

1. **수동태의 부정문**: 「be동사+not+과거분사」

The bike **is not fixed** by that man.
(자전거는 저 남자에 의해 수리되지 않는다.)

The pictures **were** ❶ ＿＿＿ **taken** by Tom.
(사진들은 Tom에 의해 찍히지 않았다.)

2. **수동태의 의문문**: 「(의문사+)be동사+주어+과거분사 ~?」

❷ ＿＿＿ the door **painted** by your mom?
(저 문은 너의 엄마에 의해 칠해졌니?)

Is the dinner **prepared** by Ryan?
(저녁식사는 Ryan에 의해 준비되니?)

답 ❶ not ❷ Was

핵심 정리 12 수동태의 시제

현재	am/is/are+과거분사
과거	was/were+과거분사
미래	will be+과거분사

The room **is** ❶ ＿＿＿ by students on Saturday.
그 방은 토요일에 학생들에 의해 사용된다.

This bag ❷ ＿＿＿ **designed** by Mr. William.
이 가방은 William 씨에 의해 디자인되었다.

My sister I and **were invited** to the party.
(내 여동생과 나는 파티에 초대되었다.)

The guitar **will** ❸ ＿＿＿ **played** by Veronica.
(기타는 Veronica에 의해 연주될 것이다.)

답 ❶ used ❷ was ❸ be

핵심 예문 10

e.g. My dad makes my birthday cake.

➡ My birthday cake **is** ❶ ______ by my dad.

나의 생일 케이크는 아빠에 의해 만들어진다.

Emma locked the door.

➡ The door ❷ ______ **locked** by Emma.

그 문은 Emma에 의해 잠겼다.

Ms. Davis planted the apple trees.

➡ The apple trees ❸ ______ **planted** by Ms. Davis.

사과나무는 Davis 씨에 의해 심어졌다.

답 ❶ made ❷ was ❸ were

핵심 예문 09

My dog ❶ ______ **loved** by everyone.

나의 개는 모든 사람들에게 사랑을 받는다.

The streets **are cleaned** every day.

거리는 매일 청소된다.

The roof ❷ ______ **repaired** by my dad.

지붕은 나의 아빠에 의해 수리되었다.

The windows **were** ❸ ______ by Mark.

창문은 Mark에 의해 깨졌다.

답 ❶ is ❷ was ❸ broken

핵심 예문 12

The classroom ❶ ______ **cleaned** by students every day.

교실이 학생들에 의해 매일 청소된다.

The poem **was** ❷ ______ by my English teacher.

그 시는 나의 영어 선생님에 의해 쓰여졌다.

The pictures **were painted** by Van Gogh.

그 그림들은 반 고흐에 의해 그려졌다.

The train station ❸ ______ **be built** in 2030.

기차역이 2030년에 지어질 것이다.

답 ❶ is ❷ written ❸ will

핵심 예문 11

The movie **was not** ❶ ______ by him.

그 영화는 그에 의해 감독되지 않았다.

Was that big tree ❷ ______ by Jade?

저 큰 나무는 Jade에 의해 심어졌니?

❸ ______ the ducks **raised** by your aunt?

오리들은 너의 이모에 의해 길러졌니?

When **was** the desk **delivered** by her?

책상이 언제 그녀에 의해 배달되었니?

답 ❶ directed ❷ planted ❸ Were

핵심 정리 13 조동사를 포함하는 수동태

1. 조동사를 포함하는 수동태

조동사가 있을 때의 수동태는 「조동사+❶ ______ +과거분사」로 쓴다.

Books **can be** ❷ ______ for two weeks.
(책들은 2주 동안 대여될 수 있다.)

The letter **must be** ❸ ______ by this Friday.
(편지는 이번 주 금요일까지 보내져야 한다.)

2. 조동사를 포함하는 수동태의 부정문과 의문문

부정문	주어+조동사+not+be+과거분사 ~.
의문문	(의문사+)조동사+주어+be+과거분사 ~?

Children **should** ❹ ______ **be allowed** to watch too much TV.
(아이들은 TV를 너무 많이 보도록 허락되어서는 안 된다.)

답 ❶ be ❷ borrowed ❸ sent ❹ not

핵심 정리 14 by 이외의 전치사를 쓰는 수동태

be tired ❶ ______	~에 싫증이 나다
be covered with	~으로 덮여 있다
be satisfied ❷ ______	~에 만족하다
be interested in	~에 흥미가 있다
be pleased ❸ ______	~에 기뻐하다
be filled with	~으로 가득 차다

I'm interested in cooking these days.
(나는 요즘 요리에 관심이 있다.)

The basket **is filled** ❸ ______ balls.
(바구니는 공들로 가득 차 있다.)

답 ❶ of ❷ with ❸ with

핵심 정리 15 현재완료의 용법: 경험, 계속

현재완료는 과거의 경험을 말하거나 과에 시작된 일이 현재까지 영향을 미치고 있음을 나타낼 때 쓴다.

1. 경험

과거부터 현재까지의 경험을 나타내며 before, ever, ❶ ______, once등과 함께 자주 쓰인다.

I **have eaten** Indian food before.
(나는 전에 인도 음식을 먹어본 적이 있다.)

I **have** never ❷ ______ a kangaroo.
(나는 한 번도 캥거루를 본 적이 없다.)

2. 계속

과거에 시작된 일이 현재까지 계속되고 있음을 나타내며 기간을 나타내는 for나 since와 함께 자주 쓰인다.

My family ❸ ______ **lived** in London for two years. (우리 가족은 2년째 런던에 살고 있다.)

답 ❶ never ❷ seen ❸ have

핵심 정리 16 현재완료의 용법: 결과, 완료

3. 결과

과거에 일어난 일이 현재의 결과를 가져왔음을 나타낸다.

I ❶ ______ lost my camera.
(나는 내 카메라를 잃어버렸다.)

4. 완료

과거에 시작한 일이 현재 완료되었음을 나타낸다. just, already, yet 등과 함께 자주 쓰인다.

Anna and Paul **have** ❷ ______ **finished** dinner.
(Anna와 Paul은 방금 저녁 식사를 마쳤다.)

답 ❶ have ❷ just

핵심 예문 14

e.g. I'm not **satisfied** ❶ ____ your product.
나는 당신의 상품이 만족스럽지 않다.

The table **is** always **covered** ❷ ____ dust.
그 탁자는 항상 먼지로 뒤덮여 있다.

I'm tired ❸ ____ eating fish.
나는 생선을 먹는 것에 싫증이 난다.

I'm interested in classical music.
나는 고전음악에 관심이 있다.

답 ❶ with ❷ with ❸ of

핵심 예문 13

e.g. Plans ❶ ____ **be changed** anytime.
계획은 언제라도 변경될 수 있다.

The report **must** ❷ ____ **revised** today.
보고서는 오늘 수정되어야 한다.

Books **should be returned** in five days.
책은 5일 후에 반납되어야 한다.

The bike **will be** ❸ ____ by my dad.
자전거는 아빠에 의해 수리될 것이다.

답 ❶ can ❷ be ❸ fixed

핵심 예문 16

e.g. Lucy **has** ❶ ____ to Africa. [결과]
Lucy는 아프리카에 가 버렸다.

My comupter ❷ ____ **broken.** [결과]
내 컴퓨터가 고장 났다.

He **has** ❸ ____ **come** back from school. [완료]
그는 방금 학교에서 돌아왔다.

I **have** already **finished** my homework. [완료]
나는 이미 숙제를 마쳤다.

답 ❶ gone ❷ has ❸ just

핵심 예문 15

e.g. **Have** you ever **visited** New York? [경험]
너는 뉴욕을 방문한 적이 있니?

Minho **has** ❶ ____ Europe twice. [경험]
민호는 유럽을 두 번 방문했다.

She ❷ ____ **been** in her room for an hour. [계속]
그녀는 그녀의 방 안에 한 시간째 있다.

I **have known** Bill ❸ ____ three years. [계속]
나는 Bill을 삼년 동안 알아 왔다.

답 ❶ visited ❷ has ❸ for